Die allerschönsten Geistesblitze

Die allerschönsten Geistesblitze

Die witzigsten Zitate und Sprüche der Welt

Herausgegeben von Tania Schlie,
Hubertus Rabe und Johannes Thiele

Marion von Schröder

3. Auflage 2001

Der Marion von Schröder Verlag ist ein Unternehmen
der Econ Ullstein List Verlag GmbH & Co. KG, München

ISBN 3-547-77969-3

Satz: Franzis print + media
Druck und Bindung: Wiener Verlag, Himberg

A

Abdankung

Der Akt, mit dem ein Souverän sein feines Gespür für die hohe Temperatur des Throns unter Beweis stellt.

AMBROSE BIERCE

Abend

Das Übel mit den Männern ist, daß sie sich am Morgen um zehn Jahre jünger fühlen und am Abend um zwanzig Jahre älter.

CARMEN ORTIZ

Abendkleid

Ich trage große Abendkleider immer nur einmal und verschenke sie dann. So kommt es, daß sie alle häufiger ausgehen als ich selbst.

BRIGITTE BARDOT

Abendmahl

Kann sein, daß beim Letzten Abendmahl keine Frauen anwesend waren, aber beim nächsten sind wir garantiert dabei.

BELLA ABZUG

Abenteurer

Die wahren Abenteuer sind im Kopf, und sind sie nicht im Kopf, dann sind sie nirgendwo.

ANDRÉ HELLER

Abenteuer

Ein richtiger Abenteurer steigt nicht auf Berge, er klettert über den Zaun des Nachbarn.

GILBERT CHESTERTON

Aberglaube

Ich bin nicht abergläubisch, aber es gibt Dinge, die mir kein Glück bringen, zum Beispiel Männer.

AVA GARDNER

Der Aberglaube ist die Poesie des Lebens.

JOHANN WOLFGANG VON GOETHE

Es gibt sehr viele Leute, die glauben, aber aus Aberglauben.

BLAISE PASCAL

Aberglaube ist die Form der Ehrfurcht, die selbst den Zufall als eine Anordnung höherer Mächte anerkennt.

CARL LUDWIG SCHLEICH

Abgeordneter

Der Abgeordnete ist ausgezeichnet; das heißt, er hat seinen festen Preis.

BERT BERKENSTRÄTER

Wenn man früher unfähig war, wurde man Fotograf; heute wird man Abgeordneter.

GUY DE MAUPASSANT

Abgrund

Gestern standen wir vor einem Abgrund. Heute sind wir einen großen Schritt weiter.

ANONYM

Abgrund Sorglos eilen wir in den Abgrund, nachdem wir etwas vor uns aufgebaut haben, was uns hindert, ihn zu sehen.

BLAISE PASCAL

Abnehmen Der beste Weg abzunehmen, ist eine Grippe zu bekommen und nach Ägypten zu fahren.

ROZ LAWRENCE

Abneigung Weniges auf dieser Welt verbindet so stark wie eine gemeinsame Abneigung gegen einen Dritten.

RENÉ CLAIR

Abreise Abreisen sind immer überstürzt.

FRIEDRICH TORBERG

Abrüstung Abrüstungskonferenzen sind die Feuerwehrübungen der Brandstifter.

JOHN OSBORNE

Abschied Kluge Menschen verstehen es, den Abschied von der Jugend auf mehrere Jahrzehnte zu verteilen.

FRANÇOISE ROSAY

Hau ab und mach nie wieder meine Handtücher dreckig.

GROUCHO MARX

Einen richtigen Abschied erkennt man daran, daß er nicht mehr weh tut.

HANS NOLL

Absicht

Man kann eher die Ansichten eines Mannes ändern als seine Absichten.

TOPSY KÜPPERS

Abstammung

Bekannter Teil der Strecke von einem auf Bäumen lebenden Ahnen mit Schwimmblase zum städtischen Nachkommen mit Zigarette.

AMBROSE BIERCE

Abstand

Abstand wahren ist der kürzeste Weg in die Nähe des anderen.

HANS KUDSZUS

Abstimmung

Einfache Einrichtung, mittels welcher eine Mehrheit einer Minderheit beweist, daß Widerstand töricht ist.

AMBROSE BIERCE

Absurdität

Als absurd bezeichnen wir, was nicht möglich ist und trotzdem passiert; was möglich ist, aber nicht passiert, bezeichnen wir als typisch.

GABRIEL LAUB

Abt

Vater, der ein Gelübde wider die Ehe abgelegt hat.

AMBROSE BIERCE

Abtreibung

Wenn Männer schwanger werden könnten, wäre Abtreibung ein Sakrament.

FLORYNCE R. KENNEDY

Abwege

Wenn Frauen auf Abwege geraten, gehen die Männer sofort hinterher.

MAE WEST

Abwesenheit

Ganz besonders habe ich seine Abwesenheit von zu Hause beklagt – und noch mehr seine Abwesenheit, wenn er zu Hause war.

SONIA JOHNSON

Accessoire

Der Mann kann anziehen, was er will, er bleibt doch ein Accessoire der Dame.

COCO CHANEL

Achillesferse

Achillesfersen verstecken sich gern in Tyrannenstiefeln.

STANISŁAW JERZY LEC

Achtbarkeit

Abkömmling einer Liaison zwischen einer Glatze und einem Bankkonto.

AMBROSE BIERCE

Adam

Es hätte nicht des Apfels bedurft, Adam zu verführen. Eva allein schon genügte.

MARIANNE LANGEWIESCHE

Adam war nichts als ein Rohentwurf, und die Schöpfung des Menschen ist Gott erst völlig gelungen, als er Eva geschaffen hat.

SIMONE DE BEAUVOIR

Adam ist der einzige Mensch, dem man kein Plagiat nachweisen kann.

ALFRED ODER

Adam

Adam war der einzige Mensch, der, wenn er etwas Wahres sagte, wußte, daß niemand es schon vor ihm gesagt hatte.

MARK TWAIN

Adel

Der Adel in einer Republik erinnert an ein Huhn, dem man den Hals umgedreht hat: Es rennt vielleicht noch aufgeregt durch die Gegend, ist aber in Wirklichkeit längst tot.

NANCY MITFORD

Die Adelsbriefe von heute entwickeln sich mit Vorliebe aus Pfandbriefen.

SALOMON BAER-OBERDORF

Adjektiv

Wenn du ein Adjektiv siehst, dann erlege es!

MARK TWAIN

Älter werden

Ich verstehe nicht, warum so viele Frauen darunter leiden, daß sie schon wieder ein Jahr älter geworden sind. Nicht mehr ein Jahr älter zu werden – das wäre die Katastrophe.

LIV ULLMANN

Ändern

Heirate einen Mann nicht, um ihn zu ändern – dazu sind Besserungsanstalten da.

MAE WEST

Ändern

Die meisten Frauen setzen alles daran, einen Mann zu ändern. Und wenn sie ihn geändert haben, gefällt er ihnen nicht mehr.

MARLENE DIETRICH

Wieso strengt eine Frau sich zehn Jahre lang an, ihren Mann zu ändern, und beklagt sich dann, daß er nicht mehr der Mann ist, den sie geheiratet hat?

BARBRA STREISAND

Affäre

Es gibt im Leben einer Frau vielleicht Zeiten, in denen sie nicht verliebt ist. Aber dann sollte sie wenigstens eine Affäre haben, gegen die sie ankämpft.

JEANNE MOREAU

Ich schlafe nicht mit verheirateten Männern. Damit wollte ich sagen: Ich schlafe nicht mit glücklich verheirateten Männern.

BRITT EKLUND

Jede beginnende Liebesaffäre gleicht dem ersten Tritt in ein Minenfeld.

CARLA LANE

Agitator

Staatsmann, der die Obstbäume seines Nachbarn schüttelt – um die Würmer auszutreiben.

AMBROSE BIERCE

Agitator

Das Geheimnis des Agitators ist, sich so dumm zu machen, wie seine Zuhörer sind, damit sie glauben, sie seien so gescheit wie er.

KARL KRAUS

Ahnung

Frauen ahnen alles. Sie irren nur, wenn sie denken.

ALPHONSE KARR

Akte

Eines ist der Mensch, und etwas anderes die Personalakte.

KONSTANTIN M. SIMONOW

Aktionäre

Aktionäre sind dumm und unverschämt. Dumm, weil sie mir ihr Geld überlassen, und unverschämt, weil sie auch noch Dividenden dafür wollen.

BANKIER FÜRSTENBERG

Aktivismus

Eine Eigenschaft geistig Träger, die am meisten ins Auge fällt, ist ihre unverwüstliche Aktivität.

STANISŁAW JERZY LEC

Alimente

Wie kurz ein Monat ist, merken Sie erst, wenn Sie Alimente zahlen.

JOHN BARRYMORE

Alkohol

Noch ein Glas mehr, und ich hätte unter dem Gastgeber gelegen.

DOROTHY PARKER

Alkohol

Vater war oft noch spät abends auf, um an einem Fall von Scotch zu arbeiten.

ROBERT BENCHLEY

Ich müßte lange nachdenken, ehe mir ein interessanter Mann einfiele, der nicht trinkt.

RICHARD BURTON

Ich habe dem Alkohol mehr zu verdanken, als der Alkohol mir.

WINSTON CHURCHILL

Ein Mann wäre ein Idiot, wenn er sich vor 50 mit dem Schnaps einließe; danach wäre er einer, wenn er's nicht täte.

WILLIAM FAULKNER

Erinnere mich an meine Safari in Afrika: Jemand hatte den Korkenzieher vergessen, und wir mußten mehrere Tage von Essen und Wasser leben.

W.C. FIELDS

Wir trinken auf die Gesundheit des anderen und zerstören dabei die eigene.

JEROME K. JEROME

Lieber ein stadtbekannter Trinker als ein anonymer Alkoholiker.

GERT F. JONKE

Alkohol

Versuche nie, Ärger in Alkohol zu ertränken. Du wirst ihn nicht los, denn – Alkohol konserviert.

OSKAR KUNZ

Alkohol bewahrt alles, bis auf Würde und Geheimnisse.

ROBERT LEMBKE

Die Liebe bewegt die Welt? Kaum. Mit Whisky geht's doppelt so schnell.

COMPTON MACKENZIE

Alkohol ist das Betäubungsmittel, mit dessen Hilfe wir die Operation Leben überstehen.

GEORGE BERNARD SHAW

Alkohol ist ein unverzichtbares Produkt. Es macht Millionen von Menschen ein Leben erträglich, das sie nicht durchstehen könnten, wenn sie nüchtern wären. Und es versetzt das Parlament in den Stand, nachts um elf Dinge zu tun, die kein gesunder Mensch um elf Uhr morgens tun würde.

GEORGE BERNARD SHAW

Ich bin nicht so bedenken, wie du trunkst.

JOHN COLLINGS SQUIRE

Wasser, in Maßen genossen, kann niemand schädigen.

MARK TWAIN

Alkohol

Ich trinke, folglich bin ich.

FRANZ WERFEL

Das Schlimmste an manchen Männern ist, daß sie nüchtern sind, wenn sie nicht betrunken sind.

WILLIAM BUTLER YEATS

Nimm dich in acht vor Leuten, die nicht trinken.

SPRICHWORT

Alkoholiker

Ein Alkoholiker ist ein Mensch, den du nicht magst und der so viel trinkt wie du.

DYLAN THOMAS

Alkoholiker haben allen Grund, auf ihre Gesundheit zu trinken.

WOLFRAM WEIDNER

Alkoholismus

Steter Tropfen höhlt das Sein.

GERHARDT HILDEBRAND

Allein

Wie bezeichnend für unsere Gesellschaft, daß es als verdächtig gilt, allein zu leben, daß man sich dafür entschuldigen und Ausreden erfinden und die Tatsache verbergen muß, wie ein geheimes Laster.

ANNE MORROW LINDBERGH

Allein

Allein zu leben und auch noch Gefallen daran zu finden, ist für eine Frau ein Akt des Verrats, eine Untreue, die viel gefährlicher ist als Ehebruch.

MOLLY HASKELL

Einer der Vorteile des Alleinlebens ist, daß man nicht in den Armen eines Geliebten aufwachen muß.

MARION SMITH

Ich habe keine Lust auf einen zweiten Ehemann. Mir hat der erste gereicht. Ich will nach meinen eigenen Vorstellungen leben: mich als Geliebte hinlegen und als mein eigener Herr aufstehen.

SUSANNA MOODIE

Einfach mit mir allein in einem Raum zu sein ist so aufregend, daß ich's kaum aushalte.

KATE BRAVERMAN

Wenn eine Frau bis zu ihrem vierundzwanzigsten Lebensjahr noch nicht den Richtigen gefunden hat, kann sie von Glück sagen.

DEBORAH KERR

Allein: In schlechter Gesellschaft.

AMBROSE BIERCE

Alleinsein Viele Frauen heiraten, weil sie des Alleinseins müde sind, aber viele lassen sich deshalb auch scheiden.

HANNE WIEDER

Ich habe nie gesagt, ich liebe das Alleinsein. Ich habe gesagt, ich möchte in Ruhe gelassen werden. Das ist ein Unterschied.

GRETA GARBO

Alleswisser Leute, die glauben, alles zu wissen, sind sehr sauer auf die, die wirklich alles wissen.

ANONYM

Allianz Allianz: In der internationalen Politik die Verbindung zweier Diebe, die ihre Hände einander so tief in die Tasche gesteckt haben, daß sie nicht getrennt einen Dritten ausplündern können.

AMBROSE BIERCE

Allüren Allüren sind nur etwas für die Unfertigen.

AUDREY HEPBURN

Almosen Sympathie ist ein schlechtes Almosen.

GEORG CHRISTOPH LICHTENBERG

Alte Alte Leute gleichen Reisenden, die nach einem längst verjährten Fahrplan reisen wollen.

CHARLES TSCHOPP

Alter

Wer mit siebzig eine reizvolle alte Dame sein möchte, muß als siebzehnjähriges Mädchen damit anfangen.

AGATHA CHRISTIE

Alter schützt vor Liebe nicht, aber Liebe schützt bis zu einem gewissen Grad vor Alter.

JEANNE MOREAU

Das Alter ist, als ob man mit dem Flugzeug in einen Sturm gerät. Einmal an Bord, kann man nichts mehr daran ändern.

GOLDA MEIR

Jung sein ist schön; alt sein ist bequem.

MARIE VON EBNER-ESCHENBACH

Wir werden alt, unsre Eitelkeit wird immer jünger.

MARIE VON EBNER-ESCHENBACH

Ich weigere mich, ein höheres Alter als zweiundfünfzig anzugeben, selbst wenn meine Söhne dadurch illegitim werden.

LADY NANCY ASTOR

Was heißt schon für uns Frauen, mit Anstand alt zu werden? Lieber unanständig jung bleiben!

OLGA TSCHECHOWA

Alter

Von einem gewissen Alter an sollten sich Frauen vor jüngeren Männern in acht nehmen. Es ist besser, die Königin eines älteren Mannes zu sein als die Bettlerin eines jungen.

VIVIEN LEIGH

Es ist doch so mit dem Alter: Die Männer kriegen Charakterköpfe und die Frauen Falten.

VILMA DEGISCHER

Eine Frau kann mit neunzehn entzückend sein, mit neunundzwanzig hinreißend. Aber erst mit neununddreißig ist sie absolut unwiderstehlich. Und älter als neununddreißig wird keine Frau, die einmal unwiderstehlich war.

COCO CHANEL

Je älter man wird, desto mehr liebt man das Anstößige.

VIRGINIA WOOLF

Es gibt ein Alter, in dem eine Frau schön sein muß, um geliebt zu werden. Und dann kommt das Alter, in dem sie geliebt werden muß, um schön zu sein.

FRANÇOISE SAGAN

Alter

Eine fortschrittliche Frau fortgeschrittenen Alters kann keine Macht der Welt im Zaume halten.

DOROTHY L. SAYERS

Ich war immer der Meinung, daß eine Frau das Recht hat, die Welt über ihr Alter im Unklaren zu lassen, zumindest bis sie die Neunzig erreicht hat. Dann sollte sie sich und anderen gegenüber lieber ehrlich sein.

HELENA RUBINSTEIN

Die beste Vorsorge für das Alter ist, daß man sich nichts entgehen läßt, was Freude macht. Dann wird man später die nötige Müdigkeit haben und kein Bedauern, daß die Zeit um ist.

FRANZISKA ZU REVENTLOW

Ich habe noch alles, was ich vor zwanzig Jahren hatte, es hängt nur ein bißchen tiefer.

GYPSY ROSE LEE

Das Geheimnis, wie man jung bleibt, ist anständig zu leben, langsam zu essen und in bezug aufs Alter zu lügen.

LUCILLE BALL

Jetzt im Alter habe ich überhaupt keine Geduld mehr mit alten Menschen.

EMILY CARR

Alter

Ich werde im Alter niemals sagen: »Ich habe dieses nicht getan« oder »Ich bedauere jenes«. Ich werde sagen: »Ich bedauere verdammt nochmal gar nichts. Ich kam, ich ging, und ich habe alles getan, was ich tun wollte.«

KIM BASINGER

Ab einem gewissen Alter geht's erst richtig los. Nach meinem vierzigsten Geburtstag konnte mich niemand an der Nase herumführen.

LADY NANCY ASTOR

Ich habe immer für schöne junge Männer geschwärmt. Nur weil ich älter werde, ändert sich doch mein Geschmack nicht. Und wenn ich sie immer noch kriegen kann, warum nicht?

BRIGITTE BARDOT

Je älter man wird, um so mehr gefallen einem Unzüchtigkeiten.

VIRGINIA WOOLF

Je älter man wird, desto mehr ähnelt die Geburtstagstorte einem Fackelzug.

AUDREY HEPBURN

Es gibt keinen Antiquitäten-Fan, dessen Vorliebe für das Alter sich auch auf Frauen erstrecken würde.

MICHÈLE MORGAN

Alter

Frauen fürchten nicht das Alter. Sie fürchten nur die Meinung der Männer über alte Frauen.

JEANNE MOREAU

Männer sind so alt, wie sie sich fühlen, Frauen so jung, wie sie aussehen.

BARBARA CARTLAND

Wenn ich geahnt hätte, daß ich so lange leben würde, hätte ich besser auf mich aufgepaßt.

ANONYM

Der Mann trägt die Jahre in den Knochen, die Frau im Gesicht.

ANONYM

Wer für die Sünde zu alt ist, preist die Tugend.

ANONYM

Man braucht ungefähr zehn Jahre, um sich an sein Alter zu gewöhnen.

ANONYM

Das Alter schützt nur dann vor Torheit, wenn man für sie zu schwach ist.

ALAN AYCKBOURN

Alter

Alter: Jede Periode, in der wir die Laster, die wir noch schätzen, damit gutmachen, daß wir jene verteufeln, die zu begehen wir nicht länger wagen.

AMBROSE BIERCE

Langlebigkeit: ungewöhnliche Ausdehnung der Todesangst.

AMBROSE BIERCE

Mit zwanzig ist das Alter ein Spaziergang, mit sechzig eine Pilgerfahrt.

SERGE BONNET

Die junge Generation hat auch heute noch Respekt vor dem Alter. Allerdings nur beim Wein, beim Whisky und bei Möbeln.

TRUMAN CAPOTE

Das Greisenalter, das alle zu erreichen wünschen, klagen alle an, wenn sie es erreicht haben.

CICERO

Älter werden heißt, auf Grund veralteter Erfahrungen falsche Schlüsse auf die Gegenwart zu ziehen.

KURT GUGGENHEIM

Vierzig ist für die Jugend das Alter und fünfzig für das Alter die Jugend.

VICTOR HUGO

Alter

Keine Grenze verlockt mehr zum Schmuggeln als die Altersgrenze.

KARL KRAUS

Mit zunehmendem Alter wird man nicht klug – man weiß nur besser, daß es die anderen auch nicht sind.

GABRIEL LAUB

Das Angenehme am Älterwerden: Mir gefallen immer mehr Frauenjahrgänge.

GABRIEL LAUB

Das Faszinierende am Alter ist: Alte Leute scheren sich nicht mehr um Macht.

EDOUARD LOCK

Mit siebzig muß man damit rechnen, aus biologischen Gründen vertragsbrüchig zu werden.

LORIOT

Ein Mann ist nur so alt wie die Frau, die er fühlt.

GROUCHO MARX

Der Vorteil des Alters ist der, daß man die Dinge nicht mehr begehrt, die man sich früher nicht leisten konnte.

WALTER MATTHAU

Alter

Wenn man älter wird als achtzig, dann bemerkt man, daß auch die Bäume sterblich sind.

FRANÇOIS MAURIAC

Die Masse klammert sich an das Alter, weil sie die Jugend fürchtet.

ALEXANDER SUTHERLAND NEILL

Das Alter ist ein Tyrann, der uns die Freuden der Jugend bei Todesstrafe verbietet.

LA ROCHEFOUCAULD

Jede Periode des Lebens hat ihre Leidenschaften. Das Alter, das man für die weiseste halten sollte, hat gewöhnlich die schmutzigsten.

JOHANN GOTTFRIED SEUME

Es gibt mehr Glückseligkeit in den weitentfernten Gefilden der Kahlheit als sich mancher junge Kerl vorstellen kann.

LOGAN PEARSALL SMITH

Ich bin seit dreißig Jahren fünfzig.

GEORG SOLTI

Jeder will lange leben, aber keiner will alt sein.

JONATHAN SWIFT

Alter

Ich habe die Erfahrung gemacht, sobald die Leute alt genug sind, es besser zu wissen, wissen sie überhaupt nichts.

OSCAR WILDE

Die Alten glauben alles, die Menschen im mittleren Alter mißtrauen allem, die Jungen wissen alles.

OSCAR WILDE

Im Alter wachsen nur die Nägel und der Geiz.

AUS DEN USA

Altruismus

Exzessive Uneigennützigkeit wirkt demoralisierend.

WALTER SERNER

Amerika

Kalifornien ist ein schöner Platz zum Leben – wenn man zufällig eine Apfelsine ist.

FRED ALLEN

In Kalifornien verliert man jedes Jahr ein Stück von seinem IQ.

TRUMAN CAPOTE

Als ich ein Junge war, erzählte man mir, in den USA könne jeder Präsident werden. Ich fange an, es zu glauben.

CLARENCE DARROW

An Amerika fasziniert mich am meisten die Art, wie Eltern ihren Kindern gehorchen.

KÖNIG EDWARD VIII.

Amerika

Ich fuhr letzte Woche nach Philadelphia. Aber es hatte geschlossen.

W. C. FIELDS

Meine Definition des Kapitalismus: Der Weg, auf dem ein amerikanisches Mädchen zu einer amerikanischen Frau wird.

CHRISTOPHER HAMPTON

Ich könnte nach Amerika zurückkehren... um zu sterben – aber niemals, niemals, um dort zu leben.

HENRY JAMES

Keine Kritik an den Amerikanern! Sie besitzen den besten Geschmack, den man mit Geld kaufen kann.

MILES KINGTON

An eine Tatsache glaube ich im politischen System der USA fest: Gott ist ein Republikaner und der Weihnachtsmann ein Demokrat.

P. J. O'ROURKE

England und Amerika sind zwei Länder, geteilt durch eine gemeinsame Sprache.

GEORGE BERNARD SHAW

Amerika ist wie ein großer, freundlicher Hund in einem kleinen Zimmer. Jedesmal wenn er mit dem Schwanz wedelt, stößt er einen Stuhl um.

ARNOLD JOSEPH TOYNBEE

Amerika

Amerika ist eine weitverzweigte Verschwörung mit dem Ziel, dich glücklich zu machen.

JOHN UPDIKE

Land der Dummköpfe und Heimstatt der Pedanten.

GORE VIDAL

Amerika hat uns niemals verziehen, daß Europa ein wenig früher entdeckt worden ist.

OSCAR WILDE

Amerikaner

Der englische Mann ist vom Spielteufel besessen, der amerikanische vom Spülteufel.

JULIE ANDREWS

Die Amerikaner lieben dicke Bücher und schlanke Frauen.

RUSSELL BAHER

Der Amerikaner, der zuerst einen Europäer entdeckte, machte eine böse Entdeckung.

GEORG CHRISTOPH LICHTENBERG

Der hundertprozentige Amerikaner ist ein neunzigprozentiger Idiot.

GEORGE BERNARD SHAW

Amnestie

Amnestie: Großmut des Staats gegenüber solchen Rechtsbrechern, deren Bestrafungen zu teuer wäre.

AMBROSE BIERCE

Amt

Also, ich habe dir das Präsidentenamt verschafft. Was willst du damit anfangen?

FLORENCE HARDING

Wem Gott Verstand gibt, dem gibt er auch ein Amt.

KURT TUCHOLSKY

Wem Gott ein Amt gibt, dem gibt er auch Verstand. Nur werden die Ämter leider nicht von Gott vergeben.

GERHARD UHLENBRUCK

Amtsgeheimnis

Wenn Amtsgeheimnisse gelüftet werden, gibt es Stunk.

JOACHIM RINGELNATZ

Analphabet

Ich habe noch das Glück gehabt, zum Teil unter Analphabeten aufwachsen zu dürfen.

WERNER BERGENGRUEN

Heutzutage können selbst die Analphabeten lesen und schreiben.

ALBERTO MORAVIA

Analphabet

Analphabeten müssen diktieren.

STANISŁAW JERZY LEC

Anarchie

Anarchie ist die übergeordnete Form von Organisation.

ANONYM

Die total verwaltete Welt wäre schlimmer als Anarchie.

RUPERT SCHÜTZBACH

Anbeißen

Je weniger Zähne ein Mann hat, desto leichter beißt er an.

TRUDE HESTERBERG

Anfänger

Die Anfänger in der Liebe erkennt man daran, daß sie nicht aufhören können.

KIM BASINGER

Wehret den Anfängern!

SIEGFRIED UND INGE STARCK

Anfang

Der Mann denkt beim Anfang schon an das Ende. Die Frau erinnert sich am Ende noch an den Anfang.

MICHELINE PRESLE

Mehret die Anfänge!

ANDRÉ BRIE

Anfeindung

Anfeindung ist die Steuer, die ein Mann der Öffentlichkeit dafür bezahlt, daß er bedeutend ist.

JONATHAN SWIFT

Angabe Was einer recht auffällig ins Schaufenster legt, das führt er gar nicht.

KURT TUCHOLSKY

Angeber Viele Männer sind nichts als fürchterliche Angeber, bei denen man nur auf die Hose gucken darf, weil sie nichts im Gehirn haben.

INGE MEYSEL

Angestellte Der Angestellte lebt von seinem kärglichen Gehalt sowie von der durch nichts zu erschütternden Überzeugung, daß ohne ihn im Betrieb nichts gehe.

KURT TUCHOLSKY

Angler Angler erkennt man daran, daß sie nichts fangen. Bringt ein Mann, der angeblich beim Angeln war, Fische nach Hause, ist Vorsicht geboten.

DIANA PRICKER

Angst Ich bin all das, wovor Mütter Angst haben, daß ihr kleines Mädchen mal so werden würde – oder ihr kleiner Junge.

BETTE MIDLER

Die Männer hatten schon immer Angst davor, daß die Frauen ohne sie zurechtkommen könnten.

MARGARET MEAD

Angst

Angst: Beweis für Sachkenntnis.

ROBERT LEMBKE

Geld ist die perfekte Therapie gegen Ängste.

AKIF PIRINCCI

Das Verhältnis zur Geliebten steht unter permanentem Druck einer zweifachen Angst: daß es enden, und daß es dauern könnte.

ALFRED POLGAR

Angst: Mut mit Ladehemmung.

RUPERT SCHUTZBACH

Kein Unglück ist in Wirklichkeit so groß wie unsere Angst.

FRANZ WERFEL

Anhänger

Anhänger: ein Mitläufer, der noch nicht alles erhalten hat, worauf er rechnet.

AMBROSE BIERCE

Anlauf

Wenn ein Mann zurückweicht, weicht er zurück. Eine Frau weicht nur zurück, um besser Anlauf nehmen zu können.

ZSA ZSA GABOR

Anonyme Alkoholiker

Anonym sind wir schon – jetzt werden wir Alkoholiker.

RALF BÜLOW

Anpassung	Anpassung ist die Stärke der Schwachen. WOLFGANG HERBST
	Wer sich gezwungen sieht, mit den Wölfen zu heulen, mag sich in reinster Notwehr befinden. Aber ist das ein Grund, hinterher auch mit den Schafen zu blöken? MARTIN KESSEL
	Auf der Straße des geringsten Widerstands versagen die stärksten Bremsen. STANISŁAW JERZY LEC
	Nur tote Fische schwimmen mit dem Strom. SPRICHWORT
Anrufen	Meine Mutter sagte zu mir: »Ruf die Männer niemals an. Laß sie den ersten Schritt tun.« Wenn ich auf sie gehört hätte, wäre ich jetzt wahrscheinlich jemandes Sekretärin statt Staatssekretärin. SUSAN FARMER
Anschein	Nichts ist so gut, wie es zunächst den Anschein hat. GEORGE ELIOT
Ansehen	Will man in der Welt gefallen, so muß man sich entschließen, viele Dinge, die man weiß, von Leuten zu erlernen, die davon keine Ahnung haben. NICOLAS CHAMFORT

Ansehen

Auch ein anständiger Mensch kann, vorausgesetzt, daß es nie herauskommt, sich heutzutage einen geachteten Namen schaffen.

KARL KRAUS

Antiquitäten

Antiquitäten sind Sachen von gestern nach dem Geschmack von heute zu den Preisen von morgen.

LISELOTTE PULVER

Antisemitismus

Aus dem Antisemitismus kann erst etwas Richtiges werden, wenn ihn ein Jude in die Hand nimmt.

RODA RODA

Antwort

Es gibt keine Antwort. Es wird keine Antwort geben. Es hat nie eine Antwort gegeben. Das ist die Antwort.

GERTRUDE STEIN

Fragen sind nie indiskret. Antworten bisweilen.

OSCAR WILDE

Anwalt

Ein Advokat und ein Wagenrad wollen geschmiert sein.

ANONYM

Ich glaube, daß Anwälte auch mal Kinder waren.

CHARLES LAMB

Anwalt

Anwälte sind wie Atomraketen: Man braucht sie, um sein Ziel zu erreichen. Aber wenn man sie einsetzt, vernichten sie alles.

DANNY DE VITO

Anziehen

Frauen ziehen sich an, um Männern zu gefallen und Frauen zu ärgern.

COLETTE

Die meisten Frauen ziehen sich an, als wären sie in ihrem früheren Leben eine Maus gewesen – oder als hofften sie, es im nächsten zu werden.

EDITH SITWELL

Eine richtige Frau wirkt voll bekleidet auf einen Mann anziehender als ein nacktes Weib.

ROMY SCHNEIDER

Sie würden sich wundern, wie teuer es ist, so billig auszusehen.

DOLLY PARTON

Für Frauen ziehe ich mich an, für Männer aus.

ANGIE DICKINSON

Wenn man nicht weiß, was man zu einer Gesellschaft anziehen soll, kommt man am besten als erste. Dann haben die andern das Gefühl, falsch angezogen zu sein.

DAGMAR KOLLER

Aphorismus

Ein Aphorismus ist eine Halbwahrheit, die so formuliert ist, daß den Verteidiger der anderen Hälfte der Schlag trifft.

ANONYM

Mancher Aphorismus ist das Großmaul eines frühzeitig verstorbenen großen Gedankens.

HERMANN BAHR

Ein guter Aphorismus ist die Weisheit eines ganzen Romans in einem einzigen Satz.

THEODOR FONTANE

Aphorismus: Ein Indiz dafür, daß jemandem ein Gedanke durchgegangen ist. Durch den Kopf.

HANNS-HERMANN KERSTEN

Der Aphorismus hat vor jeder anderen Literaturgattung den Vorteil, daß man ihn nicht weglegt, bevor man ihn zu Ende gelesen hat.

GABRIEL LAUB

Die Zukunft der Literatur liegt im Aphorismus. Den kann man nicht verfilmen.

GABRIEL LAUB

Die Schwäche des Aphorismus: Er betrachtet die Leser als Erwachsene.

GABRIEL LAUB

Aphorismus

Der gute Aphorismus ist ein Ventilstop geistiger Blähung.

HEINRICH LEXA

Aphoristische Definitionen sind kandierte Früchte vom Baum der Erkenntnis.

HELMAR NAHR

Der treffende Aphorismus setzt den getroffenen Aphoristiker voraus.

ALFRED POLGAR

Aphorismen sind Randbemerkungen, die es zu etwas gebracht haben.

WOLFRAM WEIDNER

Aphoristiker

Der Aphoristiker – der einsilbrige Goldschmied.

ELAZAR BENYOËTZ

Ein Aphoristiker ist ein Mensch, der sich wie ein Kind freut, weil es ihm gelungen ist, sich etwas auszudenken, was wahrscheinlich schon bei den alten Phöniziern ein uraltes Sprichwort war.

WIESŁAW BRUDZINSKI

Aphrodisiakum

Das beste Aphrodisiakum für eine Frau in den Dreißigern ist ein Mann, der nach dem Essen das Geschirr abwäscht.

HERMINE OHLE

Aphrodisiakum	Alles, was ein Schriftsteller tun muß, ist eine Frau dazu bringen, zu sagen, er sei ein Schriftsteller. Das ist ein Aphrodisiakum. SAUL BELLOW
Apotheker	Apotheker: Der Komplize des Arztes, der Wohltäter des Leichenbestatters, der Ernährer der Würmer. AMBROSE BIERCE
	Die Apotheker bemühen sich, ihr kaufmännisches Interesse durch ihre wissenschaftliche Vorbildung zu verdecken. SIGMUND GRAFF
Applaus	Applaus: Echo einer Platitüde. AMBROSE BIERCE
Arbeit	Arbeit bringt niemanden um. Aber sie macht einen müde. CLEMENTINE HUNTER
	Wahre Klasse bedeutet, über Arbeit niemals auch nur sprechen zu müssen. ERICA JONG
	Stöhnen ist die halbe Arbeit. ANONYM
	Was kann an der Arbeit gut sein, wenn die Reichen sie den Armen überlassen? ANONYM

Arbeit

Arbeit: Eines der Verfahren, durch die A Eigentum für B erwirbt.

AMBROSE BIERCE

Arbeit macht mehr Spaß als Spaß.

NOEL COWARD

Es ist ein großer Unterschied, ob einer einer Arbeit nachgeht oder nachläuft.

ERNST DITTRICH

Arbeit ist des Lebens Kürze.

WERNER EHRENFORTH

Wenn Arbeit adelt, dann bleibe ich lieber bürgerlich.

PAUL FLORA

Wenn du immer deine acht Stunden arbeitest, wirst du vielleicht einmal der Boss und arbeitest zwölf Stunden täglich.

ROBERT TROST

Andere arbeiten zu sehen macht hungrig.

GUSTAV HILLARD

Nur bei der Arbeit ist der Mensch nicht gern allein.

WLADIMIR MAJAKOWSKIJ

Arbeit, die ewige Last, ohne die alle übrigen Lasten unerträglich würden.

KLAUS MANN

Arbeit

Die Angst vor Langeweile ist die einzige Entschuldigung für Arbeit.

JULES RENARD

Durch Arbeit wirst du eher bucklig als reich.

GREGOR VON REZZORI

Arbeit ist der Feind der trinkenden Klasse.

GEORGE BERNARD SHAW

Arbeit ist die Hauptbeschäftigung zwischen zwei Urlauben.

GERHARD UHLENBRUCK

Arbeit ist die altmodische Form der Vermögensbildung.

WOLFRAM WEIDNER

Arbeiter

In Deutschland arbeiten die Arbeiter, damit die Angestellten etwas zu schreiben haben.

KURT TUCHOLSKY

Arbeitskraft

Arbeitskraft: Die kürzeste Formel, auf die sich im Sprachgebrauch gewisser Wirtschaftsführer der Mensch bringen läßt.

AUREL SCHMIDT

Arbeitsmoral

Tiefstand der Arbeitsmoral: Wenn man nichts tut und auch dazu noch keine Lust hat.

GABRIEL LAUB

Architekt

Ist die Phantasie oder die Phantasielosigkeit der modernen Architekten grauenhafter?

ERICH BROCK

Ein Arzt kann seine Fehler begraben, ein Architekt kann seinen Kunden nur raten, Efeu zu pflanzen.

FRANK LLOYD WRIGHT

Architektur

Jeder Städtebewohner weiß, daß die Architektur, im Gegensatz zur Poesie, eine terroristische Kunst ist.

HANS MAGNUS ENZENSBERGER

ARD

Beim Durchzappen darf es nicht so sein, daß man da, wo es traurig ist, denkt: »Das kann nur die ARD sein.«

FRITZ PLEITGEN

Argument

Es ist schwer, mit dem Bauch zu argumentieren, denn der hat keine Ohren.

CATO D.Ä.

Schlechte Argumente bekämpft man am besten, indem man ihre Darlegung nicht stört.

ALEC GUINNESS

Wenn Argumente fehlen, kommt meistens ein Verbot heraus.

OLIVER HASSENCAMP

Argument Argumente sind Ausreden mit Hand und Fuß.

WOLFRAM WEIDNER

Aristokratie Aristokratie: Leute, die weiche Hüte und saubere Hemden tragen – der Bildung schuldig und eines Bankkontos verdächtig.

AMBROSE BIERCE

Arme Wenn Männer einer Frau hilfreich unter die Arme greifen, wissen sie meistens nicht genau, wo der Arm aufhört.

ELKE SOMMER

Armee Unproduktive Klasse, die eine Nation verteidigt, indem sie alles verschlingt, was einen Feind zur Invasion reizen könnte.

AMBROSE BIERCE

Armut Die Armut liefert das Verbrechen zu herabgesetzten Preisen.

NICOLAS CHAMFORT

Armutszeugnis Nicht alles ist ein Zeugnis der Armut, manches ist auch ein Armutszeugnis.

ARMIN MÜLLER-STAHL

Arroganz Aufs hohe Roß setzen sich meistens diejenigen, die nicht reiten können.

FRIEDL BEUTELROCK

Arzt

Ärzte und Pflasterer bedecken ihren Pfusch mit Erde.

ANONYM

Die Schulmedizin hat leider keine Heilungsmöglichkeit für Ihr Leiden. Zum Glück bin ich ein Quacksalber.

ANONYM

Es gibt Ärzte, die es sich leisten können, ihre Patienten rasch zu heilen.

HANS BRÄNDLI

Die Ärzte sind noch dümmer als die Schriftsteller, was nicht wenig heißen will.

GUSTAVE FLAUBERT

Die meisten Menschen sterben an ihren Ärzten, nicht an ihren Krankheiten.

AUS FRANKREICH

Arzt: Gentleman, der an Krankheit gedeiht und an Gesundheit stirbt.

AMBROSE BIERCE

Man muß für seinen Arzt geboren sein, sonst geht man an seinem Arzt zugrunde.

FRIEDRICH NIETZSCHE

Der beste Arzt, den die Welt gesehen, war Dr. Guillotin.

CHARLES TSCHOPP

Arzt

Als Arzt an das Leben nach dem Tode glauben muß schrecklich sein.

A.O. WEBER

Hüte dich vor einem jungen Arzt und einem alten Frisör.

AUS DEN USA

Asiaten

Die Asiaten haben den Weltmarkt mit unlauterem Wettbewerb erobert – sie arbeiten während der Arbeitszeit.

EPHRAIM KISHON

Asket

Asket: Schwächlicher Charakter, der der Versuchung erliegt, sich ein Vergnügen zu versagen.

AMBROSE BIERCE

Asketen sind Menschen, die begriffen haben, daß eine völlige Enthaltsamkeit meist leichter ist als eine vernünftige Mäßigung.

ANDRÉ GIDE

Der Asket macht aus der Tugend eine Not.

FRIEDRICH NIETZSCHE

Astrologie

Die Kunst, Trottel Sterne sehen zu lassen.

AMBROSE BIERCE

Asyl

Asylgewährung: Armutszeugnis mancher Länder.

HANS-HORST SKUPY

Atheismus

Verzweiflung ist der einzige echte Atheismus.

JEAN PAUL

Atheist

Solange es Atheisten gibt, hat Gott die Chance, erwähnt zu werden.

HANS KASPER

Ich dank es dem lieben Gott tausendmal, daß er mich zum Atheisten hat werden lassen.

GEORG CHRISTOPH LICHTENBERG

Atheist ist nur der, der sich auch aus dem Atheismus keinen Gott macht.

GABRIEL LAUB

Meiner Meinung nach gibt es keinen Atheisten, der nicht zu Hilfe eilen würde, wenn er das SOS des lieben Gottes hörte.

STANISŁAW JERZY LEC

Atomkraftwerke

Atomkraftwerke sind der intelligente Versuch, Kriege durch Massenselbstmorde zu ersetzen.

WERNER SCHNEYDER

Attraktivität

Wir sollen attraktiv sein fürs männliche Geschlecht, damit unsere Art sich ja nur fortpflanzt. Deshalb müssen wir Make-up tragen und f...

ROSEANNE ARNOLD

Aufbewahren

Warum heben die Leute das alles auf? Sie heben es gar nicht auf. Sie können nur nicht übers Herz bringen, es wegzuwerfen.

KURT TUCHOLSKY

Aufblicken

Welche Frau würde nicht gern zu einem Mann aufblicken? Daß das so selten möglich ist, liegt nur an den Männern.

DALIAH LAVI

Eine Dame ist eine Frau, zu der man aufsehen kann.

CATHÉRINE DENEUVE

Aufklärung

Sexuelle Aufklärung ist jenes hartherzige Verfahren, wodurch es der Jugend aus hygienischen Gründen versagt wird, ihre Neugierde selbst zu befriedigen.

KARL KRAUS

Bevor man einem fremden Kind Aufklärung oder Belehrung zuteil werden läßt, sollte man sich vergewissern, ob seine Eltern ihm etwas vorgeschwindelt haben.

KATHARINE WHITEHORN

Aufmerksamkeit

Wenn du Publikum haben willst, fang einen Streit an.

GÄLISCHES SPRICHWORT

Aufrichtigkeit

Aufrichtigkeit ist die Zuflucht derer, die weder Phantasie noch Taktgefühl haben.

HENRY DE MONTHERLANT

Aufstieg

Den Aufstieg einer Frau zu einer höheren Position hemmt nicht der Chef, sondern seine Sekretärin.

LORE LORENTZ

Auftrag

Sie wollten es nicht gut, sie wollten es Mittwoch.

ROBERT HEINLEIN

Auge

Nur Frauen beherrschen die Kunst, so lange ein Auge zuzudrücken, bis sie klarer sehen.

ALICE SCHWARZER

Wenn es darauf ankommt, in den Augen einer Frau zu lesen, sind die meisten Männer Analphabeten.

HEIDELINDE WEIS

Ausbildung

Ein Mann, der keine Schule besucht hat, wird möglicherweise etwas von einem Lastwagen klauen; einer, der auf der Universität war, läßt vielleicht gleich die ganze Straße mitgehen.

FRANKLIN D. ROOSEVELT

Ausbildung

Auf jede Person, die andere etwas lehren möchte, kommen dreißig, die nichts gelehrt bekommen wollen.

W.C. SELLAR

Ausdauer

Ausdauer: eine bescheidene Tugend, die der Mittelmäßigkeit zu unrühmlichem Erfolg verhilft.

AMBROSE BIERCE

Ausführung

Es gibt ausführliche Ausführungen, die auch tatsächlich ins Aus führen.

GABRIEL LAUB

Ausgehen

Wann immer ich mit einem Typ ausgehe, frage ich mich: Ist das der Mann, von dem ich möchte, daß meine Kinder ihre Wochenenden mit ihm verbringen?

RITA RUDNER

Immer wenn mein Freund abends nach der Arbeit spontan zu mir sagt: »Laß uns ausgehen, Liebling!«, weiß ich wenigstens, daß ich mich gut zurechtgemacht habe.

SANDIE SHAW

Richtig gut zurechtgemacht fürs Ausgehen ist eine Frau erst dann, wenn ihr Freund lieber mit ihr zu Hause bliebe.

OLGA TSCHECHOWA

Ausländer

Man ist in Europa ein Mal Staatsbürger und zweiundzwanzig Mal Ausländer. Wer weise ist: dreiundzwanzig Mal.

KURT TUCHOLSKY

Ausnahme

Es ist traurig, eine Ausnahme zu sein. Aber noch trauriger ist es, keine zu sein.

PETER ALTENBERG

Ich vergesse nie ein Gesicht. Aber in Ihrem Fall will ich eine Ausnahme machen.

GROUCHO MARX

Ausrufezeichen

Verzichte auf jedes Ausrufezeichen. Ein Ausrufezeichen ist, als ob Du über Deinen eigenen Witz lachst.

F. SCOTT FITZGERALD

Außenseiter

Einer, der etwas schärfstens mißbilligt, das zu tun oder zu werden er unfähig ist.

AMBROSE BIERCE

Um an die Quelle zu kommen, muß man gegen den Strom schwimmen.

STANISŁAW JERZY LEC

Aussehen

Jung und gut aussehend – als könnte er seine Zähne die ganze Nacht im Mund behalten.

VICTORIA WOOD

Aussehen

Viele Frauen wissen gar nicht, wie toll sie in Wirklichkeit sind. Sie kommen zu uns, außen ganz en vogue und innerlich ganz vage.

MARY KAY ASH

Ich gehe nicht aus dem Haus, bevor ich nicht aussehe wie Joan Crawford, der Filmstar. Wenn Sie das Mädchen von nebenan sehen wollen, gehen Sie nach nebenan.

JOAN CRAWFORD

Das Aussehen hat sie vom Vater – er ist Schönheitschirurg.

GROUCHO MARX

Aussteiger

Es ist leichter, draußen zu bleiben als auszusteigen.

MARK TWAIN

Der Aussteiger baut seine Zelte ab, um sie in der Nähe von Luftschlössern wieder aufzubauen.

GERHARD UHLENBRUCK

Ausziehen

Es kommt nicht darauf an, was eine Frau anzieht, sondern wie sie es auszieht.

LIBBY JONES

Ausziehen

Heute steht eine Frau bei einer Party immer vor der Frage, ob sie genug angezogen oder genug ausgezogen ist.

CATHÉRINE DENEUVE

Nichts ist trauriger als eine Frau, die sich aus anderen Gründen auszieht als für die Liebe.

JULIETTE GRÉCO

Auto

Es würde viel weniger Autounfälle geben, wenn die Männer lernten, mit einer Hand zu lenken.

LAURA VIVALDI

Wie ein Mann Auto fährt, so möchte er sein.

ANNA MAGNANI

Wenn ein Mann einer Frau höflich die Wagentüre aufreißt, dann ist entweder der Wagen neu oder die Frau.

USCHI GLAS

Der Mann am Steuer ist ein Pfau, der sein Rad in der Hand hält.

ANNA MAGNANI

Auto

Radfahrer erreichen die größte Geschwindigkeit, wenn ein Auto vor ihnen ist; Fußgänger erreichen die größte Geschwindigkeit, wenn ein Auto hinter ihnen ist.

ROBERTO BENIGNI

Das Auto ist der mobile Appendix der Familie.

ARIANE CHEMIN

Die erotische Bedeutsamkeit des Automobils wird offenbar, wenn man darauf achtet, wie viele große und elegante Wagen von häßlichen Leuten gefahren werden.

SIGMUND GRAFF

Das Auto ist die ziemlich genaue Entsprechung der gotischen Kathedralen.

HENRI MICHAUX

Autos verringern die Zahl der Leute, die zerstreut sind.

LOTHAR SCHMIDT

Das Auto ist ein Gerät, das es dem Menschen ermöglicht, rascher zur Arbeit zu kommen, deren Ertrag ihm ermöglicht, sich ein Auto zu kaufen.

WERNER SCHNEYDER

Ein Auto ist an und für sich schon ein Delikt.

WERNER SCHNEYDER

Autobiographie

Jedesmal, wenn die Lebenserinnerungen eines Zeitgenossen erscheinen, schlage ich zuerst im Register nach, ob mein Name auftaucht. Selbstverständlich ist das nie der Fall.

JAMES AGATE

Eine Autobiographie ist eine Todesanzeige in Fortsetzungen, bei der der letzte Teil fehlt.

QUENTIN CRISP

Erinnerungen zu verfassen ist heute so weitverbreitet wie Ehebruch – und kaum weniger verwerflich.

JOHN GRIGG

Gleich nach dem Verfasser von Immobilien-Anzeigen ist der Memoiren-Schreiber die fragwürdigste Verkörperung eines Prosa-Künstlers.

DONAL HENAHAN

Eine Autobiographie muß so sein, daß man sich selbst wegen Verleumdung verklagen kann.

THOMAS HOVING

Autobiographie

Man müßte von sich zwei oder drei widersprechende Selbstbiographien schreiben, um eine vierte rechte zu machen.

JEAN PAUL

Ich schreibe keine Erinnerungen. Ich bin schließlich ein Gentleman. Ich kann mich einfach nicht überwinden, gemein über Leute zu schreiben, deren Gastfreundschaft ich genossen habe.

JOHN PENTLAND MAHAFFY

Durch eine Autobiographie verliert man gewöhnlich den Rest seiner Freunde.

ROBERT NEUMANN

Eine Autobiographie, die nichts Schlechtes über den Autor sagt, kann nicht gut sein.

GEORGE ORWELL

Mein Problem besteht darin, daß mich nichts sonderlich interessiert, ausgenommen ich selbst. Und von allen Formen der Fiktion ist die Autobiographie die belohnendste.

TOM STOPPARD

Autokratin

Ich werde eine Autokratin sein, das ist mein Beruf. Und Gott der Herr wird es mir verzeihen. Das ist sein Beruf.

KATHARINA II. VON RUSSLAND

Autor

Ich glaube nicht, daß die Ausgabe von 2 Dollar 50 für ein Buch dem Käufer das Recht gibt, sich als persönlicher Freund des Autors zu betrachten.

ANONYM

In Amerika ist nur der erfolgreiche Autor wichtig, in Frankreich ist jeder Autor wichtig, in England ist kein Autor wichtig, und in Australien mußt du erklären, was ein Autor ist.

GEOFFREY COTTERELL

Ein Autor, der über seine eigenen Bücher spricht, ist darin genauso schlecht wie eine Mutter, die über ihre Kinder spricht.

BENJAMIN DISRAELI

Nicht jeder Autor, der sich verkauft, ist ein Bestseller-Autor.

GABRIEL LAUB

Ich glaube, es ist gut für einen Autor, wenn er glaubt, daß er sterben muß; er arbeitet härter.

TENNESSEE WILLIAMS

Autorität

Die Kinder sind heute autoritärer als die Eltern.

AXEL HACKE

Avantgarde

Die Anführer der Avantgarde sind die Garderobenfrauen. Sie stricken im Theater.

WERNER SCHNEYDER

Avantgardisten

Avantgardisten sind Leute, die ihre Irrtümer hundert Jahre früher als alle anderen begehen.

LIV KORTINA

B

Baby

Es gibt eine einzige Zeit, in der es Frauen wirklich gelingt, einen Mann zu ändern: wenn er ein Baby ist.

NATALIE WOOD

Babys brauchen keinen Vater, die Mütter brauchen ihn. Wer sich um ein Baby kümmert, braucht selbst Fürsorge.

AMY HECKERLING

Ein häßliches Baby ist ein widerliches Ding, und selbst das hübscheste ist schrecklich, wenn es ausgezogen ist.

QUEEN VICTORIA

Ob man es bequemer findet, Babys, wenn sie nachts ständig brüllen, aufzunehmen oder sie schreien zu lassen, hängt von so unterschiedlichen Dingen ab wie der nervlichen Verfassung der Mutter, der Dicke der Wände und den Beschwerden der Nachbarn.

KATHARINE WHITEHORN

Baby

Ein Baby hat keine Manieren, kennt keine Rücksichtnahme und kein Verantwortungsgefühl. Es wächst nur – das ist seine ganze Leistung.

LIBBY PURVES

Politische Gefangene werden durch die alterprobte Technik, sie tage- und nächtelang wach zu halten, gefoltert. Das gibt's auch bei Müttern, nur schlägt der Säugling keinen Gong, sondern schreit bloß.

KATHARINE WHITEHORN

Das Baby war so häßlich, daß man ihm ein Kotelett um den Hals hängen mußte, damit wenigstens der Hund mit ihm spielte.

ANONYM

Baby: Mißgebildetes Geschöpf ohne spezifisches Alter, Geschlecht und Befinden; bemerkenswert vor allem wegen der heftigen Sympathien und Antipathien, die es in anderen hervorruft, wogegen es selbst ohne Gefühle oder Empfindungen ist.

AMBROSE BIERCE

Baby: ein lautes Geräusch an einem Ende und kein Verantwortungsgefühl am anderen.

RONALD KNOX

Ich hasse Babys. Sie sind so menschlich.

SAKI (HECTOR HUGH MUNRO)

Baby	Es gibt diese schreckliche Vorstellung, die bei Jean-Jacques Rousseau ihren Anfang nahm und heute noch in Universitätshörsälen sehr geschätzt wird, nach der der Mensch von Natur aus gut ist… Jeder, der schon mal einem Baby begegnet ist, weiß, daß das Blödsinn ist.
	P. J. O'ROURKE
Bad	Wahrscheinlich gibt es eine Menge Dinge, die nicht mit einem heißen Bad zu kurieren sind. Aber ich kenne nicht viele davon.
	SYLVIA PLATH
Badeanzug	Der Chic eines Badeanzuges besteht darin, daß er wie ein Sonnenbrand sitzt.
	ESTHER WILLIAMS
Badewasser	Mir schmeckt das Badewasser nie. Ich denke immer an Pipi.
	JOACHIM RINGELNATZ
Banalität	Alles ist bereits entdeckt, nur in der Gegend der Banalität gibt es noch Neuland.
	STANISŁAW JERZY LEC
Bandit	Einer, der A das mit Gewalt nimmt, was A B mit List genommen hat.
	AMBROSE BIERCE
Bank	Bank: Institut, das mit fremdem Geld reich wird.
	MICHAEL SCHIFF

Bank	Eine Bank ist eine Einrichtung, von der Sie sich Geld leihen können – vorausgesetzt, Sie können nachweisen, daß Sie es nicht brauchen. MARK TWAIN
	Banken sind gefährlicher als stehende Armeen. THOMAS JEFFERSON
	Die Banken sind Eros-Center für die käufliche Liebe der Währungen. WERNER SCHNEYDER
Bankraub	Was ist eine Bank zu berauben verglichen damit, eine Bank zu gründen? BERTOLT BRECHT
Bannmeile	Bannmeile – Entfernung der Volksvertreter vom Volk. HANS-HORST SKUPY
Barmherzigkeit	Er ließ seine Barmherzigkeit abbuchen. NIKOLAUS CYBINSKI
Barometer	Daß das Barometer öfters fällt, wenn es heiß wird, daran sind die Wolken ebensowenig Ursache wie an manchen Orten die Jahrmärkte, daß es regnet. GEORG CHRISTOPH LICHTENBERG
Bauern	Die Bauern treiben Ackerbau und Unzucht. WLADIMIR SENAKOWSKY

Bayern

Die Bayern sind die letzten fußkranken Italiener, die nicht über die Alpen gekommen sind.

HANS JÜRGEN DIEDRICH

Früher war Bayern ein Volk mit einer langen Geschichte. Jetzt beginnt die Geschichte Bayerns mit der CSU und bietet nur noch Anekdoten.

GERHARD POLT

Die Engländer sind die Römer der Neuzeit. Die Franzosen sind die Chinesen des Westens. Die Japaner sind die Engländer des Ostens. Die Belgier sind die Polen des Westens. Nur was die Bayern eigentlich für ein Volksstamm sind – das hat noch kein Mensch herausbekommen.

KURT TUCHOLSKY

Ein bayerischer Kellner gilt schon als freundlich, wenn er nicht handgreiflich wird.

CHRISTIAN ÜBERSCHALL

Beamte

In manchen Postämtern werden Beamte schneller befördert als Briefe.

ANONYM

Die Posten sind schon verloren – aber wir müssen sie besetzen.

HERBERT ACHTERNBUSCH

Beamte	Beamte und Politiker denken immer nur an ihre Zukunft. Mithin an ihre Altersversorgung. WOLFGANG MOCHER
	Der Mann, dem verwehrt ist, wichtige Entscheidungen zu treffen, beginnt die Entscheidungen als wichtig anzusehen, die er überhaupt treffen darf. CYRIL NORTHCOTE PARKINSON
	Das Ideal eines höheren Angestellten ist, so viel zu verwalten und so wenig zu tun zu haben, daß er schon beinahe einem Beamten gleicht. KURT TUCHOLSKY
Bedauern	Der Bodensatz im Kelch des Lebens. AMBROSE BIERCE
Bedeutsamkeit	Bedeutsam – von grundlegender Banalität. ELAZAR BENYOËTZ
	Auch kleine Leute können lange Schatten werfen. AUS KORSIKA
Bedürfnislosigkeit	Wer gar nichts hat, hat alles satt. STANISŁAW JERZY LEC
Beerdigung	Um einem so richtig Appetit aufs Mittagessen zu machen, gibt es nichts besseres als eine Beerdigung am Morgen. ARTHUR MARSHALL

Beerdigung

Beerdigungsfeierlichkeiten sind die Cocktail-Partys des Geriatric-Set.

RALPH RICHARDSON

Ich weigerte mich, zu seiner Beerdigung zu gehen, schrieb jedoch einen wirklich netten Brief, in dem ich sie billigte.

MARK TWAIN

Beförderung

Einen Politiker zum Schuhputzer machen.

AMBROSE BIERCE

Beherrschen

Um einen Mann zu beherrschen, muß eine Frau zuerst sich selbst beherrschen.

MINNA ANTRIM

Beherrschung

Im Moment verspüre ich das starke Bedürfnis, mir den Kerl zu greifen, ihm die Beine um den Hals zu knoten und ihm seine Schuhe ins Maul zu stopfen – aber ich gehe davon aus, das wäre nur eine vorübergehende Lösung.

ALAN AYCKBOURN

Beine

Ich verstehe nicht, warum die Männer so hinter hochbeinigen Frauen her sind. Je längere Beine eine Frau hat, umso schwieriger ist es, sie einzuholen.

EDITH PIAF

Wenn man schöne Beine behalten will, muß man sie von den Blicken der Männer massieren lassen.

MARLENE DIETRICH

Beispiel

Wenige Dinge auf Erden sind lästiger als die stumme Mahnung, die von einem guten Beispiel ausgeht.

ANONYM

Es gibt nur wenig Dinge, denen man schlechter standhalten kann als einem guten Beispiel.

MARK TWAIN

Bekanntschaft

Für viele Männer ist die Bekanntschaft mit einer Frau eine Einbahnstraße in Richtung Bett.

JUDY WILLIAMS

Bekommen

Manche Frau weint, weil sie den Mann ihrer Träume nicht bekommen hat, und manche weint, weil sie ihn bekommen hat.

ANNETTE KOLB

Beleidigung

Ich glaube, wenn Frauen sich ungehemmter in Schmähungen ergehen würden, wären sie zehnmal gesünder, als sie's jetzt sind. Mir scheint, sie kranken an unterdrückten Gefühlen.

ELIZABETH CADY STANTON

Beleidigung

Ich mißbillige Duelle entschieden. Wenn ein Mann mich beleidigen sollte, würde ich ihn nett und versöhnlich bei der Hand nehmen, ihn an einen ruhigen Ort führen – und ihn dort umbringen.

MARK TWAIN

Es gibt Beleidigungen, die man nicht bemerken darf, wenn man sich in der Gesellschaft behaupten will.

DUC DE VAUVENARGUES

Benehmen

Sobald ein Mann anfängt, sich lächerlich zu benehmen, weiß man, er meint es ernst.

COLETTE

Ich weiß nicht, ob man sich schlimmer daneben benehmen kann: Meine Freundin Gladys hat mir gerade gesagt, sie würde ihren Mann bedenkenlos einen Abend mit mir allein lassen.

MARJORIE PROOPS

Wir sagen und Ich meinen ist eine von den ausgesuchtesten Kränkungen.

THEODOR W. ADORNO

Die meisten Menschen glauben, weil sie von Geburt an gegessen und getrunken haben, sie könnten es.

VINCENT KLINK

Benehmen

Mir ist aufgefallen, daß Leute, die zu spät kommen, meist wesentlich besserer Laune sind als die, die auf sie gewartet haben.

E.V. LUCAS

Gutes Benehmen ist eine Mischung aus Klugheit, Erziehung, Geschmack und Stil, die so gestaltet ist, daß man nichts davon im einzelnen benötigt.

P.J. O'ROURKE

Es gibt keinen Weg, um Kotzen zu einem Akt der Höflichkeit zu machen. Es bleibt nur, so zu kotzen, daß man später eine lustige Geschichte darüber erzählen kann.

P.J. O'ROURKE

Gutes Benehmen haben vor allem die Flauen nötig. Die Schönen kommen mit allem durch.

EVELYN WAUGH

Berater

Ein Berater ist jemand, der dir die Armbanduhr wegnimmt, um dir zu sagen, wie spät es ist.

ROY KINNEAR

Beredsamkeit

Beredsamkeit ist Logik in Flammen.

LYMAN BEECHER

Berühmtheit

Berühmt-Sein ist die Geißel der Verdienste und die Strafe für das Talent.

NICOLAS CHAMFORT

Berühmtheit	Berühmtheit: der Vorzug, von jenen gekannt zu werden, die einen nicht – persönlich – kennen. NICOLAS CHAMFORT
	Es dürfte kaum einen Schriftsteller geben, der in so kurzer Zeit so unberühmt geworden ist wie dieser X. KARL KRAUS
	Wenn man im Mittelpunkt eines Festes stehen will, darf man nicht hingehen. SHARON STONE
Beruf	Die Männer sind merkwürdige Geschöpfe: Im Beruf wollen sie hoch hinaus, aber bei den Frauen zielen sie in die Mitte. HELEN VITA
	Man kann auch mit seinem Beruf glücklich verheiratet sein. GERHARD UHLENBRUCK
Berufsethik	Die Berufsethik bleibt nach Abzug der Gewinne übrig. EMIL BASCHNONGA
Berufsleben	Wenn man sieht, was für Männer geheiratet werden, erkennt man die instinktive Abneigung der Frauen gegen das Berufsleben. HELEN ROWLAND

Berufsoffizier

Der Berufsoffizier: ein Mann, den wir in Friedenszeiten durchfüttern, damit er uns im Krieg an die Front schickt.

GABRIEL LAUB

Berufsrisiko

Wenn ein Frauenkenner sich verliebt, so gleicht er dem Arzt, der sich am Krankenbett infiziert. Berufsrisiko.

KARL KRAUS

Beschäftigung

Es ist nicht genug, beschäftigt zu sein, das sind auch die Ameisen. Die Frage ist: Womit sind wir beschäftigt?

HENRY DAVID THOREAU

Bescheidenheit

Ich habe mir oft gewünscht, ich hätte Zeit, bescheiden zu sein. Aber ich bin zu sehr damit beschäftigt, über mich selbst nachzudenken.

EDITH SITWELL

Bescheidenheit müßte die Tugend derer sein, denen die anderen fehlen.

GEORG CHRISTOPH LICHTENBERG

Bescheidenheit ist eine Tugend, die man vor allem an anderen schätzt.

LA ROCHEFOUCAULD

Die falsche Bescheidenheit ist die dezenteste von allen Lügen.

NICOLAS CHAMFORT

Beschützen

Jeder Mann, den ich kennenlerne, will mich beschützen. Ich weiß bloß nicht, wovor.

MAE WEST

Beschwichtigen

Eine Bulldogge »gutes Kerlchen« nennen, wenn sie dich von hinten sicher im Biß hat.

AMBROSE BIERCE

Bessere Hälfte

Keine Frau ist so schlecht, daß sie nicht die bessere Hälfte eines Mannes sein könnte.

KARL FURKAS

Besserwisser

Es gibt Leute, die sich über den Weltuntergang trösten würden, wenn sie ihn nur vorhergesagt hätten.

FRIEDRICH HEBBEL

Beste Gesellschaft

Die beste Gesellschaft nennt sich so, um sich von der guten zu unterscheiden.

WERNER SCHNEYDER

Bestseller

Was große Verlage verlegen, ist keine Kunst, sondern Arbeit von Leuten, die ihrer Mittelmäßigkeit schriftstellerisch gerecht werden.

GOTTFRIED BENN

Bestseller sind die Makulatur der nächsten Generation.

NORMAN MAILER

Bestsellerautor

Bestsellerautor: Leserattenfänger.

HANS-HORST SKUPY

Beten

Beten ist das Verlangen, daß die Gesetze des Universums zugunsten eines einzelnen Bittstellers aufgehoben werden, der selbst bekennt, unwürdig zu sein.

AMBROSE BIERCE

Vorbeter und Nachbeter gibt es genug. Es mangelt an Betern.

RUPERT SCHÜTZBACH

Betrug

Die Welt will betrogen werden. Also los.

XAVIERA HOLLANDER

Eine Sache, die es wert ist, daß man sie besitzt, ist es auch wert, daß man dafür betrügt.

W. C. FIELDS

Bett

Ich wünschte, ich wäre so oft im Bett wie in den Schlagzeilen.

LINDA RONSTADT

Ganz gleich, wie groß, weich oder warm dein Bett ist, du mußt doch irgendwann raus.

GRACE SLICK

Wer das Bett bloß aufsucht, weil er müde ist, verdient keines.

GERTRAUD VON LÜTZAU

Beweggründe

Alle Beweggründe sind albern.

OSCAR WILDE

Bewegung

Bewegung sollte nie als Aktivität mißverstanden werden.

ERNEST HEMINGWAY

Bewunderung

Eine kluge Frau lernt beizeiten, ihren Mann zu bewundern – auch wenn das Objekt ihrer Bewunderung oft nur Illusion ist.

MARGOT HIELSCHER

Auch wenn sie die Schwäche an Männern mehr lieben, haben Frauen gelernt, die Stärke der Männer zu bewundern.

SHIRLEY MACLAINE

Die Frauen mögen gelernt haben, die Stärke der Männer zu bewundern. Die Stärke anderer Frauen dagegen bleibt ihnen verdächtig.

ALICE SCHWARZER

Eine kluge Frau lernt beizeiten, ihren Mann ohne Grund zu bewundern.

JOAN STEWART

Ein Mann fühlt sich erst dann von einer Frau verstanden, wenn sie ihn bewundert.

KIM NOVAK

Bewunderung: Höfliche Anerkennung der Tatsache, daß ein anderer uns gleicht.

AMBROSE BIERCE

Beziehung

Eine Beziehung ist das, was sich zwischen zwei Menschen abspielt, während sie darauf warten, daß sie was Besseres finden.

HÉLÈNE CAMPION

Ich kenne eine Menge Leute, die nicht erwartet hätten, daß unsere Beziehung hält – dennoch feiern wir heute unser zweimonatiges Jubiläum.

BRITT EKLUND

Manchmal frage ich mich, ob Männer und Frauen wirklich zusammenpassen. Vielleicht sollten sie nachbarschaftlich leben und sich nur hin und wieder besuchen.

KATHARINE HEPBURN

Ich brauche keinen Mann, um meine Existenz aufzuwerten. Die intensivste Beziehung, die wir je haben können, ist die mit uns selbst.

SHIRLEY MACLAINE

Für mich ist die leichteste Beziehung die zu zehntausend Menschen. Die schwierigste ist die zu einem Menschen.

JOAN BAEZ

Beziehung

Was habe ich davon, daß du mir verzeihst, wenn ich versprechen soll, es nie wieder zu tun?

ANONYM

Lieber 'n wackligen Kneipentisch als 'ne feste Beziehung.

ANONYM

Lebensgefährtin ist ein Wort, das von Lebensgefahr abgeleitet ist.

ANONYM

Ich habe an ein und demselben Tag zum erstenmal ein Mädchen geküßt und meine erste Zigarette geraucht. Seitdem hatte ich nie wieder Zeit zum Rauchen.

ARTURO TOSCANINI

Bibel

Letzte Nacht las ich im Buch Hiob. Ich habe nicht den Eindruck, daß Gott da gut wegkommt.

VIRGINIA WOOLF

Ein wunderbares Buch, aber es stehen ein paar sehr seltsame Sachen drin.

KÖNIG GEORGE V.

So mancher wackelnder Tisch wird durch eine Bibel gestützt.

KAROL IRZYKOWSKI

Bibel

Im Anfang war das Wort – dann kam das Schweigen.

STANISŁAW JERZY LEC

Bier

Die Inflation ist auf über einen Dollar pro Bier gestiegen.

W. C. FIELDS

Biertrinker

Biertrinker: Bei ihm sind Hopfen und Malz nicht verloren.

GERD W. HEYSE

Bigamie

Bigamie heißt, daß man eine Frau zuviel hat. Monogamie auch.

GABRIELE WOHMANN

Bigamie heißt, einen Mann zuviel haben. Monogamie heißt dasselbe.

ANONYM

Geschmacksverwirrung, für die künftige Weisheit eine Strafe namens Trigamie verhängen wird.

AMBROSE BIERCE

Ein Bigamist hat zur Strafe zwei Frauen.

FRITZ DE CRIGNIS

Bildschirm

Der Bildschirm ist das Präservativ der Realität.

WERNER SCHNEYDER

Bildung

Vor dem Kinde brechen sich die Wellen des Weltmeeres an vier Mauern, die sein Bildungs- oder Kristallisationswasser einfassen: Vater, Mutter, Geschwister und ein paar Zu-Menschen sind seine fortbildende Welt und Form.

JEAN PAUL

Eine umfassende Bildung ist eine gut dotierte Apotheke; aber es besteht keine Sicherheit, daß nicht für Schnupfen Zyankali gereicht wird.

KARL KRAUS

Die Menschen werden stets schreiben und lesen, es müssen aber nicht immer gleich alle sein.

ANGELA KRAUSS

Die älteste Form der Erwachsenenbildung sind Kinder, die eine höhere Schule besuchen.

ROBERT LEMBKE

Gebildete Leute sind selten gute Kumpel, und in vielen Fällen führt ihre Erscheinung dazu, daß jungen Leuten die Lust am Lernen vergeht.

HENRY LOUIS MENCKEN

Bildung ist das, was übrigbleibt, wenn der letzte Dollar weg ist.

MARK TWAIN

Bildung

Der Grund, den die Amme dem Kind angibt, kann für das Kind nützlicher sein, als der Grund, den Sokrates dem Plato für dieselben Sachen angeben würde.

GEORGE BERNARD SHAW

Die einzig wahre Bildung scheint die Vermögensbildung zu sein.

GERHARD UHLENBRUCK

Bildungshunger

Bildungshunger und Wissensdurst sind keine Dickmacher.

LOTHAR SCHMIDT

Biographie

Die Biographie eines Menschen sollte von einem scharfsinnigen Feind verfaßt werden.

ARTHUR JAMES BALFOUR

Biographie: Literarischer Tribut, den ein Kleiner dem Großen darbringt.

AMBROSE BIERCE

Ein gut beschriebenes Leben ist ebenso selten wie ein gut geführtes.

THOMAS CARLYLE

Wenn Sie eine Biographie lesen, denken Sie daran, daß sich die Wahrheit nicht publizieren läßt.

GEORGE BERNARD SHAW

Biologe

Ein Biologe ist ein Mann, der Kim Basinger sieht und sich dabei vorstellen kann, daß sie einmal ein Baby war.

DANNY KAYE

Blitzableiter

Daß in den Kirchen gepredigt wird, macht deswegen die Blitzableiter auf ihnen nicht unnötig.

GEORG CHRISTOPH LICHTENBERG

Blondine

Es ist auch möglich, daß Blondinen Gentlemen bevorzugen.

MAMIE VAN DOREN

In der Liebe ist für einen Mann die blonde Praxis hübscher als die graue Theorie.

RALPH BOLLER

Sie war eine Blondine von der Art, die einen Bischof dazu bringen kann, mit einem Ball ein Loch in ein Kirchenfenster zu schießen.

RAYMOND CHANDLER

Blumen

Falls Sie vorhaben, es mit Blumen zu sagen, denken Sie daran, daß eine einzelne Rose Ihnen ins Gesicht schreit: »Ich bin billig!«

DELTA BURKE

Böse

Das Böse ist allemal daran zu erkennen, daß es Hosen trägt und sich rasiert.

ANONYM

Boshaftigkeit

Du mußt über einen Menschen nichts Böses sagen. Du kannst es ihm antun – das nimmt er nicht so übel. Aber sage es ihm nicht. Er ist in erster Linie eitel, und dann erst schmerzempfindlich.

KURT TUCHOLSKY

Bourgeoisie

Die Bourgeoisie stirbt, aber sie ergibt sich nicht.

ERWIN CHARGAFF

Boxershorts

Früher sagte man schlechtsitzende Unterhosen. Heute sagt man Boxershorts.

ANONYM

Braut

Braut: Frau mit besten Aussichten auf vergangenes Glück.

AMBROSE BIERCE

Bei der Brautwerbung ist der Mann so lange hinter der Frau her, bis sie ihn erwischt.

JACQUES TATI

Brüllen

Brüllt ein Mann, ist er dynamisch. Brüllt eine Frau, ist sie hysterisch.

HILDEGARD KNEF

Brüste

Natürlich stelle ich meine Vorzüge zur Schau. Sie sind groß, aber ich hatte sie schon immer; ich habe sie hochgeschnürt und damit herumgewackelt. Warum soll ich keine Witze darüber machen, wenn ich mit ihnen ein Vermögen verdient habe?

DOLLY PARTON

Brüste

Wenn ich sie nicht gehabt hätte, hätte ich sie mir machen lassen.

DOLLY PARTON

Brustwarzen

Ich habe bei offiziellen Anlässen immer darauf geachtet, daß meine Brustwarzen nicht zu erkennen waren. Ich hatte Angst, die alten Männer würden sonst einen Herzanfall kriegen.

MARGARET TRUDEAU

Buch

Ich habe mir mit meiner Autobiographie viel mehr Mühe gegeben als mit meinen Ehen. Von einem Buch kann man sich nicht scheiden lassen.

GLORIA SWANSON

Das ist kein Roman, den man leichtfertig beiseite legen sollte. Man sollte ihn mit aller Kraft wegschmeißen.

DOROTHY PARKER

Du kannst kein Buch öffnen, ohne daraus zu lernen.

ANONYM

Ich schreibe Dinge auf Zettel und stopfe die in meine Tasche. Wenn ich genug davon habe, ist es ein Buch.

JOHN LENNON

Buch

Ein sicheres Zeichen von einem guten Buch ist, wenn es einem immer besser gefällt, je älter man wird.

GEORG CHRISTOPH LICHTENBERG

Ein Buch ist ein Spiegel – wenn ein Affe hineinguckt, so kann freilich kein Apostel heraus sehen.

GEORG CHRISTOPH LICHTENBERG

Wenn man ein Buch nicht immer und immer wieder zu seiner Freude lesen kann, hat es keinen Wert, es überhaupt zu lesen.

OSCAR WILDE

Kein schlimmerer Dieb als ein schlechtes Buch.

AUS ITALIEN

Wenn wir jemanden von hervorragender Intelligenz treffen, sollten wir ihn fragen, welche Bücher er liest.

RALPH WALDO EMERSON

Lies niemals ein Buch, das nicht ein Jahr alt ist.

RALPH WALDO EMERSON

Die meisten Bücher von heute sehen aus, als hätte man sie an einem Tage aus den Büchern hergestellt, die am Vortag gelesen worden sind.

NICOLAS CHAMFORT

Buch

Wir neigen immer dazu, ein dickes Buch zu sehr zu loben, weil wir es gelesen haben.

EDWARD MORGAN FORSTER

Verleihe niemals Bücher, denn niemand gibt sie zurück. Ich habe nur solche Bücher in meiner Bibliothek, die andere Leute mir geliehen haben.

ANATOLE FRANCE

Das Schlimme an neuen Büchern ist, daß sie uns hindern, die alten zu lesen.

JOSEPH JOUBERT

Manchem schlechten Buch fehlt nur ein vortrefflicher Kommentator.

JEAN PAUL

Bücher sind nur dickere Briefe an Freunde; Briefe sind nur dünnere Bücher für die Welt.

JEAN PAUL

Jeder Mensch ist so gut wie der andere – bis er ein Buch geschrieben hat.

BENJAMIN JOWETT

Woher habe ich eigentlich die Zeit, so viele Bücher nicht zu lesen?

KARL KRAUS

Buch

Daß man auf der High-School unbeliebt war, ist noch längst kein Grund, Bücher zu veröffentlichen.

FRAN LEBOWITZ

Manche Bücher haben den Informationswert eines ungedeckten Schecks.

HELMAR NAHR

Ich verabscheue Bücher; sie bringen uns lediglich bei, über Dinge zu sprechen, über die wir nichts wissen.

JEAN-JACQUES ROUSSEAU

Ich blieb mit einem ungedruckten Meisterwerk, meinem Opus 1, zurück, welches mich eine Unmenge an Papier gekostet hatte und mit erbarmungsloser Exaktheit »Die Unreife« genannt wurde. Ein Teil von ihm war bereits von Mäusen verschlungen worden, obwohl selbst die nicht in der Lage gewesen waren, es zu beenden.

GEORGE BERNARD SHAW

Ein Bestseller ist ein Prunkgrab für ein drittklassiges Talent.

LOGAN PEARSALL SMITH

Kein Möbelstück ist so reizend wie Bücher.

SYDNEY SMITH

Buch

Derjenige, der keine guten Bücher liest, ist nicht besser als der, der nicht lesen kann.

MARK TWAIN

Ein Klassiker – ein Buch, das die Leute loben und nicht lesen.

MARK TWAIN

So etwas wie moralische oder unmoralische Bücher gibt es nicht. Bücher sind gut oder schlecht geschrieben. Weiter nichts.

OSCAR WILDE

Buchhändler

Dem Buchhändler gefallen keine Bücher, die bei ihm bleiben.

JEAN PAUL

Bücherschreiben

Bücherschreiben ist das einzige Verbrechen, bei dem sich der Täter bemüht, Spuren zu hinterlassen.

GABRIEL LAUB

Ich bemühe mich, die Stellen wegzulassen, die die Leser überspringen.

ELMORE LEONARD

Bühne

Die Welt ist eine Bühne, aber das Stück ist schlecht besetzt.

OSCAR WILDE

Bündnis

Manches Bündnis ist Schulterklopfen, bis es weh tut.

ALFRED ODER

Bürger

Der Bürger. – Ein Mensch, der eine Satire lebt und es nicht merkt.

WOLFGANG BEUTIN

Bürgerlich

Lieber lächerlich als bürgerlich.

GOTTFRIED BENN

Bürgertum

Der Kurs des Bürgertums verbirgt uns seinen Konkurs.

OTMAR LEIST

Bürokrat

Hätte ein Bürokrat die Welt erschaffen, wir wären noch bei der Sintflut.

JERZY JURANDOT

Die Zeit, welche die Technik erspart, kostet der Bürokrat, der sie organisiert.

LUDWIG MARCUSE

Bürokraten haben immer recht. Sie halten sich an ihre Vorschriften, und die Vorschriften stimmen immer. Nur das Leben weicht manchmal von den Vorschriften ab, das ist das Dumme.

AUREL SCHMIDT

Bürokratie

Eine Hausmitteilung wird nicht mit dem Ziel geschrieben, den Empfänger zu informieren, sondern den Verfasser zu schützen.

DEAN ACHESON

Bürokratie

Die Bürokratie ist ein gigantischer Mechanismus, der von Zwergen bedient wird.

HONORÉ DE BALZAC

Warum sind die Zehn Gebote so einfach, kurz und klar und für jedermann verständlich abgefaßt? Weil sie ohne eine Kommission aufgestellt wurden.

CHARLES DE GAULLE

Die Fesseln der gequälten Menschheit sind aus Kanzleipapier.

FRANZ KAFKA

Was ist Bureaukratie? Eine Regelung der einzelnen Inkompetenzen im Sinne der allgemeinen Verantwortung.

ANTON KUH

Die Beharrlichkeit von Bürokraten bei einer Sache verhält sich umgekehrt proportional zur Bedeutsamkeit dieser Sache.

BERNARD LEVIN

Daß man mit dem Dienst nach Vorschrift die Vorschriften lächerlich machen kann, ist eine herrliche Pointe der Bürokratie.

CYRIL NORTHCOTE PARKINSON

In der Natur beginnt die Fäulnis nach dem Tode; die Bürokratie dagegen fault zuerst, dann stirbt sie.

HENRYK SIENKIEWICZ

Büstenhalter

Ich wollte die erste Frau sein, die ihren Büstenhalter verbrennt. Aber die Feuerwehr hätte vier Tage für die Löscharbeiten gebraucht.

DOLLY PARTON

Früher brauchte man nur ein Taschentuch fallen zu lassen, und schon stürzten die Männer herbei. Heute könnte man einen Büstenhalter verlieren, und keiner rührt einen Finger.

HELEN VITA

Bumerang

So mancher Bumerang kommt nicht zurück. Er wählt die Freiheit.

STANISŁAW JERZY LEC

Busen

Ich weiß, daß ich von Natur aus einen großen Busen habe. Aber ich denke nicht, daß ich deshalb besser bin als jemand mit Implantaten.

PATRICIA ARQUETTE

Ich bin kein Tier, warum sollte ich also meinen Busen in einen Käfig sperren?

ANNA MAGNANI

Die Natur hat die Frauen mit einem Busen ausgestattet, das heißt, die Natur hat ihn für wichtig gehalten. Wer bin ich, daß ich mich mit der Natur anlegen würde?

IDA ROSENTHAL

Busen

Auch Menschen mit großem Busen können gute Christen sein.

JANE RUSSELL

Ich erinnere mich noch gut: Als ich meinen Busen bekam, war es plötzlich ein Heidenspaß, spazierenzugehen.

SOPHIA LOREN

C

Charakter

Charakter: Die Unfähigkeit, anders zu sein.

RON KRITZFELD

Charaktere sind unzerbrechlich – aber dehnbar.

STANISŁAW JERZY LEC

Er hatte gar keinen Charakter, sondern wenn er einen haben wollte, so mußte er immer erst einen annehmen.

GEORG CHRISTOPH LICHTENBERG

Ein guter Charakter kann zuweilen den Erfolg im Leben außerordentlich behindern.

GEORGE BERNARD SHAW

Er war eitel wie ein Chirurg, rechthaberisch wie ein Jurist und gutmütig wie ein Scharfrichter nach der Hinrichtung.

KURT TUCHOLSKY

Es gibt Leute, die wollen lieber einen Stehplatz in der ersten Klasse als einen Sitzplatz in der dritten. Es sind keine sympathischen Leute.

KURT TUCHOLSKY

Charakter

Es gibt Menschen, die Fische fangen, und solche, die nur Wasser trüben.

AUS CHINA

Chaos

Wenn Männer Lärm und Chaos verbreiten, bilden sie sich ein, den Ton anzugeben.

ANONYM

Charme

Charme und Perfektion vertragen sich schlecht miteinander. Charme setzt kleine Fehler voraus, die man verdecken möchte.

CATHÉRINE DENEUVE

Sie wissen sicher, was Charme ausmacht: Eine Methode, die Antwort „ja“ zu erhalten, ohne eine klare Frage gestellt zu haben.

ALBERT CAMUS

Der Charme ist die Chance der Häßlichen.

SIGMUND GRAFF

Charme ist Charakter, der sich von seiner schönsten Seite zeigt.

LOTHAR SCHMIDT

Chauvinismus

Am Chauvinismus ist nicht so sehr die Abneigung gegen die fremden Nationen als die Liebe zur eigenen unsympathisch.

KARL KRAUS

Der Chauvinismus ist so flach, daß er überall Eingang findet.

STANISŁAW JERZY LEC

Chef

Auch Chefsachen erledigen sich nicht durch Nichtstun.

ANTJE VOLLMER

Ich denke immer, je größer der Schreibtisch, desto kleiner der Mann.

ANN FORD

Die Größe unseres Chefs beweist sich in seiner Cleverness, wie er die Leute klein kriegt.

JUPP MÜLLER

Chirurgie

Wenn heutzutage zwei Frauen einander zum Verwechseln ähnlich sehen, müssen es keineswegs Zwillinge sein. Vielleicht haben sie auch bloß denselben Gesichtschirurgen.

PIETRO MARCHESI

Chopin

Mit Chopin kommt man bei Frauen ziemlich weit.

ARTUR RUBINSTEIN

Christentum

Die Energie des Christentums zeigt sich zum Beispiel noch darin, daß man zu Weihnachten ein 13. Gehalt bekommt.

FRIEDRICH WILHELM KORFF

Das Christentum hat die erotische Mahlzeit um die Vorspeise der Neugier bereichert und durch die Nachspeise der Reue verdorben.

KARL KRAUS

Christentum

Das Christentum ist eine gewaltige Macht. Daß zum Beispiel protestantische Missionare aus Asien unbekehrt wieder nach Hause kommen – das ist eine große Leistung.

KURT TUCHOLSKY

Cognac

Wie will man das Dasein Gottes leugnen und zugleich die Existenz von Cognac erklären?

RODA RODA

Computer

Das Unsympathische an den Computern ist, daß sie nur ja oder nein sagen können, aber nicht vielleicht.

BRIGITTE BARDOT

Der Computer ist die logische Fortentwicklung des Menschen. Intelligenz ohne Moral.

JOHN OSBORNE

Jedes Zeitalter hat seine Genies. Wir haben unsere Computer.

HEINRICH WIESNER

Ein Computer ist eine Genieprothese.

DIETER HILDEBRANDT

D

Dame — Eine Dame ist eine Frau, die niemals absichtlich ihre Unterwäsche zeigt.

LILLIAN DAY

Hin und wieder verspüre ich den Drang, eine Dame zu sein, aber das hält nie lange an. Ich bin eine moderne, intelligente, unabhängige Frau. Mit anderen Worten: eine, die nie einen abkriegt.

SHELLEY WINTERS

Dandy — Männer, die Dandys, und Frauen, die Schätzchen sind, regieren die Welt oder sollten es zumindest.

OSCAR WILDE

Dankbarkeit — Gefühl – auf halbem Weg zwischen einer empfangenen und einer erwarteten Wohltat.

AMBROSE BIERCE

Dankbarkeit ist in den Himmel gestiegen und hat die Leiter mitgenommen.

AUS POLEN

DDR

Niemand will die DDR wiederhaben. Aber keiner will sie sich nehmen lassen.

PETER SODANN

Dekolleté

Ein Dekolleté ist jener schmale Grat, auf dem der gute Geschmack balanciert, ohne herunterzufallen.

COCO CHANEL

Dekolleté ist das Kunststück, so ausgezogen zu sein, daß man immer noch für angezogen gilt.

JEANNE MOREAU

Die einzige Art von Tiefe, die Männer bei einer Frau schätzen, ist die ihres Dekolletés.

ZSA ZSA GABOR

Dekolleté ist die Kunst, sich so zu erkälten, daß ein Mann sich dafür erwärmt.

INGRID VAN BERGEN

Dekolleté ist die Kunst, für den richtigen Mann richtig ausgezogen zu sein.

ELKE SOMMER

Demagoge

Demagogen sind Leute, die in den Wind sprechen, den sie selbst gemacht haben.

HELMUT QUALTINGER

Demagogen kochen ihr Süppchen auf der Volksseele.

WOLFRAM WEIDNER

Demagogie

Demagogisch – mundgerecht.

ELAZAR BENYOËTZ

Dementi

Dementis sind die Entschuldigungen der Reuelosen.

NIKOLAS CYBINSKI

Ein Dementi ist nach den Spielregeln der hohen Politik ein halbes Eingeständnis einer ganzen Dummheit.

SAINT-JOHN PERSE

Demokrat

Diktatoren verstopfen den Kritikern den Mund mit Knochen, die Demokraten – mit Kaviar.

GABRIEL LAUB

Demokraten nennen wir die Leute immer dann, wenn wir sie brauchen.

ARMAND DE CAILLAVET

Demokratie

Wenn Wahlen irgend etwas verändern würden, wären sie schon längst verboten.

ANONYM

Demokratie bedeutet Regierung mittels Gespräch – aber sie funktioniert nur, wenn du die Leute zum Schweigen bringen kannst.

CLEMENT ATTLEE

Demokratie

Demokratie darf nicht soweit gehen, daß in der Familie abgestimmt wird, wer der Vater ist.

WILLY BRANDT

Demokratie bedeutet Regierung durch die Ungebildeten, Aristokratie Regierung durch die schlecht Gebildeten.

GILBERT KEITH CHESTERTON

Man sagt, die Demokratie sei die schlimmste Regierungsform, ausgenommen jene, die auch schon ausprobiert worden sind.

WINSTON CHURCHILL

Der ganze Traum der Demokratie besteht darin, den Proletarier auf das Niveau der Dummheit des Bürgers zu erheben. Dieser Traum ist teilweise verwirklicht.

GUSTAVE FLAUBERT

Ich bin für Demokratie. Jedermann kann ungestraft meiner Meinung sein.

FRANZ HANNEMANN

Demokratien sind nicht so flink wie Diktaturen.

HANS MAIER

Demokratie

In der Demokratie verwendet eine Partei all ihre Kraft auf den Beweis, daß die andere unfähig zur Regierung ist – und im allgemeinen sind beide darin erfolgreich und haben Recht.

HENRY LOUIS MENCKEN

Demokratie: keiner macht sich Gedanken. Und jeder darf sagen, was er will.

WERNER MITSCH

Demokratie mit Klumpfuß ist besser als Diktatur mit Stechschritt.

FRITZ MULIAR

Jede Regierung ist eine Volksversammlung von Huren. Das Ärgerliche ist, daß in der Demokratie wir alle die Huren sind.

P. J. O'ROURKE

In der Demokratie ersetzt die Wahl vieler inkompetenter Leute die Ernennung durch wenige Korrupte.

GEORGE BERNARD SHAW

Ein Vorzug der Demokratie: Wer recht hat, kann überstimmt werden.

MANFRED STAHL

In Angelegenheiten der Allgemeinheit wird die Demokratie zur Vetokratie.

HENNING VOSCHERAU

Demokratie

Demokratie ist der immer wiederkehrende Verdacht, daß mehr als die Hälfte der Menschen mehr als die Hälfte der Zeit recht haben.

ELWYN BROOKS WHITE

Demokratie – ein bei Wahlen immer wieder auftauchender Begriff.

GERD WALLSCHON

Demonstration

Kein Aufmarsch, bei dem nicht doppelt soviel Beine wie Köpfe kommen.

HANS KASPER

Ein Mann demonstrierte für eine bessere Zukunft und übersah am Straßenrand die Frau seines Lebens.

WERNER SCHNEYDER

Denken

Nur wer Zick-Zack denkt, weiß, wie der Hase läuft.

ANONYM

Wahr sind nur die Gedanken, die sich selber nicht verstehen.

THEODOR W. ADORNO

Große Gedanken brauchen nicht nur Flügel, sondern auch ein Fahrgestell zum Landen.

NEIL ARMSTRONG

Denken

Viele gelten als geistreich und sind verschuldet.

BERT BERKENSTRÄTER

Gedanken, die schockweise kommen, sind Gesindel. Gute Gedanken erscheinen in kleiner Gesellschaft. Ein göttlicher Gedanke kommt allein.

MARIE VON EBNER-ESCHENBACH

Wo der Tellerrand die Grenze des Denkens markiert, hilft auch die richtige Ernährung wenig.

ERNST R. HAUSCHKA

Viele Menschen denken, sie dächten bereits, wenn sie lediglich ihre Vorurteile neu ordnen.

WILLIAM JAMES

Sprachkürze gibt Denkweite.

JEAN PAUL

Halbdenker haben naturgemäß viel Zeit zum Sprechen.

HANS KASPER

Denken ist kriminell. Die Gedanken werden ja gleich in grauen Zellen geboren.

GABRIEL LAUB

Denken

Gedanken hüpfen wie Flöhe von einem Menschen auf den anderen. Aber sie beißen nicht alle.

STANISŁAW JERZY LEC

Zum Denken benötigt man ein Hirn, vom Menschen ganz zu schweigen.

STANISŁAW JERZY LEC

Mancher wird nur deshalb kein Denker, weil sein Gedächtnis zu gut ist.

FRIEDRICH NIETZSCHE

Denken ist immer eine schlimme Sache.

OSKAR PANIZZA

Denken ist für die Mehrheit der Menschen eine schmerzhafte Tätigkeit.

BLOOR SCHLEPPEY

Es gibt Denkprozesse, die den Tatbestand strafbarer Handlung erfüllen.

HANS-HORST SKUPY

Denkmal

Man braucht einen Hohlkopf nur mit Zement auszugießen – schon hat man ein Denkmal.

ANONYM

Schont die Sockel, wenn ihr die Denkmäler stürzt. Sie können noch gebraucht werden.

STANISŁAW JERZY LEC

Depression

Wenn Frauen deprimiert sind, dann essen sie oder gehen einkaufen. Männer hingegen fallen in ein fremdes Land ein. Es ist eine ganz andere Art zu denken.

ELAYNE BOOSLER

Design

Das Design bestimmt das Bewußtsein.

REINHARD KREISSL

Dessert

Viele Männer vergessen in der Liebe das Dessert. Das ist schade, denn viele Frauen sind naschsüchtig.

MARIELLA POZZO

Dessous

Ich bin gegen praktische Unterwäsche. Ein Dessous muß nicht praktisch sein, sondern reizvoll.

CATHÉRINE DENEUVE

Es kommt gewiß nicht bloß auf das Äußere einer Frau an. Auch die Dessous sind wichtig.

KARL KRAUS

Deutsche

Deutsche können alle Plagen, aber keinen Durst ertragen.

ANONYM

Ein Deutscher ist ein Mensch, der keine Lüge aussprechen kann, ohne sie selbst zu glauben.

THEODOR W. ADORNO

Deutsche

Die Deutschen sind eine schreckliche Spezies. Ihre Opern dauern sechs Stunden, und bei ihnen gibt es kein Wort für »fluffy«.

BEN ELTON/RICHARD CURTIS

Ein anständiger Deutscher liebt Probleme mehr als Lösungen.

JOHANNES GROSS

Selbst im Fall einer Revolution würden die Deutschen sich nur Steuerfreiheit, nie Gedankenfreiheit zu erkämpfen suchen.

FRIEDRICH HEBBEL

Deusche werden nicht besser im Ausland, wie das exportierte Bier.

HEINRICH HEINE

Nichts kann man den Deutschen leichter geben als gesammelte Aufsätze von einigen Jahren her – sie haben alles vergessen und halten alles für neu.

JEAN PAUL

Der Deutsche erlebt keine Zeit so gern als die Bedenkzeit.

JEAN PAUL

Die Deutschen sind kein Volk – die Deutschen sind eine Epidemie.

GEORG KAISER

Deutsche

Die Deutschen sitzen an der Tafel einer Kultur, bei der Prahlhans Küchenmeister ist.

KARL KRAUS

Das sogenannte »Kosmische« der Deutschen ist eine Fortsetzung ihres Subordinationsbedürfnisses ins Jenseits.

ANTON KUH

Das Unglück der Deutschen: Sie glauben, daß das Wort »Erotik« von »erröten« kommt.

ANTON KUH

Deutsche verwechseln leicht Freiheitsspielräume mit Gesetzeslücken.

MANFRED ROMMEL

Vernünftige Sachen muß man den Deutschen immer dreimal sagen.

JÜRGEN SCHELLER

Den Deutschen fehlt der Witz, ihre eigenen zu begreifen.

WERNER SCHNEYDER

Man will zwar behaupten, die Deutschen hätten das Pulver erfunden: aber ich kann der Meinung nicht beitreten.

ARTHUR SCHOPENHAUER

Deutsche

Die Deutschen wollen die Welt verbessern. Die Österreicher begnügen sich damit, sie mies zu machen.

ERNST STANKOVSKI

Nie geraten die Deutschen so außer sich, wie wenn sie zu sich kommen wollen.

KURT TUCHOLSKY

Die Deutschen sind sicherlich das einzige Volk auf Erden, das ein schlechtes Gewissen mehr genießt als eine schöne Frau.

PETER ZADEK

Auf das Reizwort »Stil« – es ist durch Assoziationstests einwandfrei festgestellt – fällt Franzosen und Engländern die Ergänzung »Blumen« ein, den meisten Deutschen dagegen »Besen-«.

KARL HEINZ ZENZ

Deutsche Wertarbeit ist am Allerwertesten.

WOLFGANG ESCHHER

Deutschland

Von den zehntausend Antifaschisten, die es in Nazi-Deutschland gegeben haben mag, lebten acht Millionen in der DDR.

JUREK BECKER

Die deutsche Form der Revolution ist die Denunziation.

GOTTFRIED BENN

Deutschland

Deutschland ist ein Land, das sich um seine Täter sorgt.

RALPH GIORDANO

Teilen macht in Deutschland keinen Spaß.

GREGOR GYSI

In Deutschland reicht es, eine gute Rede zu halten, und man wird zum Parteivorsitzenden gewählt.

BODO H. HAUSER

Deutschland ist das Epizentrum der Humorlosigkeit.

ANDRÉ HELLER

In den deutschen Ländern... gehören zwei Jahrhunderte dazu, um eine Narrheit vollständig abzuschaffen – eines, um sie einzusehen, noch eines, um sie abzuschaffen.

JEAN PAUL

Die Polemik ist eine Kunst, und Germanien ist voller Handwerker.

HANS KASPER

In Deutschland bilden zwei einen Verein. Stirbt der eine, so erhebt sich der andere zum Zeichen der Trauer von seinem Platz.

KARL KRAUS

Deutschland

Sagt, ist noch ein Land außer Deutschland, wo man die Nase eher rümpfen lernt als zu putzen?

GEORG CHRISTOPH LICHTENBERG

In Deutschland gilt immer noch: Ich arbeite, also bin ich.

ADOLF MUSCHG

Schon früh wurde mir beigebracht, Deutschland als einen sehr bedeutsamen Platz anzusehen. Ich war ein kleiner irischer Protestant und wußte, daß Martin Luther ein Deutscher war. So gelangte ich zu dem Schluß, alle Deutschen kämen in den Himmel – eine Auffassung, an der ich heute nicht mehr mit Überzeugung festhalten kann.

GEORGE BERNARD SHAW

In Deutschland kann es keine Revolution geben, denn dazu müßte man den Rasen betreten.

JOSEPH W. STALIN

Deutschland ist eine anatomische Merkwürdigkeit. Es schreibt mit der Linken und tut mit der Rechten.

KURT TUCHOLSKY

Diät

Die richtige Diät leitet sexuelle Energie in die Körperteile, die von Bedeutung sind.

BARBARA CARTLAND

Diät

Falls Sie es sich auch angewöhnt haben, jede neue Diät zu studieren, werden Sie feststellen, daß alle gnädigerweise auf dasselbe rauslaufen, nämlich auf die Information, daß Pommes frites verboten sind.

JEAN KERR

Iß, trink und sei fröhlich; Diät können wir morgen immer noch machen.

ANONYM

Diagnose

Ärztliche Kunst; besteht darin, den Gesundheitszustand der Börse eines Patienten festzustellen, um zu wissen, wie krank man ihn machen darf.

AMBROSE BIERCE

Dialektik

Dialektik – Purzelbaum der Erkenntnis.

ELAZAR BENYOËTZ

Dichter

Bei Pilzen und Dichtern kommen auf einen guten zehn schlechte.

ANONYM

Unreife Dichter imitieren; reife Dichter stehlen.

T. S. ELIOT

Dichter werden geboren, nicht bezahlt.

WILSON MIZNER

Dichter

Es war schon schwierig genug, das Zeug zu schreiben. Verlangen Sie nicht von mir, darüber noch etwas zu sagen.

DYLAN THOMAS

Er hat nie auch nur ein einziges Buch geschrieben, also kannst du dir vorstellen, wieviel er weiß.

OSCAR WILDE

Dicksein

Du bist nicht dick, du lebst im falschen Land.

DENISE WALKER

Es heißt, in jeder dicken Frau steckt eine dünne, die nur darauf wartet, rauszukommen. Nun, ich muß das Miststück wohl aufgegessen haben.

THEA VIDALE

Dieb

Fehlt es dem Dieb an Gelegenheit, glaubt er an seine Ehrlichkeit.

TALMUD

Diebe achten das Eigentum. Sie wünschen sich, daß das Eigentum zu ihrem Eigentum wird, einzig und allein aus dem Grund, damit sie es noch besser achten können.

GILBERT KEITH CHESTERTON

Diktator

Diktatorischer Gentleman, dem keine Beschränkung auferlegt ist außer der Hand des Attentäters.

AMBROSE BIERCE

Diktator

Wehe den Diktatoren, die glauben, sie seien keine.

STANISŁAW JERZY LEC

Diktatoren wußten nie etwas: Ihre Geheimpolizei hat ihnen nichts gesagt.

KURT TACHMANN

Diktatur

Der Zeigefinger der Diktaturen ist der Daumen.

GERD W. HEYSE

Diktaturen bieten Sicherheit in Zuchthäusern.

HANS-HORST SKUPY

Dilemma

Die menschliche Gattung steht vor einer tragischen Entscheidung: Arbeit oder das Tagesprogramm im Fernsehen.

ANONYM

Dinge

Die einzigen wirklich schönen Dinge sind die Dinge, die uns nicht betreffen.

OSCAR WILDE

Diplomat

Diplomaten kennen zehn Sprachen, um in jeder das nicht zu sagen, was sie denken.

ELEONORE VAN DER STRATEN-STERNBERG

Diplomaten sind Menschen, die die Wahrheit kennen und dafür bezahlt werden, für ihr Land zu lügen.

ANONYM

Diplomat

Hauptmerkmal eines Diplomaten ist seine Fähigkeit, so nein zu sagen, daß es wie ja klingt!

LESTER BOWLES PEARSON

Wir sind Diplomaten. Das heißt: Wenn wir sagen, was wir denken, haben wir uns versprochen.

HENRY MORTON ROBINSON

Ein Diplomat ist heutzutage nur ein Oberkellner, der sich gelegentlich mal hinsetzen darf.

PETER USTINOV

Ein Botschafter ist ein ehrenhafter Mann, der ins Ausland geschickt wird, um für das Wohl seines Landes zu lügen.

HENRY WOTTON

Diplomatie

Diplomatie: überreife Konflikte durch faule Kompromisse lösen.

WOLFGANG ESCHKER

In allem halte dich daran: mit der fremden Angelegenheit auftreten, um mit der eigenen abzuziehen.

BALTHASAR GRACIAN

Diplomatie ist Krieg mit friedlichen Mitteln.

WERNER MITSCH

Diskretion Diskretion ist Wahrheit gezügelt durch Weisheit.

STEFAN HEYM

Disziplin Disziplin ist die Fähigkeit, dümmer zu erscheinen als der Chef.

ANONYM

DKP Die DKP ist die Vorhaut der Arbeiterklasse, wenn's ernst wird, zieht sie sich zurück.

ANONYM

DNA DNA ist wie das Gold des Midas. Jeder, der es berührt, wird verrückt.

MAURICE WILKINS

Dogmatiker Die Dogmatiker sind sonderbare Hyänen. Sie nähren sich vom Aas der Gedanken, die sie selbst getötet haben.

GABRIEL LAUB

Doktor Das Doktorwerden ist eine Konfirmation des Geistes.

GEORG CHRISTOPH LICHTENBERG

Doktrin Die Doktrin ist ein Gourmand. Am besten schmeckt ihr der Mensch.

HANS KASPER

Dollar Um ehrlich zu sein, ich denke nur an Dollarscheine.

TONYA HARDING

Dollar

Alles, was nur einen Dollar kostet, ist es nicht wert, daß man es besitzt.

ELIZABETH ARDEN

Don Juan

Ein Don Juan ist ein Mann, der den Frauen beim Fallen behilflich ist.

JEANNE MOREAU

Doppelgänger

Gary Cooper und Greta Garbo könnten ein und dieselbe Person sein, oder haben Sie die beiden irgendwann mal zusammen gesehen?

ERNST LUBITSCH

Drama

Das Drama einer Ehe, das ist nicht die ganz große Erschütterung – das sind die vielen kleinen Irritationen, die sich summieren.

LIV ULLMANN

Dreißig

Mit dreißig ist man gerade alt genug, um zu wissen, was man tut. Und noch jung genug, um es trotzdem zu tun.

BRIGITTE BARDOT

Drohung

»Wir werden ihm nur ein bißchen mit dem Finger drohen«, sagte er und legte diesen an den Abzug.

STANISŁAW JERZY LEC

Dumme Gedanken

Dumme Gedanken hat jeder, nur der Weise verschweigt sie.

WILHELM BUSCH

Dummheit

Für eine Frau wird das Leben verdrießlich, wenn man ihr keine Dummheit mehr zutraut.

COLETTE

Jeder Mensch hat ein Brett vor dem Kopf – es kommt nur auf die Entfernung an.

MARIE VON EBNER-ESCHENBACH

Wer nichts weiß, muß alles glauben.

MARIE VON EBNER-ESCHENBACH

Alberne Leute sagen Dummheiten, gescheite Leute machen sie.

MARIE VON EBNER-ESCHENBACH

Der Unterschied zwischen Geist und Dummheit ist, daß Geist Grenzen hat.

ANONYM

Die Bereitschaft, auf alle Fragen zu antworten, ist ein untrügerisches Zeichen von Dummheit.

ANONYM

Am gefährlichsten ist die Dummheit, die nicht der Ausdruck von Unbildung, sondern von Ausbildung ist.

HELMUT ARNTZEN

Dummheit

Grausamkeit empört, Dummheit entmutigt.

ALBERT CAMUS

Die Schönheit brauchen wir Frauen, damit die Männer uns lieben, die Dummheit, damit wir die Männer lieben.

COCO CHANEL

Der Gescheitere gibt nach! Ein unsterbliches Wort. Es begründet die Weltherrschaft der Dummheit.

MARIE VON EBNER-ESCHENBACH

Um ein tadelloses Mitglied einer Schafherde sein zu können, muß man vor allem ein Schaf sein.

ALBERT EINSTEIN

Gegen eine Dummheit, die gerade in Mode ist, kommt keine Klugheit auf.

THEODOR FONTANE

Mit der Dummheit läßt man sich nicht ein, ohne zu mogeln.

ANDRÉ GLUCKSMANN

Die gefährlichste Sorte von Dummheit ist ein scharfer Verstand.

HUGO VON HOFMANNSTHAL

Dummheit ist das populärste Hohlmaß der Welt.

PETER HORTON

Dummheit

Die Öffentlichkeit ist bald entwaffnet. Die Erde ist weitgehend von Papageien bevölkert, und es ist höchst einfach, die Blödheit durch einen schönen Namen zu kaschieren.

ALFRED EDWARD HOUSMAN

Die Dummheit beginnt, womit die Weisheit schließt, mit Frieden; dazwischen liegt der Krieg.

JEAN PAUL

Die Dummheiten wechseln, aber die Dummheit bleibt.

ERICH KÄSTNER

Ein Professor fragte einen Studenten, was er über St. Petersburg wisse. Als Antwort erhielt er, es sei vom Heiligen Petrus im Winter gegründet worden. Ist es da noch verwunderlich, daß der Bolschewismus siegt?

HAROLD LASKI

Selten blöde Menschen sind nicht rar.

GABRIEL LAUB

Wortlawinen rollen gewöhnlich von den Bergen der Dummheit.

STANISŁAW JERZY LEC

Dummheit befreit nicht vom Denken.

STANISŁAW JERZY LEC

Dummheit

Die Dummheit überschreitet keine Grenzen. Überall, wo sie hintrifft, ist ihr Territorium.

STANISŁAW JERZY LEC

Seltsam, wie schwer es ist – sogar in leeren Köpfen –, ein Echo hervorzurufen.

STANISŁAW JERZY LEC

Die Flachen haben mehr Platz in der Welt.

STANISŁAW JERZY LEC

Wenn ein Buch und ein Kopf zusammenstoßen und es klingt hohl, ist das allemal im Buch?

GEORG CHRISTOPH LICHTENBERG

Ein Mann mag, ohne es zu wissen, ein Dummkopf sein, allerdings nur, wenn er nicht verheiratet ist.

HENRY LOUIS MENCKEN

Lieber gelegentlich eine Dummheit machen als nie etwas Gescheites.

MARKUS W. RONNER

Ernsthaftigkeit ist Dämlichkeit, die auf dem College war.

P. J. O'ROURKE

Nichts Liebenswerteres in der Welt, als Dummheit, die schweigen kann.

KARL HEINRICH WAGGERL

Dummheit

Dummheit und Stolz wachsen auf einem Holz.

SPRICHWORT

Dummkopf

Ein Dummkopf findet immer einen Dümmeren, der ihn bewundert.

ANONYM

Dummkopf: ein Idiot, der keine Karriere gemacht hat.

GABRIEL LAUB

Es gibt keine beschwerlicheren Dummköpfe als die witzigen.

LA ROCHEFOUCAULD

Durchschnitt

Frauen wollen durchschnittliche Männer haben, und die Männer tun alles, um so durchschnittlich wie möglich zu sein.

MARGARET MEAD

Ein Durchschnittsmann ist mehr an einer Frau interessiert, die an ihm interessiert ist, als an einer Frau – irgendeiner Frau – mit schönen Beinen.

MARLENE DIETRICH

E

Ego Es gibt kein menschliches Problem, das sich nicht lösen ließe – wenn sich jeder bloß danach richten würde, was ich sage.

GORE VIDAL

Egoist Person minderen Geschmacks; mehr an sich interessiert als an mir.

AMBROSE BIERCE

Das Gute an Egoisten ist, daß sie nicht über andere Leute reden.

LUCILLE S. HARPER

Ehe Die Ehe ist eine Einrichtung zur Erzeugung gemeinsamer Gewohnheiten.

TILLA DURIEUX

Die Ehe – die vom Staat sanktionierte Tyrannei.

ALMA MAHLER-WERFEL

Die Ehe ist eine sehr gute Institution, aber ich bin nicht reif für eine Institution.

MAE WEST

Ehe

Die Ehe funktioniert am besten, wenn beide Partner ein bißchen unverheiratet bleiben.

CLAUDIA CARDINALE

Viele, von denen man glaubt, sie seien gestorben, sind bloß verheiratet.

FRANÇOISE SAGAN

Die Ehe lehrt uns zwischen Ehemännern und verheirateten Junggesellen zu unterscheiden.

MAUREEN KELLY

Ein englischer Richter, und kein zynischer Verfasser von Kriminalgeschichten, bemerkte in einem berühmten und ungelösten Fall von Gattenmord, daß man nach einem Motiv gar nicht zu suchen brauche, die Ehe selbst sei bereits ein Motiv.

MARY HOTTINGER

Ich habe nie geglaubt, daß eine Ehe eine dauerhafte Institution ist. Ich dachte, fünf Jahre lang verheiratet zu sein, bedeutet ewig.

LAUREN BACALL

Ich bin Nonne geworden, obwohl mir klar war, daß es bei meinem Charakter viele Probleme geben würde. Aber bei meiner total negativen Einstellung zur Ehe war das noch immer die beste Entscheidung.

JUANA INES DE LA CRUZ

Ehe

Es soll bloß keiner sagen, Ehen würden im Himmel geschlossen. Die Götter würden so eine große Ungerechtigkeit nicht begehen.

MARGARETE VON VALOIS

Eine Ehe ist die Summe zweier Einsamkeiten, gebrochen durch Langeweile.

TILLA DURIEUX

Die Ehe ist ein Zustand, in dem es zwei Leute weder mit noch ohne einander längere Zeit aushalten können.

MARIE VON EBNER-ESCHENBACH

Die Ehe ist das beste aller Übel.

DALIAH LAVI

Um mit einem Mann glücklich zu sein, muß man sehr viel Verständnis für ihn aufbringen und ihn außerdem ein wenig gern haben.

HELEN ROWLAND

Das Wichtigste für eine gute Ehe ist, daß man harmonisch zu streiten lernt.

ANITA EKBERG

Ein Fifty-fifty in der Ehe gibt es nicht. Einer hat immer die Oberhand.

LILLI PALMER

Ehe

Immer wenn Ehen besonders glücklich sind, liegt es meist ein bißchen mehr an der Frau als an dem Mann.

URSULA VON KARDORFF

Die Ehe ist eine ausgezeichnete Sache für Leute, die schon verheiratet sind.

ANITA EKBERG

Ein Mann braucht fünfundzwanzig Jahre, um sich an die Ehe zu gewöhnen. Es ist ein Wunder, daß die Frauen so viel Geduld aufbringen, um darauf zu warten.

JANE THORNTON

Für eine gute Ehe gibt es einen sehr einfachen Maßstab: Man ist dann glücklich verheiratet, wenn man lieber heimkommt als fortfährt.

LUISE ULLRICH

Die Ehe könnte die schönste Sache der Welt sein, wenn es mehr Kür und weniger Pflicht gäbe.

JEANNE MOREAU

Wer stärker liebt, ist in der Ehe immer der Schwächere.

ELEONORA DUSE

Ehe

Manche Ehe gilt nur deshalb als gut, weil beide Partner ungewöhnlich begabte Schauspieler sind.

VANESSA REDGRAVE

Die Ehe ist ein Souvenir der Liebe.

HELEN ROWLAND

Zur Ehe gehört schon ein bißchen mehr als Liebe.

FAYE DUNAWAY

Man wünscht seiner Tochter die Ehe und seinen Nachkommen mehr Glück.

FAY WELDON

In früheren Zeiten wurden am Altar Opfer gebracht – ein Brauch, der noch immer geübt wird.

HELEN ROWLAND

Vielleicht ist das Band, das eine Ehe zusammenhält, für Außenstehende bisweilen so unverständlich, weil man es nicht sieht.

JEANNE MOREAU

Es sind nicht die schlechtesten Ehen, wenn ein Blitz mit einem Blitzableiter verheiratet ist.

TILLA DURIEUX

Ehe

Jemand fragte mich, warum Frauen nicht ebensolche Spieler sind wie Männer, und ich gab die vernünftige Antwort, daß wir nicht so viel Geld besitzen. Das war eine wahre, aber unvollständige Antwort. Tatsächlich wird der Spieltrieb der Frauen ganz und gar durch die Ehe befriedigt.

GLORIA STEINEM

Die Ehe verlangt von zwei Menschen die größtmögliche Beherrschung der Kunst der Unaufrichtigkeit.

VICKI BAUM

Jedes brave eheliche Verhältnis endet mit Freundschaft.

MARIE VON EBNER-ESCHENBACH

Das Band, das eine Ehe zusammenhält, ist zwar unsichtbar, aber man hört, wenn es reißt.

LUISE RINSER

Es sind meistens Kleinigkeiten, die Ehen in die Brüche gehen lassen. Zum Beispiel, wenn der Mann anfängt, seiner Frau am Morgen das Kleid falsch zuzuknöpfen.

MARGUERITE DURAS

Ich wäre lieber eine Bettlerin und allein, als eine Königin und verheiratet. Der Ehering wäre für mich ein Joch.

ELIZABETH I. VON ENGLAND

Ehe

Ich kann diese Mr.- und Mrs.-Noah-Einstellung zur Ehe nicht ausstehen. Die Tiere gingen in größter Not zu zweit auf die Arche, für alle Zeiten mit Klebstoff aneinandergefesselt.

VITA SACKVILLE-WEST

Meine Ehe konnte nicht gutgehen. Ich war ein menschliches Wesen und er ein Klingone.

CAROL LIEFER

Sex verliert nach einiger Zeit an Reiz, und Schönheit verblüht. Aber mit einem Mann verheiratet zu sein, der einen jeden Tag zum Lachen bringt, das ist eine echte Freude.

JOANNE WOODWARD

Wer heiratet, kann die Sorgen teilen, die er vorher nicht hatte.

ANONYM

Nur Witwer haben Engel zu Frauen.

ANONYM

Was ich mit meiner Frau gemeinsam habe? Wir haben beide am selben Tag geheiratet.

ANONYM

Die Liebe ist das Licht des Lebens: In der Ehe kommt die Stromrechnung.

ANONYM

Ehe

Wenn man nicht hat, was man liebt, muß man noch lange nicht lieben, was man hat.

ANONYM

Die Ehe ermöglicht dir kein längeres Leben. Du empfindest es nur als länger.

ANONYM

An Mitgift ist noch niemand gestorben.

ANONYM

Die Ehe ist eine wunderbare Institution. Aber wer möchte in einer Institution leben?

ANONYM

Die Ehe ist ein Glücksspiel: Kopf – sie gewinnt. Zahl – du verlierst.

ANONYM

Ehelich währt am längsten, aber vorehelich macht's viel mehr Spaß.

ANONYM

Die Ehe ist der einzige Krieg, bei dem man mit dem Feind ins Bett geht.

ANONYM

Meinen härtesten Fight hatte ich mit meiner ersten Frau.

MUHAMMAD ALI

Ehe

Ich bin sehr altmodisch. Ich glaube, daß Menschen für ein ganzes Leben heiraten sollten, so wie Tauben und Katholiken.

WOODY ALLEN

Die meisten Männer würden ihre bessere Hälfte gerne gegen zwei jüngere Viertel eintauschen.

ALAN AYCKBOURN

Die Ehe ist doch eine Institution zur Lähmung des Geschlechtstriebes, also eine christliche Einrichtung.

GOTTFRIED BENN

Ehe: Zustand oder Befindlichkeit einer Gemeinschaft, die aus einem Herren, einer Herrin und zwei Sklaven besteht, insgesamt also aus zwei Personen.

AMBROSE BIERCE

»Wir leben miteinander, aber wir mißtrauen uns.« – »Das stimmt… ist das nicht die Definition der Ehe?«

MALCOLM BRADBURY

Es gibt Ehen, in denen es im selben Maße höflicher zugeht, wie die Gatten sich voneinander entfernen.

ERICH BROCK

Ehe

Meine Schwiegermutter hat meine Ehe zerstört. Eines Tages kam meine Frau früher von der Arbeit nach Hause und fand uns zusammen im Bett.

LENNY BRUCE

Nach Abschaffung der Gladiatorenkämpfe richteten die Christen das Eheleben ein.

GUIDO CERONETTI

Einer der besten Gründe, sich niemals zu verheiraten: Man ist nicht ganz der Narr der Frau, solange sie nicht die unsere ist.

NICOLAS CHAMFORT

Die glücklichste Ehe, die ich mir persönlich vorstellen kann, wäre die Verbindung zwischen einem tauben Mann und einer blinden Frau.

SAMUEL TAYLOR COLERIDGE

Das Werben vor der Ehe ist wie ein geistreicher Dialog zu einem langweiligen Stück.

WILLIAM CONGREVE

Es strapaziert die Nerven, jeden Tag zu demselben menschlichen Wesen liebenswert zu sein.

BENJAMIN DISRAELI

Die Verheirateten müssen ewig zusammenleben, um für die Dummheit bestraft zu werden, einander geheiratet zu haben.

GUSTAVE FLAUBERT

Ehe

Wo es eine Ehe ohne Liebe gibt, gibt es bald Liebe ohne Ehe.

BENJAMIN FRANKLIN

Er lebte, nahm ein Weib und starb.

CHRISTIAN FÜRCHTEGOTT GELLERT

Das Geheimnis einer glücklichen Ehe liegt darin, daß man einander verzeiht, sich gegenseitig geheiratet zu haben.

SASCHA GUITRY

Gewisse Ehen halten nur in der Weise zusammen wie ineinander verbissene Tiere.

GERHART HAUPTMANN

Der Tod selbst ist für den, der nachdenkt, nichts so Ernstes wie die Ehe.

HUGO VON HOFMANNSTHAL

Den Ehelosen quält die Fleischeslust. Den Verehelichten sein Weib.

PAPST INNOZENZ III.

Weder die liebenden, noch genialischen, noch philosophischen Männer behaupten die Herrschaft der Ehe, sondern die recht langweiligen, stummen, ärgerlichen und prosaischen.

JEAN PAUL

Ehe

Heiraten in der Jugend heißt, sich im Sommer einen Ofen mieten; erst im Winter weiß man, ob er heizt oder raucht.

JEAN PAUL

Heute ist eine Ehe schon glücklich, wenn man dreimal die Scheidung verschiebt.

DANNY KAYE

Wenn du etwas über Liebe und Ehe lesen willst, mußt du zwei verschiedene Bücher kaufen.

ALAN KING

Die brutzelnde Bratpfanne und die volle Salatschüssel: Symbole glücklicher Ehen.

ALFRED KINSEY

Die meisten glücklichen Ehen werden seufzend geschlossen, die meisten unglücklichen im Rausche des Entzückens.

AUGUST VON KOTZEBUE

Da das Halten wilder Tiere gesetzlich verboten ist, und die Haustiere mir kein Vergnügen machen, so bleibe ich lieber unverheiratet.

KARL KRAUS

Die einen verführen und lassen sitzen; die anderen heiraten und lassen liegen. Diese sind die Gewissenloseren.

KARL KRAUS

Ehe

Die Ehe ist eine Mesalliance.

KARL KRAUS

Es gibt keine unglücklichen Ehen – sonst müßte es auch glückliche geben.

GABRIEL LAUB

Die Ehe ist eine Institution. Reichen die Mitarbeiter auch aus?

STANISŁAW JERZY LEC

Angeblich soll es Ehefrauen geben, die das männliche Geschlecht nur aus der Schulgrammatik kennen.

STANISŁAW JERZY LEC

Eine der Hauptkonvenienzen der Ehe ist die, einen Besuch, den man nicht ausstehen kann, zu seiner Frau zu weisen.

GEORG CHRISTOPH LICHTENBERG

Wenn eine Betschwester einen Bet-Bruder heiratet, so gibt das nicht allemal ein betendes Ehepaar.

GEORG CHRISTOPH LICHTENBERG

Die Scheidung ist die Korrektur eines tragischen Irrtums.

LORIOT

Ehe

Das Einfangen eines Bräutigams ist in Italien immer noch ein Kommando-Unternehmen, an dem sich die ganze Familie beteiligt.

MARCELLO MASTROIANNI

Ein Mann kann während einer Ehe zwei oder vielleicht drei Liebesaffären haben. Danach beginnt der Betrug.

YVES MONTAND

Monogamie bezeichnet die westliche Sitte, nur eine Frau und fast keine Geliebte zu haben.

SAKI (HECTOR HUGH MONRO)

Man sollte niemals allzu genau wissen, wen man geheiratet hat.

FRIEDRICH NIETZSCHE

Wenn die Ehegatten nicht beisammen lebten, würden die guten Ehen häufiger sein.

FRIEDRICH NIETZSCHE

Einige Männer haben über die Entführung ihrer Frauen geseufzt, die meisten darüber, daß niemand sie ihnen entführen wollte.

FRIEDRICH NIETZSCHE

Das große Geheimnis einer glücklichen Ehe ist, alle Fehler vor der Hochzeit zu zeigen und die liebenswerten Eigenschaften erst nach der Heirat zu entfalten.

LISELOTTE PULVER

Ehe

Das Leben wird durch die Ehe vereinfacht; für den einzelnen Tag gilt das Gegenteil.

JEAN ROSTAND

Man braucht zwei Leute, um eine erfolgreiche Ehe zu führen, aber nur einen, um sie scheitern zu lassen.

HERBERT SAMUEL

Was man eine glückliche Ehe nennt, verhält sich zur Liebe wie ein korrektes Gedicht zu improvisiertem Gesang.

FRIEDRICH SCHLEGEL

Gott weiß, warum er seine Priester vor der Ehe schützt.

WERNER SCHNEYDER

Was Glück ist, weiß man erst, wenn man geheiratet hat. Und dann ist es zu spät.

PETER SELLERS

Es gibt nichts Schöneres auf der Welt als die Liebe einer verheirateten Frau. Leider lernen die verheirateten Männer sie niemals kennen.

GEORGE BERNARD SHAW

Im ersten Ehejahr strebt der Mann die Vorherrschaft an. Im zweiten kämpft er um die Gleichberechtigung. Im dritten ringt er um die nackte Existenz.

GEORGE BERNARD SHAW

Ehe

Die Ehe ist die liederlichste aller menschlichen Einrichtungen, das ist das Geheimnis ihrer Beliebtheit.

GEORGE BERNARD SHAW

Es ist Sache der Frauen, so früh wie möglich zu heiraten, und Sache der Männer, so lange wie möglich Junggeselle zu bleiben.

GEORGE BERNARD SHAW

Die Ehe ist wie eine Schere: beide Teile sind so miteinander verbunden, daß man sie nicht trennen kann; sie streben oft in gegensätzliche Richtungen, aber wer sich zwischen sie stellt, wird bestraft.

SYDNEY SMITH

Mit mancher Frau versteht man sich vor der Hochzeit und nach der Scheidung ausgezeichnet – bloß dazwischen klappt es nicht.

SYLVESTER STALLONE

Ehe ist das Beieinander zweier übler Launen bei Tag und zweier übler Gerüche bei Nacht.

CHARLES MAURICE DE TALLEYRAND-PÉRIGORD

Wenn man Angst vor dem Alleinsein hat, sollte man nicht heiraten.

ANTON TSCHECHOW

Ehe

In der Ehe pflegt gewöhnlich immer einer der Dumme zu sein. Nur wenn zwei Dumme heiraten – das kann mitunter gut gehen.

KURT TUCHOLSKY

Die Ehe ist das einzige Abenteuer, das auch den Feigen offensteht.

VOLTAIRE

Die Liebe ist so ideal, daß die Ehe die Realität nachliefern muß.

HELLMUT WALTERS

Ehe ist eine Koalition mit der Opposition.

WOLFRAM WEIDNER

Natürlich ist das Eheleben nur eine Gewohnheit, eine schlechte Gewohnheit.

OSCAR WILDE

Jede Erfahrung ist wertvoll, und was man auch gegen die Ehe sagen mag, eine Erfahrung ist sie bestimmt.

OSCAR WILDE

Heutzutage werden mehr Ehen durch den gesunden Menschenverstand des Ehemannes zerstört als durch sonst etwas. Wie kann man von einer Frau erwarten, daß sie mit einem Mann glücklich ist, der darauf besteht, sie als ein völlig vernünftiges Wesen zu behandeln?

OSCAR WILDE

Ehe

Ich könnte mit ihr verheiratet sein, so verdammt gleichgültig behandelt sie mich.

OSCAR WILDE

Die Ehe ist eine Bestechungsprämie, damit die Haushälterin denkt, sie sei die Hausbesitzerin.

THORNTON WILDER

Das beste am Eheleben sind die Kämpfe. Der Rest ist so la-la.

THORNTON WILDER

Die Ehe ist eine belagerte Festung. Die, die draußen sind, wollen hinein, und die, die drinnen sind, wollen heraus.

AUS CHINA

Wenn eine Frau einen goldenen Stuhl mitbringt, will sie auch drauf sitzen.

AUS DEUTSCHLAND

Eine Ehe ohne Kinder ist wie ein Tag ohne Sonne.

AUS DER SLOWAKEI

Ehefrau

Mit einer guten Ehefrau geht es wie mit einer vermeintlich verlegten Brille: Man hat sie dauernd vor Augen, aber man merkt es nicht.

VICTORIA SAUNDERS

Ehefrau

Die ideale Ehefrau kennt alle Lieblingsspeisen ihres Mannes – und alle Restaurants, in denen man sie bekommt.

LAURA ANTONELLI

Die erste Aufgabe einer jungen Ehefrau besteht darin, die Freunde ihres Mannes in die Flucht zu kochen.

MICHELINE PRESLE

Ehefrauen sind Geliebte der jungen Männer, die Gefährtinnen der mittelalten und die Krankenschwestern der alten.

FRANCIS BACON

Eine liebende Ehefrau wird alles für ihren Mann tun, außer aufzuhören, ihn zu kritisieren und ihn besser machen zu wollen.

JOHN BOYNTON PRIESTLEY

Ehefrau: eine Frau, mit der man schlafen kann.

GABRIEL LAUB

Ehefrau zu sein, war nicht die richtige Aufgabe für sie, aber als Witwe macht sie sich sehr gut…

MEYER WEISGAL

Ehemann

Man muß unterscheiden zwischen Ehemännern und verheirateten Junggesellen.

MAUREEN KELLY

Ehemann

Die Unterschiede zwischen Ehemännern sind so gering, daß man genausogut den ersten behalten kann.

ADELA ROGERS ST. JOHN

Ehemänner sind wie Kaminfeuer. Sobald sie unbeobachtet sind, gehen sie aus.

ZSA ZSA GABOR

Ein verliebter Mann ist solange vollständig, bis er verheiratet ist. Dann ist er – fertig.

ZSA ZSA GABOR

Wenn Liebe bedeutet, niemals um Entschuldigung bitten zu müssen, dann heißt Ehe, immer alles zweimal sagen zu müssen. Dank einer unbekannten Laune des Universums hören Ehemänner dich nie beim ersten Mal.

ESTELLE GETTY

Bevor ich ihn kannte, war mir nicht bewußt, daß der Kauf von Schnürsenkeln der falschen Länge ein Grund dafür sein kann, an Selbstmord zu denken.

SARAH WOODS

Ich glaube an die Großfamilie. Jede Frau sollte mindestens drei Ehemänner haben.

ZSA ZSA GABOR

Ehemann

Wenn zwei Menschen heiraten, werden sie vor dem Gesetz zu einer Person, und diese eine Person ist der Ehemann.

SHANA ALEXANDER

Es ist lächerlich anzunehmen, man könne sein ganzes Leben mit einem einzigen Menschen verbringen. Drei sind ungefähr die richtige Anzahl. Ja, ich stelle mir vor, drei Ehemäner wären angemessen.

CLARE BOOTH LUCE

Ein Ehemann ist das, was von dem Liebhaber übriggeblieben ist, nachdem ihm alle Lebensenergie genommen wurde.

HELEN ROWLAND

Ich finde, jede Frau hat das Recht auf einen Übergangs-Ehemann, den sie später vergessen kann.

ADELA ROGERS ST. JOHN

Vor der Heirat erklärt ein Mann, er würde dir sein Leben zu Füßen legen; nach der Heirat legt er nicht einmal seine Zeitung weg, um mit dir zu reden.

HELEN ROWLAND

Ehemann

Einen Mann zu heiraten ist, wie etwas zu kaufen, das man schon lange im Schaufenster bewundert hat. Man ist überglücklich, wenn man es schließlich zu Hause hat, aber nicht immer paßt es zu allem dazu.

JEAN KERR

Ich wurde gebeten, ein paar Worte über meinen Ehemann zu verlieren. Wie wär's mit »klein« und »billig«?

PHYLLIS DILLER

Mancher Ehemann sollte öfter in den Spiegel schauen, dann würde er erkennen, daß seine Frau ihn trotzdem geheiratet hat.

LINDA SPEAR

Amerikanische Ehemänner sind die besten der Welt: Keine anderen Ehemänner sind ihren Frauen gegenüber so großzügig oder lassen sich so leicht scheiden.

ELINOR GLYN

Ein Ehemann ist Rohstoff, kein Fertigprodukt.

GRETHE WEISER

Der ideale Ehemann ist nichts als ein unbestätigtes Gerücht.

BRIGITTE BARDOT

Ehemann

Ehemänner und ihre Frauen verstehen einander aufgrund der Tatsache nicht, daß sie verschiedenen Geschlechtern angehören.

DOROTHY DIX

Eine Zeitung hat auch etwas Gutes: Man sieht den Kopf des Ehemannes beim Frühstück nicht.

DANIELLE MICHAUX

Ich wechsle meine Ehemänner, aber nicht meine Freunde.

BRIGITTE BARDOT

Als Bräutigam verspricht der Mann der Braut Glück in der Ehe. Als Ehemann fordert er es von ihr.

ELEONORE VAN DER STRATEN-STERNBERG

Alle Männer sind auf der Suche nach der idealen Frau – vor allem nach der Hochzeit.

HELEN ROWLAND

Ehe – Sparflamme der Leidenschaft.

BIRGIT BERG

Einen Mann, den man bis ans Lebensende behalten will, übernimmt man am besten aus zweiter Hand. Gebrannte Kinder sind die besten Ehemänner.

SIMONE BICHERON

Ehemann

Ein Ehemann mit einer Schwäche für Frauen ist immer noch besser als einer mit einer Schwäche bei Frauen.

GABRIEL LAUB

Ehemänner leben länger als Junggesellen, das ist ihre Strafe.

JERRY LOUIS

Jeder Mann braucht fünf Ehefrauen: einen Filmstar, ein Dienstmädchen, eine Köchin, eine Zuhörerin und eine Krankenschwester.

MARK TWAIN

Das Glück des verheirateten Mannes besteht in den vielen Frauen, die er nicht geheiratet hat.

OSCAR WILDE

Die meisten Ehemänner erinnern mich an Orang Utans, die versuchen, Violine zu spielen.

HONORÉ DE BALZAC

Die Männer sind alle verschieden, aber die Ehemänner sind alle gleich.

WILLIAM SOMERSET MAUGHAM

»Die modernen Frauen verstehen (...) alles.« – »Ausgenommen ihre Ehemänner. Sie sind das einzige, was die moderne Frau nie versteht.«

OSCAR WILDE

Ehepaar	Ein verheiratetes Paar ist fein raus, wenn beide zur selben Zeit Lust zum Streiten haben. JEAN ROSTAND
	Ein passendes Ehepaar unter Menschen zusammenzubringen ist schwerer, als das Wunder Mose im Roten Meer. RABBI JOCHANAN
	Die unglücklichsten Ehepaare: wenn er dumm ist und sie es einsetzt. RODA RODA
	Es gibt genügend Ehepaare, die sich vielleicht sogar lieben würden, wenn sie einander bloß ertragen könnten. GEORGE BERNARD SHAW
Ehepartner	Ehepartnersuche: Wahl der Qual. GABRIEL LAUB
Ehre	Je länger er von seiner Ehre sprach, um so rascher zählten wir unsere Löffel. RALPH WALDO EMERSON
Ehrenzeichen	Wer in der Hölle Litzen trug – trägt auch im Himmel Achselstücke. STANISŁAW JERZY LEC
Ehrfurcht	Das Ansehen der Großen beruht auf der Ehrfurcht der Kleinen. JEAN PAUL

Ehrgeiz

Frauen, die so gut sein wollen wie Männer, haben einfach keinen Ehrgeiz.

ANONYM

Überwältigende Sehnsucht danach, im Leben von Feinden verleumdet und im Tod von Freunden verhöhnt zu werden.

AMBROSE BIERCE

Die kleinen Seelen befällt der Ehrgeiz eher als die großen, wie auch das Stroh, die Hütte, leichter Feuer fängt als der Herrensitz.

NICOLAS CHAMFORT

Helft den Ehrgeizigen nicht.

GÜNTER EICH

Ehrgeiz geizt mit der Ehre anderer.

LOTHAR SCHMIDT

Ehrgeiz ist die letzte Zuflucht des Versagers.

OSCAR WILDE

Ehrlich

Im Geschäftsleben schwerbehindert.

AMBROSE BIERCE

Der einzige Ort, wo ich aufrichtig bin, ist das ehebrecherische Bett.

ERICA JONG

Ehrlich

Eins dieser Telegramme von M. de Guermantes, das den Satz enthielt: »Bin verhindert, Lüge folgt.«

MARCEL PROUST

Es ist gefährlich, aufrichtig zu sein, wenn man nicht gleichzeitig auch dumm ist.

GEORGE BERNARD SHAW

Eierköpfe

Eierköpfe sind in der Politik nicht sehr beliebt. Sie rollen so schlecht.

WERNER SCHNEYDER

Eifersucht

Eifersucht ist nur dann ein Vergnügen, wenn man sie erregt.

GLORIA WYNNE

Eifersucht ist die Angst, das zu verlieren, was man am meisten liebt. Das ist ganz normal. Die Verdächtigungen sind es, die abnormal sind.

JERRY HALL

Eifersucht ist nicht der Gradmesser für die Größe der Liebe. An ihr läßt sich lediglich die Unsicherheit des Liebenden ablesen.

MARGARET MEAD

Eine Frau ist erledigt, wenn sie Angst vor ihrer Rivalin hat.

MADAME DUBARRY

Eifersucht

Ich finde, die einzige Eifersucht, die sich lohnt, ist sexuelle Eifersucht. Komme ich ihm dahinter, gehe ich. Ich bin doch keine Masochistin.

JEAN MARSH

Wo keine Eifersucht, da ist auch keine Liebe.

AURELIUS AUGUSTINUS

Unziemlich besorgt über die Bewahrung von etwas, das man nur verlieren kann, wenn es das Behalten nicht lohnt.

AMBROSE BIERCE

Die weibliche Eifersucht wird immer einige Tage älter als die weibliche Liebe.

JEAN PAUL

Er war so eifersüchtig, daß er die Qualen des Mannes empfand, den er betrog, und der Frau an die Gurgel fuhr.

KARL KRAUS

Schon daß man eifersüchtig ist, ist Grund genug, es zu sein.

ANTON KUH

Eifersucht ist die radikalste, ursprünglichste und unverhohlenste Form der Bewunderung – sozusagen Bewunderung in Kriegsbemalung.

ROBERT LOUIS STEVENSON

Eifersucht

Von der Eifersucht. Ich sagte zu Germaine: »Heute Nacht habe ich von dir geträumt – aber wie!« Sie zog die Stirn kraus. »Alors tu m'as trompé avec moi!« sagte sie.

KURT TUCHOLSKY

Eigenheim

Mit einem Eigenheim hat schon manch einer seine Zukunft verbaut.

WERNER MITSCH

Eigenliebe

Die Eigenliebe übertrifft alle Schmeichler.

LA ROCHEFOUCAULD

Eigenliebe ist der Beginn einer lebenslangen Romanze.

OSCAR WILDE

Eigennutz

Sich selbst der Nächste sein heißt sparsam wirtschaften.

AMBROSE BIERCE

Der Eigennutz spricht jede Sprache und spielt jede Rolle, selbst die der Uneigennützigkeit.

LA ROCHEFOUCAULD

Eigentum

Eigentum verpflichtet, vor allem den, der keins hat.

BERND DREISSEN

Eile

Rennen ist unnatürlich, außer angesichts von Feinden oder auf dem Weg zur Toilette.

ANONYM

Einbildung

Einbildung heißt die Bildung der dummen Leute.

CHARLOTTE SEEMANN

Einbildungskraft ist das, was manchen Politiker glauben macht, er sei ein Staatsmann.

ROBERTA TENNES

Mir liegt überhaupt nichts daran zu erfahren, was die Leute hinter meinem Rücken sagen. Das macht mich viel zu eingebildet.

OSCAR WILDE

Einfall

Daß die Frauen das letzte Wort haben, beruht hauptsächlich darauf, daß den Männern nichts mehr einfällt.

HANNE WIEDER

Einfälle sind die Läuse der Vernunft.

FRIEDRICH HEBBEL

Einfallsreichtum

Jede Frau ist imstande, aus einem Nichts einen Hut, einen Salat oder eine Szene zu machen.

DANNY KAYE

Einladung

Man ärgert sich, wenn man nicht zu einer Party eingeladen wird, die man ohnehin nicht besucht hätte. Das Fernbleiben ist dann nur halb so schön.

LISELOTTE PULVER

Einladung

Jemanden einladen, heißt die Sorge für sein Glück auf sich nehmen.

ANTHELME BRILLAT-SAVARIN

Nichts nehmen die Leute so übel, als wenn sie keine Einladung bekommen.

OSCAR WILDE

Einsamkeit

Wer einsam ist, der hat es gut, weil keiner da, der ihm was tut.

WILHELM BUSCH

Die Einsamkeit wäre ein idealer Zustand, wenn man sich die Menschen aussuchen könnte, die man meidet.

KARL KRAUS

Einsamkeit: die Belästigung durch sich selbst.

WERNER SCHNEYDER

Je einsamer der Mensch, um so besetzter sein Telefon.

GERHARD UHLENBRUCK

Einsicht

Es gibt so recht Fromme, die, weil ihre Linke von der Rechten weiß, lieber nichts Gutes tun – um Gott nicht zu erzürnen.

EMIL GÖTT

Einziehen

Im Gespräch mit dem Chef lernen die Männer, den Kopf einzuziehen. Im Gespräch mit jungen Damen lernen sie, den Bauch einzuziehen.

ELSIE ATTENHOFER

Eis

Das Eis macht Flüsse im Winter begehbar und Whiskey im Sommer trinkbar.

WERNER MITSCH

Eisenbahn

Ursache eines Eisenbahnzusammenstoßes: Die Züge hatten ihre fahrplanmäßige Verspätung nicht eingehalten.

ANTON KUH

Eitelkeit

Selbst der bescheidenste Mensch hält mehr von sich, als sein bester Freund von ihm hält.

MARIE VON EBNER-ESCHENBACH

Eitelkeit ist der Wunsch, bei dem, was man tut, gesehen zu werden.

HEIDE SIMONIS

Die unheimlichste aller Erfindungen ist der Spiegel. Woher nehmen die Menschen bloß den Mut, da hineinzuschauen?

BRENDAN BEHAN

Eitelkeit: Tribut eines Narren an die Wertvorstellungen des nächsten Esels.

AMBROSE BIERCE

Eitelkeit

Es ist anatomisch schwierig und immer ein wenig lächerlich, sich gratulierend auf die eigene Schulter zu schlagen.

EDWARD HEATH

Ich kann mich so bald nicht von dem Eindruck befreien, den ich auf eine Frau gemacht habe.

KARL KRAUS

Eitelkeit ist die Haut der Seele.

FRIEDRICH NIETZSCHE

Wieviel Gutes man uns auch über uns sagen mag, man sagt uns nichts Neues.

LA ROCHEFOUCAULD

Eitel sei der Mensch, hilfreich und gut.

JÜRGEN SCHELLER

Der größte Schmerz verschmähter Liebe beruht zum Teil auch auf verletzter Eitelkeit.

ARTHUR SCHOPENHAUER

Er war sehr eitel darauf, nicht eitel zu sein.

KURT TUCHOLSKY

Eitelkeit ist nur tragisch, wenn man nichts hat, worauf man eitel sein kann.

PETER USTINOV

Eitelkeit

Eitelkeit gepaart mit Selbstironie ist akzeptabel.

GIANNI VERSACE

Ein Narziß ist jemand, der besser aussieht als man selbst.

GORE VIDAL

Wenn die Weiber nicht eitel wären – die Männer könnten sie's lehren.

AUS DEUTSCHLAND

Eleganz

Eleganz ist Verweigerung.

COCO CHANEL

Eltern

Wenn du von deinem Kind niemals gehaßt worden bist, bist du niemals wirklich Vater oder Mutter gewesen.

BETTE DAVIS

Für Eltern geht es nicht darum, was sie tun sollen, sondern was sie aushalten können.

KATHARINE WHITEHORN

Eltern sein ist die Kunst des Möglichen.

KATHARINE WHITEHORN

Ob Eltern oder keine, entscheiden wir alleine.

ANONYM

Die beste Rache ist, so lange zu leben, daß man für die Kinder zum Problem wird.

ANONYM

Eltern

Als ich entführt wurde, ergriffen meine Eltern sofort Maßnahmen: Sie vermieteten mein Zimmer.

WOODY ALLEN

Ein Nachteil der Elternschaft ist, daß die Kinder eines Tags alt genug sind, dir Geschenke zu überbringen, die sie in der Schule gebastelt haben.

ROBERT BYRNE

Die erste Hälfte unseres Lebens ruinieren unsere Eltern, die zweite unsere Kinder.

CLARENCE DARROW

Es gibt leider nicht sehr viele Eltern, deren Umgang für ihre Kinder wirklich ein Segen ist.

MARIE VON EBNER-ESCHENBACH

Ihr Eltern, lehrt lieben! So hat euer Kind ein reiches, gewinnendes Leben vor sich.

JEAN PAUL

Wer geboren wird, ist auf seine Eltern hereingefallen.

MARTIN KESSEL

Es gibt kein problematisches Kind. Es gibt nur problematische Eltern.

ALEXANDER SUTHERLAND NEILL

Eltern

Die meisten Menschen brauchen einen Gott. Wie sollte das anders sein, wenn das Heim von Halbgöttern beiderlei Geschlechts regiert wird, die absolute Wahrheit und moralisches Verhalten fordern?

ALEXANDER SUTHERLAND NEILL

Ängstliche Eltern sind Väter und Mütter, die nicht geben können – keine Liebe, keine Achtung, kein Vertrauen.

ALEXANDER SUTHERLAND NEILL

Eltern sind für ihre Kinder manchmal ein bißchen enttäuschend. Sie halten nicht, was sie in jungen Jahren versprochen haben.

ANTHONY POWELL

Es ist notwendig, Kinder vor ihren Eltern zu schützen.

GEORGE BERNARD SHAW

Eltern sind die Klingen, an denen die Kinder ihre Zähne schärfen.

PETER USTINOV

Eltern müssen (im eigenen Interesse) Barrikaden errichten – zwischen Kinder- und Wohnzimmer, zwischen dem Himmelbettchen und dem Ehebett, zwischen dem Süßigkeitenladen und der Bar.

KATHARINE WHITEHORN

Eltern

Man soll dem Gott Kind keine Menschenopfer darbringen; eines Tages wird er erwachsen sein und seine eigenen Wege gehen. Und wo bleibt dann das Opfer?

KATHARINE WHITEHORN

Amerikanische Mädchen sind so gescheit, ihre Eltern zu verheimlichen, so wie die englischen Frauen ihre Vergangenheit verheimlichen.

OSCAR WILDE

Ein Baum wird von seinen eigenen Früchten in Schwierigkeiten gebracht.

AUS AFRIKA

Mutter ein Unkraut, Vater ein Unkraut – erwartest du, daß die Tochter eine Safranwurzel wird?

AUS ARABIEN

Bleibe ein Kind, so daß deine Kinder dich immer lieben können.

AUS ESTLAND

Vögel sind mager, solange ihre Jungen noch klein sind.

AUS ESTLAND

Elternliebe übertrifft Kindsliebe um das Hundertfache.

AUS JAPAN

Eltern

Sorge für dich selbst, bis deine Kinder herangewachsen sind.

AUS SCHOTTLAND

E-Mail

E-Mail ist der elektronische Austausch sinnfreier Nachrichten zum Zwecke des Nachweises, daß dieser Austausch tatsächlich möglich ist.

SÜDDEUTSCHE ZEITUNG

Emanzen

Militante Emanzen gehen wie Militärs vor: Sie stellen schwer bewaffnete Wachen vor Objekten auf, die niemand stürmen will.

GABRIEL LAUB

Emanzipation

Ich bin gegen Emanzipation. Durch Emanzipation verliert die Frau ihre Weiblichkeit, und was kann ihr Schlimmeres passieren?

ANNA MOFFO

Ich würde lieber auf einem Sofa liegen, als darunter aufzuwischen.

SHIRLEY CONRAN

Die beste Form der Emanzipation sehe ich darin, sich um das Geschlecht gar nicht zu kümmern und nur darauf zu achten, ob jemand gut oder böse, gescheit oder dumm ist, unabhängig von den Chromosomen.

LILLI PALMER

Emanzipation

Die wahre Emanzipation fängt weder bei den Wahlen noch bei den Gesetzen an. Sie beginnt in der Seele der Frau.

EMMA GOLDMANN

Eine wirklich emanzipierte Frau braucht ihre Emanzipation nicht zu plakatieren. Sie ist für sie so selbstverständlich wie Pulsschlag und Atemluft.

GIULETTA MASINA

Ich bin die emanzipierteste Frau der Welt. Jede Frau kann emanzipiert sein, wenn sie will. Sie muß nur zuerst ihren Mann davon überzeugen.

MARTHA MITCHELL

Manche von uns emanzipierten Frauen nehmen die Gewohnheiten der Männer an, die sie gern geheiratet hätten.

GLORIA STEINEM

Die Emanzipation sollte damit beginnen, daß die Männer endlich den Mund halten und uns nicht immer ins Wort fallen, wenn wir sagen, was wir denken.

MICHÈLE PERRIN

Am wenigsten emanzipiert ist die deutsche Frau im Bett.

URSULA HERKING

Emanzipation

Übergang eines Leibeigenen aus fremder Tyrannei in eigene Despotie.

AMBROSE BIERCE

Eine emanzipierte Frau ist eine, die Sex vor der Ehe und danach einen Beruf hat.

GLORIA STEINEM

Die Emanzipation ist erst dann vollendet, wenn auch einmal eine total unfähige Frau in eine verantwortliche Position aufgerückt ist.

AGATA CAPIELLO

Emanzipation ist, wenn ich alles bezahle und wir nicht verheiratet zusammenleben.

EVA HELLER

Frauen haben heute sicher mehr Rechte. Aber mehr Macht hatten sie früher.

CHARLES AZNAVOUR

Mit gewissen Dingen müssen sich die Frauen einfach abfinden.

BERTOLT BRECHT

Eine emanzipierte Frau fordert auch noch den Kopf des Mannes.

GERHARD UHLENBRUCK

Emotion

Wenn keine emotionale Beziehung da ist, spiele ich lieber Tennis.

BIANCA JAGGER

Empfängnisverhütung

Die effektivste Methode der Empfängnisverhütung, die ich kenne, ist, den Tag mit meinen Kindern zu verbringen.

JILL BENSLEY

Empfehlungsschreiben

Nichts ist schwieriger als ein Empfehlungsschreiben für jemanden zu verfassen, den man gut kennt.

KIM HUBBARD

Engagement

Die Engagierten sind oft in nichts als in einen Mangel an Wissen engagiert.

LUDWIG MARCUSE

Bestimmte Leute empfinden ein Hochgefühl dabei, wenn sie ihr Eintreten für ein Prinzip verkünden, für das sie noch nicht mal eins in die Schnauze bekommen haben.

P. J. O'ROURKE

England

In England gibt es sechzig verschiedene Religionen, aber nur eine Sauce.

FRANCESCO CARACCIOLO

Engländer

Entgegen einer weitverbreiteten Auffassung tragen Engländerinnen keine Nachthemden aus Tweed.

HERMINE GINGOLD

Das größte Geheimnis der Engländer ist, warum sie nicht auswandern.

EPHRAIM KISHON

Engländer

Der Sessel, auf dem ein Engländer sitzt, ist Großbritannien. Ringsumher die See – man sieht die Menschen am anderen Ufer nicht.

ANTON KUH

Die alten Engländer glauben, wenn eine Sache unangenehm ist, daß sie automatisch gut für den anderen ist.

OSBERT LANCASTER

Wenn ein Engländer von einem Lastwagen überrollt wird, entschuldigt er sich bei ihm.

JACKIE MASON

Kontinentale Menschen haben ein Geschlechtsleben, Engländer haben Wärmflaschen.

GEORGE MIKES

Auch wenn ein Engländer allein ist, stellt er sich sofort in einer ordentlichen Reihe an.

GEORGE MIKES

Die Engländer sind beschäftigt; sie haben keine Zeit, höflich zu sein.

MONTESQUIEU

Wir Engländer müssen zugeben, daß wir Sex im Kopf haben, das ist aber ein sehr unbefriedigender Ort für Sex.

MALCOLM MUGGERIDGE

Engländer Engländer werden nie zu Sklaven werden: Sie sind frei zu tun, was immer ihnen Regierung und öffentliche Meinung gestattet.

GEORGE BERNARD SHAW

Welcher Engländer wird sich mit Politik abgeben, solange er in der Lage ist, sich ein Auto zu leisten.

GEORGE BERNARD SHAW

Ich meinerseits glaube, daß die eine Hälfte des Volkes verrückt ist – und die andere auch nicht sonderlich gesund.

TOBIAS SMOLLETT

Engstirnigkeit Die Engstirnigkeit wird immer breiter.

STANISŁAW JERZY LEC

Enkelkind Schaff dir niemals Kinder an, höchstens Enkelkinder.

GORE VIDAL

Das am meisten geliebte Kind ist das Enkelkind.

AUS ARABIEN

Kein Leben ist vollkommen, bis das Enkelkind erscheint.

AUS WALES

Entblößung Ich habe keine Einwände gegen frauliche Entblößung, wenn es um die Ellenbogen geht.

ALICE SCHWARZER

Entdeckungen

Unter allen menschlichen Entdeckungen sollte die Entdeckung der Fehler die wichtigste sein.

STANISŁAW JERZY LEC

Enthaltsamkeit

Enthaltsamkeit ist das Vergnügen an Sachen, welche wir nicht kriegen.

WILHELM BUSCH

Enthaltsamkeit rächt sich immer. Bei dem einen erzeugt sie Pusteln, beim andern Sexualgesetze.

KARL KRAUS

Entscheidung

Die letzte Entscheidung einer Frau ist oft entgegengesetzt derjenigen, der sie impulsiv folgt.

VICKI BAUM

Es ist nicht so sehr die Frage, ob man sich für einen Mann entscheiden soll oder nicht – es ist die Frage, was man nun mit all den anderen tun soll.

PATRICIA HENLEY

Entschluß

Entschluß – die Falle der Entscheidungen.

ELAZAR BENYOËTZ

Entschuldigung

Wer gut ist im Ausdenken von Entschuldigungen, ist selten für sonst etwas gut.

BENJAMIN FRANKLIN

Entschuldigung

Mehrere Entschuldigungen sind stets weniger überzeugend als eine.

ALDOUS HUXLEY

Es ist ein gutes Lebensprinzip, sich nie zu entschuldigen. Die richtigen Leute erwarten keine Entschuldigungen, und die falschen ziehen unangenehme Vorteile daraus.

PELHAM GRENVILLE WADEHOUSE

Enttäuschung

Jede enttäuschte Liebe macht ein bißchen immun gegen die nächste.

URSULA ANDRESS

Entwicklung

Entwickelt heißt jener Teil der Welt, wo der Dreck zu einem Problem geworden ist.

HEINRICH NÜSSE

Entwöhnungskur

Entwöhnungskur – Ende einer Schnapsidee.

HANS-HORST SKUPY

Erben

Ich habe nichts als mich von meinen Eltern geerbt.

JEAN PAUL

Glücklich das Kind, dessen Vater reich gestorben ist.

AUS DEN USA

Erbschaft

Vererbung: Eltern haften für ihre Kinder.

GERHARD UHLENBRUCK

Erde

Die Erde ist ein gebildeter Stern mit sehr viel Wasserspülung.

ERICH KÄSTNER

Wer sich hier wohlfühlt, ist ein Ferkel.

AUGUST STRINDBERG

Erfahrung

Es gehört Erfahrung dazu, wie eine Anfängerin zu küssen.

ZSA ZSA GABOR

Wir machen keine neuen Erfahrungen, aber es sind immer neue Menschen, die alte Erfahrungen machen.

RAHEL VARNHAGEN

Die Erfahrung lehrt uns, einen Fehler zu erkennen, nachdem wir ihn bereits erneut begangen haben.

ANONYM

Für Erfahrungen muß man teuer bezahlen, und trotzdem will niemand sie haben, wenn man sie verschenken will.

LUDWIG BÖRNE

Man muß in den Dreck hineingeschlagen haben, um zu sehen, wie weit er spritzt.

WILHELM RAABE

Erfahrung

Erfahrung ist der Name, den jeder seinen Irrtümern gibt.

OSCAR WILDE

Erfindung

Eine halb neue Erfindung mit einem ganz neuen Namen.

GEORG CHRISTOPH LICHTENBERG

Erfolg

Mancher Mann verdankt seinen Erfolg einer Frau, die ständig an seiner Seite stand. Noch mehr Männer verdanken ihn jedoch einer Frau, die sie ständig in die Seite getreten hat.

HARRIET BOWLES

Erfolg hat viele Männer zu Versagern gemacht.

CINDY ADAMS

Eine Frau, die geliebt wird, hat immer Erfolg.

VICKI BAUM

Wenn ein Mann mit seinen Erfolgen bei Frauen angibt, hat er sie nicht.

KARIN EICKELBAUM

Erfolg verändert Männer nicht. Er entlarvt sie.

SUZANNE NECKER

Erfolg

Hinter jeder Frau, die erfolgreich werden könnte, steht mindestens eine Frau, die sie am Erfolg zu hindern versucht.

LORE LORENTZ

Hinter jedem erfolgreichen Mann steht eine überraschte Frau.

MARYAN PEARSON

Eine Frau, die die Einsamkeit als natürliche Begleiterscheinung des Erfolgs in Kauf nimmt, akzeptiert die Strafe für ein Verbrechen, das sie nicht begangen hat.

MARLO THOMAS

Erfolg muß man langsam löffeln, sonst verschluckt man sich an ihm.

ERIKA PLUHAR

Warum müssen wir alle nackt sein, um Erfolg zu haben?

JULIA ROBERTS

Ich habe immer daran geglaubt: Wenn man sich vornimmt, Erfolg zu haben, hat man ihn bereits.

KATHERINE DUNHAM

Der Erfolg hat mich nicht verdorben. Ich war schon immer unerträglich.

FRAN LEBOWITZ

Erfolg

Jede neue Unternehmung macht die folgenden Entwicklungen durch: Enthusiasmus, Komplikation, Desillusionierung, Suche nach den Schuldigen, Bestrafung der Unschuldigen und Auszeichnung derjenigen, die gar nichts getan haben.

ANONYM

Wenn mein Film einen einzigen Menschen unglücklich macht, habe ich das Gefühl, ich habe mein Ziel erreicht.

WOODY ALLEN

Bei großen Menschen ist der Erfolg der Anfang ihres Strebens, bei kleinen – das Ende.

FRIEDL BEUTELROCK

Erfolg ist nie von Dauer. Wer eine vorbildliche Mausefalle erfindet, muß damit rechnen, daß die Mäuse der nächsten Generation von Natur aus klüger sein werden.

ALBERT EINSTEIN

Erfolg besteht darin, daß man genau die Fähigkeiten hat, die im Moment gefragt sind.

HENRY FORD

Es ist mir egal, ob der Film auch nur einen Cent einspielt – solange jeder Mann, jede Frau und jedes Kind in diesem Land hineingeht.

SAM GOLDWYN

Erfolg

Erfolg ist nur halb so schön, wenn es niemanden gibt, der einen beneidet.

NORMAN MAILER

Die Strafe für den Erfolg liegt darin, daß man mit Leuten zusammenkommt, die man früher meiden durfte.

NORMAN MAILER

Erfolg verbessert den Charakter.

WILLIAM SOMERSET MAUGHAM

Die Frucht, die vom Ast fällt, ohne daß man schütteln muß, ist mir zu weich.

LADY MARY WORTLEY MONTAGU

Der Erfolg eines Mannes bei einer Frau beginnt dann, wenn sie ihn bewundert, weil er drei große Stücke Torte zu essen vermag.

ROBERT MUSIL

Damit, daß einer Erfolg hat, ist noch lange nicht erwiesen, daß er auch recht hat.

W.J. OEHLER

Erfolge resultieren oft aus Fehlern, die bei der Konkurrenz gemacht werden.

PAMPHILIUS PFYFFER

Wenn du erfolgreich sein willst, dann mußt du neue Wege einschlagen und nicht auf den ausgetretenen Pfaden des gemeinhin akzeptierten Erfolgs marschieren.

JOHN D. ROCKEFELLER

Erfolg

Das Geheimnis meines Erfolges bei Frauen ist einfach: Ich habe die Frauen geliebt. Und die Frauen lieben es, geliebt zu weden.

ARTHUR RUBINSTEIN

Wer etwas ist, hat alle gegen sich, die etwas werden wollen.

RICHARD SCHAUKAL

Wenn eine Frau die Erfolgsleiter Sprosse für Sprosse höhersteigt, schauen ihr alle unter den Rock.

WERNER SCHNEYDER

Erfolge sind wie Kakteen. Man sollte sich nicht draufsetzen.

MICHAIL A. SCHOLOCHOW

Immer wenn einer meiner Freunde Erfolg hat, sterbe ich ein kleines bißchen.

GORE VIDAL

Ergriffenheit

Es gibt zweierlei Ergriffenheit: die eine greift ans Herz, die andere an die Gurgel.

STANISŁAW JERZY LEC

Erinnerung

Wer sich gern erinnert, lebt zweimal.

FRANCA MAGNANI

Auch die Erinnerung wird ranzig. Beeil dich!

ELIAS CANETTI

Erinnerung

Erinnerungen sind wie manche Konserven: ein bißchen schöngefärbt und deshalb nicht ganz unschädlich.

MAURICE CHEVALIER

Erkenntnis

Es hat alles zwei Seiten. Aber erst wenn man erkennt, daß es drei sind, erfaßt man die Sache.

HEIMITO VON DODERER

In vielen Fällen erweist sich die Aufforderung »Erkenne dich selbst« als falsch. Besser, man durchschaut die anderen.

MENANDER

Erklärungsnot

Ich muß soviel Zeit damit verbringen, Amerikanern zu erklären, daß ich kein Engländer bin, und Engländern, daß ich kein Amerikaner bin, daß ich kaum noch Zeit finde, Kanadier zu sein.

LAURENCE J. PETER

Erlebnis

Frauen erleben, wo Männer bloß davon sprechen.

LIN YUTANG

Erniedrigung

Die schrecklichste Erniedrigung ist, von einem Fremden die Bettpfanne gereicht zu bekommen und beim Vornamen genannt zu werden.

MAGGIE KUHN

Ernst

Eine ernste Sache mit Humor betrachten heißt noch lange nicht, ihren Ernst zu verkennen.

PETER BAMM

Eroberung

Die Männer versäumen mehr Eroberungen durch eigene Ungeschicklichkeit als durch die Tugend der Frauen.

NINON DE LENCLOS

Die Weltgeschichte ist voll von Eroberern, die vor Frauen kapituliert haben.

ISA MIRANDA

Mein Mann ist Deutscher; jeden Abend verkleide ich mich als Polin und er erobert mich.

BETTE MIDLER

Männer, die sich auf ihre Eroberungen etwas einbilden, ahnen in den seltensten Fällen, wie oft sie selbst erobert worden sind.

JEANNE MOREAU

Die Männer würden Frauen leichter erobern, wenn sie nicht so stolz darauf wären.

VIRNA LISI

Die Frauen lieben Sieger, deshalb lassen sie sich so gerne erobern.

MARCELLO MASTROIANNI

Eros

Eros ist der jüngste der Götter. Er ist auch derjenige, der am häufigsten müde ist.

NATALIE BARNEY

Erotik

Keine Frau bemüht sich um Erotik, solange sich die Männer ausreichend darum kümmern.

FRANÇOISE SAGAN

Eine Frau in Spitzen und Rüschen hat sicher mehr erotische Geheimnisse als eine im Topless-Bikini.

MAUD WILLIAMS

Tragen Sie einen Taft-Slip, der bei jeder Bewegung knistert, und die Männer drehen durch. Reiben Sie beim Gehen die Oberschenkel aneinander. Das Geräusch, das die Nylons dabei machen, bringt sie ebenfalls zur Raserei.

GAEL GREENE UND JEANNIE SAKEL

Alles in der Liebe, was nicht mit Fortpflanzung zu tun hat, ist erotisch.

LO DUCA

In der Erotik gilt diese Rangordnung: Der Täter. Der Zeuge. Der Wisser.

KARL KRAUS

Das erotische Vergnügen ist ein Hindernisrennen.

KARL KRAUS

Erotik

Du findest es erotisch? Ich skl-erotisch.

STANISŁAW JERZY LEC

Erotik ist ein Vulkan, der den Menschen hebt und senkt.

ADOLF REITZ

Erste Geige

Wer zart besaitet ist, kann nie die erste Geige spielen.

GERHARD UHLENBRUCK

Erste Liebe

Erste Liebe nennt man ein Versprechen, das andere halten werden.

SENTA BERGER

Die erste Liebe ist wie der erste Schnee: Man sieht die Spuren deutlich.

SUZANNE DOUCET

Die erste Liebe ist selten mehr als ein Appetitanreger, obwohl man sie anfangs für eine Hauptmahlzeit hält.

MICHÈLE MORGAN

Erwachsene

Erwachsene sind Kinder mit Schulden.

ANONYM

Erwachsenwerden heißt, alleine zu schlottern.

MIREILLE BEST

Erwartung

Jede Frau erwartet von einem Mann, daß er hält, was sie sich von ihm verspricht.

CHARIKLIA BAXEVANOS

Erziehung

Man kann in Kinder nichts hineinprügeln, aber vieles herausstreicheln.

ASTRID LINDGREN

Wenn eine Frau mit den Kindern nicht fertig wird, fängt sie an, den Mann zu erziehen – irgendein Erfolgserlebnis braucht ja schließlich jeder.

STELLA BING

Eltern verzeihen ihren Kindern die Fehler am schwersten, die sie ihnen selbst anerzogen haben.

MARIE VON EBNER-ESCHENBACH

Ich hab' Shakespeare und die Bibel gelesen, und ich kann würfeln. Das nenne ich eine liberale Erziehung.

TALLULAH BANKHEAD

Wenn du der Meinung bist, Erziehung sei zu kostspielig, versuch's mit Ignoranz.

DEREK BOK

Bei der Erziehung der eigenen Nachkommen braucht man sich nur vorzustellen, es seien fremde Kinder. Und wie fremde Kinder erzogen werden sollen, weiß ja bekanntlich jeder.

ERNST BUM

Erziehung

Die einzigen Leute, die offenbar nichts mit der Erziehung von Kindern zu tun haben, sind die Eltern.

GILBERT KEITH CHESTERTON

Kinder schauen mehr darauf, was die Eltern tun, als was sie sagen.

MARIE VON EBNER-ESCHENBACH

Das gibt sich, sagen schwache Eltern von den Fehlern ihrer Kinder. O nein, es gibt sich nicht, es entwickelt sich!

MARIE VON EBNER-ESCHENBACH

Wahrscheinlich ist Erziehung Quatsch – sie führt zu nichts oder allenfalls zum Gegenteil dessen, was man will.

AXEL HACKE

Erziehen erziehet meist nur der Erzieher.

JEAN PAUL

Die Erziehung ist ein Radiermesser, das den Klecks durchschimmern läßt...

JEAN PAUL

Ich erziehe die Kinder nicht »zu« etwas, sondern »in« etwas.

JEAN PAUL

Unternehmensführung ist wie Kindererziehen – wenn das Baby den zweiten Schritt vor dem ersten macht, dann fällt es um.

JOSEPH LAUDER

Erziehung

Erziehung ist der Versuch, Kinder davon abzuhalten, die Erwachsenen nachzuahmen.

ROBERT LEMBKE

Ich glaube, ich könnte den Koran auswendig lernen, wenn ich wüßte, daß ich andernfalls Prügel bekäme. Allerdings würde ich dann bis an mein Lebensende den Koran, den Prügler und mich selbst hassen.

ALEXANDER SUTHERLAND NEILL

Wenn in der Erziehung wirklich freie Gefühle erlaubt sind, wird der Verstand schon für sich selbst sorgen.

ALEXANDER SUTHERLAND NEILL

Predigen macht auf Kinder keinen Eindruck.

ALEXANDER SUTHERLAND NEILL

Des Erziehers schwierigster Zögling ist er selbst.

GEORG VON OERTZEN

Erhebe nie die Hand gegen deine Kinder – dein Rumpf ist dann ungeschützt.

ROBERT ORBEN

Zuerst lernt der Mensch gehen und sprechen; später stillsitzen und den Mund halten.

MARCEL PAGNOL

Erziehung

Erziehung ist Beispiel und Liebe – sonst nichts.

JOHANN HEINRICH PESTALOZZI

Die beste Erziehung ist die Erziehung zum Widerspruch.

MICHEL PICCOLI

Liebe ist besser als Gerechtigkeit.

LIBBY PURVES

Die Eltern sollten uns nie das Leben lehren wollen, denn sie lehren uns ihr Leben.

RAINER MARIA RILKE

Bevor ich heiratete, hatte ich sechs Theorien über die Erziehung von Kindern. Jetzt habe ich sechs Kinder und keine einzige Theorie mehr.

JOHN WILLIAM ROCHESTER

Das Ziel der Erziehung besteht darin, dem Kinde zu ermöglichen, ohne Lehrer weiterzukommen.

BERTRAND RUSSELL

Wer kann, handelt. Wer nicht kann, unterrichtet.

GEORGE BERNARD SHAW

Erziehung ist organisierte Verteidigung der Erwachsenen gegen die Jugend.

MARK TWAIN

Erziehung

Gute Erziehung besteht darin zu verbergen, wie sehr wir an uns selbst denken und wie wenig an andere.

MARK TWAIN

Wir ziehen unsere Kinder groß, um uns dann von ihnen kleinkriegen zu lassen.

GERHARD UHLENBRUCK

Von wem sonst sollten Eltern erzogen werden, wenn nicht von ihren Kindern?

HELLMUT WALTERS

Erziehung ist eine wunderbare Sache, doch man muß sich von Zeit zu Zeit besinnen, daß nichts, was von Wert ist, gelehrt werden kann.

OSCAR WILDE

Die ganze Theorie von moderner Erziehung ist von Grund auf ungesund. Zum Glück bringt wenigstens in England die Erziehung keinerlei Erfolg hervor.

OSCAR WILDE

Ein guterzogen Kind ist eine Rechnung ohne Probe.

AUS DEUTSCHLAND

Der Erzieher verdient den Namen Vater mehr als der Erzeuger.

AUS DEM TALMUD

Essen

Gutes Essen ist wie guter Sex – je mehr man davon bekommt, desto mehr will man davon haben.

GAIL GREENE

Ich esse ganz bewußt zuviel, um meinem Körper so üppige Formen zu verleihen, wie es nur geht. Fett ist das sinnlichste Erlebnis, das ich je hatte.

MARGARET DEIRDRE O'HARTIGAN

Iß nie mehr als du tragen kannst.

MISS PIGGY

Alles, was Sie hier sehen, verdanke ich Spaghetti.

SOPHIA LOREN

Die Welt gehört denen, die keine festen Essenszeiten haben.

ANNA DE NOAILLES

Bitte erinnern Sie sich daran, daß die, welche ein ordentliches Omelette zubereiten können, nichts anderes können.

HILAIRE BELLOC

Viele Menschen haben das Essen verlernt – sie können nur noch schlucken.

PAUL BOCUSE

Essen

Die Entdeckung einer neuen Speise fördert das Glück der Menschheit mehr als die Entdeckung eines neuen Sterns.

ANTHELME BRILLAT-SAVARIN

Ein gesunder Magen ist etwas typisch Konservatives. Kaum ein Radikaler hat eine gesunde Verdauung.

SAMUEL BUTLER

Was den Käse angeht, waren die Dichter zu allen Zeiten komischerweise sehr schweigsam.

GILBERT KEITH CHESTERTON

Käse ist der Schritt der Milch in Richtung Unsterblichkeit.

CLIFTON FADIMAN

Der Himmel schickt uns gutes Fleisch, doch der Teufel schickt Köche.

DAVID GARRICK

Bei einer Dinner-Party sind zwei Gäste die perfekte Besetzung – ich und ein spitzenmäßiger Oberkellner.

NUBAR GULBENKIAN

Mittagessen im Hollywood-Stil – ein Hot dog und Qualitätswein.

HARRY KURNITZ

Essen

Essen ist ein wichtiger Bestandteil einer ausgewogenen Diät.

FRAN LEBOWITZ

England ist das einzige Land der Welt, in dem Lebensmittel gefährlicher sind als Sex. Ist doch so: ein Hartkäse bringt dich auf die Dauer um, ein Weichkäse bringt dich allerdings innerhalb weniger *Sekunden* um.

JACKIE MASON

Die Leute füttern oft die Hungrigen, damit ihnen niemand den Spaß an einem guten Essen verdirbt.

WILLIAM SOMERSET MAUGHAM

Bei der Beurteilung von Mahlzeiten gibt es neben dem Geschmack nur zwei elementare Kriterien: wie viele davon und wie häufig man sie zu sich nehmen kann.

EMIL VON MUEHL

Heut mach' ich mir kein Abendbrot, heut mach' ich mir Gedanken.

WOLFGANG NEUSS

Botticelli ist kein Wein, du Trottel! Botticelli ist ein Käse.

PUNCH

Essen ist menschlich, verdauen göttlich.

MARK TWAIN

Essen

Nach einem guten Essen könnte man jedem vergeben, selbst seinen eigenen Verwandten.

OSCAR WILDE

Wenn viele Kinder gleichzeitig essen, wird der Brei nicht kalt.

AUS KENIA

Essen und Trinken

Essen und Trinken sind zwei Tätigkeiten, die den Mann auch ohne viel Arbeit ausfüllen können.

HEINZ ERHARDT

Ethik

Die Landschaft der Ethik verschweizert.

NIKOLAUS VON FESTENBERG

Ethnologie

Jene Wissenschaft, die sich mit den verschiedenen Stämmen des Menschen befaßt, als da sind Räuber, Diebe, Schwindler, Trottel, Irre, Idioten und Ethnologen.

AMBROSE BIERCE

Etikette

Die Referenzen des Trottels.

AMBROSE BIERCE

Europa

Europa ist heute nur dem Namen nach christlich. In Wirklichkeit betet es den Mammon an.

MAHATMA GANDHI

Das Beste zwischen Frankreich und Großbritannien ist – das Meer.

DOUGLAS JERROLD

Europa

Zwischenstaatlich organisiert sind in Europa nur das Verbrechen und der Kapitalismus.

KURT TUCHOLSKY

Europa ist wie eine Wohngemeinschaft: Jeder greift in die Haushaltskasse und keiner trägt den Müll runter.

MATTHIAS BELTZ

Eva

Es hätte nicht des Apfels bedurft, Adam zu verführen. Eva allein genügte schon.

MARIANNE LANGEWIESCHE

Evolution

Wieviel weniger Menschenblut wäre vergossen worden, wenn wir uns nicht so früh vom Affen zum Menschen fortentwickelt hätten.

STANISŁAW JERZY LEC

Ewigkeit

Die Ewigkeit fängt nicht erst nach unserem Tod an. Sie besteht die ganze Zeit über. Wir befinden uns jetzt mittendrin.

CHARLOTTE PERKINS GILMAN

Existenzangst

Existenzangst? Es gibt einige Zeitgenossen, deren Existenz mir mehr Angst einjagt als die meine!

GABRIEL LAUB

Experte

Ein Experte ist ein Mann, der genau weiß, wie alles kommen wird, und der hinterher genau sagen kann, warum alles ganz anders gekommen ist.

JACK LEMMON

Exzentrik

Damit exzentrisches Benehmen sozial hinnehmbar ist, muß es mindestens vier oder fünf Generationen Inzucht darstellen.

OSBERT LANCASTER

Exzeß

Zuviel des Guten kann wundervoll sein.

MAE WEST

F

Fachidiot

Die Steigerung von Idiot heißt Fachidiot.

GERHARD UHLENBRUCK

Fachmann

Laß dir von keinem Fachmann imponieren, der dir erzählt: »Lieber Freund, das mache ich schon seit zwanzig Jahren so!« – Man kann eine Sache auch zwanzig Jahre lang falsch machen.

KURT TUCHOLSKY

Fälschung

Die Fälschung unterscheidet sich vom Original dadurch, daß sie echter aussieht.

ERNST BLOCH

Fahne

Wo man Fahnen hißt, da zieht der Verstand auf Halbmast.

FELIX RENNER

Fallen

Durch Fallen lernt man gehen.

ANONYM

Falschheit

Der Falschheit ohne List zu begegnen, ist nicht ehrenhaft, sondern leichtsinnig.

HANS KASPER

Falten

Ich freue mich über meine Falten und betrachte sie als eine Auszeichnung. Ich habe hart dafür gearbeitet.

MAGGIE KUHN

Gott ist leider nicht galant. Sonst hätte er uns die Falten an die Fußsohlen gemacht und nicht ins Gesicht.

NINON DE LENCLOS

Ich mag Fältchen. Sie sind meine Auszeichnung – sie zeigen, daß ich gelebt habe.

SHIRLEY MACLAINE

Der Gipfel der Ungerechtigkeit: Falten machen einen Mann attraktiver, eine Frau älter.

JEANNE MOREAU

Familie

Ich liebe meine Kinder alle, aber einige mag ich nicht.

LILLIAN CARTER

Ich habe noch nie gehört, daß ein Mann um Rat gefragt hätte, wie er Karriere und Familie miteinander vereinbaren kann.

GLORIA STEINEM

Familien, vor allem die Ehemänner, töten die Kreativität.

BRENDA UELAND

Familie

Nicht wenige Beziehungen beginnen bei Wein und Gesang und enden bei Milch und Gebrüll.

ANONYM

Das Leben beginnt nicht mit dem Augenblick der Empfängnis oder dem Ereignis der Geburt. Es beginnt, wenn die Kinder ausziehen und der Hund stirbt.

ANONYM

Glück bedeutet, eine große, liebevolle, hilfsbereite, engverbundene Familie in einer anderen Stadt zu haben.

GEORGE BURNS

Das Schicksal bestimmt deine Verwandten, du bestimmst deine Freunde.

JACQUES DELILLE

Familie: Kriegsschauplatz der Generationen.

KONRAD GERESCHER

Gute Familien sind im allgemeinen schlimmer als alle anderen.

ANTHONY HOPE

Das Familienleben ist ein Eingriff in das Privatleben.

KARL KRAUS

Familie

Das Wort »Familienbande« hat einen Beigeschmack von Wahrheit.

KARL KRAUS

Die Familie ist die Grundlage des Staates. Menschen, die Familiensorgen haben, kümmern sich nämlich nicht um Politik.

GABRIEL LAUB

Weit davon entfernt, die Grundlage einer menschlichen Gesellschaft zu sein, ist die Familie mit ihrer engherzigen Nähe und ihren billigen Geheimnissen die Quelle all unserer Unzufriedenheit.

EDMUND LEACH

In einer glücklichen Familie herrscht Liebe, in einer unglücklichen Spannung.

ALEXANDER SUTHERLAND NEILL

Der Spiegel der Familie sind die Kinder.

LUBOS SIMEK

Familie ist ein steuerlich begünstigter Kleinbetrieb zur Fertigung von Steuerzahlern.

WOLFRAM WEIDNER

Wie der Acker, so die Rüben, wie der Vater, so die Buben. Wie die Mutter, so die Töchter, und zuweilen etwas schlechter.

AUS DEUTSCHLAND

Familie

Kluger Vater, kluge Tochter; kluge Mutter, kluger Sohn.

AUS RUSSLAND

Wenn Sie versprechen, nicht alle Geschichten zu glauben, die Ihnen Ihr Kind aus der Schule erzählt, verspreche ich, nicht alles zu glauben, was es von zu Hause erzählt.

ANONYM

Der Mann ist der Haupt der Familie, und die Frau ist der Hut darauf.

JÜDISCHES SPRICHWORT

Familiensinn

Familiensinn nennt man das aufopfernde Streben, seinen Kindern eine höhere Summe zu einem früheren Zeitpunkt zu hinterlassen.

HELMAR NAHR

Familienurlaub

Familienurlaub ist die Fortsetzung des Ehekrieges auf anderem Territorium.

GABRIEL LAUB

Familienvater

Der Familienvater ist der Abenteurer unserer modernen Zeiten.

ANDRÉ GIDE

Fanatiker

Ein Fanatiker ist ein Mensch, der seine Ansicht nicht ändern kann und der das Thema nicht wechseln will.

WINSTON CHURCHILL

Fanatiker

Fanatiker lassen sich schon aus Überzeugung nicht überzeugen.

GERHARD UHLENBRUCK

Fanatiker wollen mit dem Kopf durch das Brett, das sie vor ihm haben.

WOLFRAM WEIDNER

Fasching

Endlich ist wieder Fasching – und die Leute legen die Masken ab.

INGRID ANNEL

Fatalismus

Es kann passieren, was will; es gibt immer einen, der es kommen sah.

ANONYM

»Es wird nie so heiß gegessen, wie gekocht wird« – trösteten die Gegessenen die Gekochten.

STANISŁAW JERZY LEC

Faulheit

Faulheit ist der Dünger des Geistes.

ANONYM

Faulpelze sind Leute, die gelernt haben, gleich am Anfang aufzuhören.

HANS CLARIN

Faulheit – das ist, wenn jemand mit dem Cocktailshaker in der Hand auf das nächste Erdbeben wartet.

DANNY KAYE

Faulheit

Am besten läßt sich die Faulheit genießen, wenn man sie mit guten Vorsätzen garniert.

GEORG THOMALLA

Faulpelz

Faulpelz: ein Mensch, der sich keine Arbeit damit macht, sein Nichtstun zu begründen.

GABRIEL LAUB

Der Faulpelz hat keine Lust, dauernd zu arbeiten. Deshalb wird er schnell mit der Arbeit fertig.

GABRIEL LAUB

Faust

Das ist die Schwierigkeit: die Rechte zur Faust ballen und trotzdem leserlich schreiben.

WERNER SCHNEYDER

Fegefeuer

Art ungemütlichen Knasts, in den Seelen gesperrt werden, bis einige ihrer Verwandten sie auslösen.

AMBROSE BIERCE

Fehlentscheidung

Eine Fehlentscheidung auf Anhieb spart immerhin Zeit.

HELMAR NAHR

Fehler

In der Liebe ist ein Fehler, den man gemeinsam macht, manchmal das einzig Richtige.

SENTA BERGER

Fehler

Eine Frau, welche die Fehler ihres Mannes nicht liebt, liebt ihn nicht.

SOPHIA LOREN

Zeig mir einen Menschen, der noch nie einen Fehler begangen hat, und ich sage dir, daß er in seinem Leben nicht viel erreicht hat.

JOAN COLLINS

Wenn ich mein Leben noch einmal leben könnte, würde ich die gleichen Fehler machen, nur früher.

TALLULAH BANKHEAD

Frauen geben Fehler leichter zu als Männer. Deshalb sieht es so aus, als machten sie mehr.

GINA LOLLOBRIGIDA

Es ist von großem Vorteil, die Fehler, aus denen man lernen kann, recht früh zu machen.

WINSTON CHURCHILL

Es gibt Fehler, Druckfehler zum Beispiel, von denen geht die Welt nicht unter. Gerade darum sind sie unerträglich.

NIKOLAUS CYBINSKI

Fehler

Der Hauptfehler des Menschen bleibt, daß er so viele kleine hat.

JEAN PAUL

Jede Leidenschaft verleitet uns zu Fehlern, aber die Liebe zu den lächerlichsten.

LA ROCHEFOUCAULD

Wenn wir selbst keine Fehler hätten, würden wir sie nicht mit so großem Vergnügen an anderen entdecken.

LA ROCHEFOUCAULD

Der Großen Fehler sind nicht klein.

AUS HOLLAND

Feierabend

Feierabend! – einziger bekannter Siegesruf aus der Arbeitswelt.

GERD WOLLSCHON

Feigheit

Der wirksamste Schutz gegen die Versuchung ist die Feigheit.

MARK TWAIN

Mut ist oft Mangel an Einsicht, während Feigheit nicht selten auf guten Informationen beruht.

PETER USTINOV

Feigling

Ein Feigling ist ein Mensch, bei dem der Selbsterhaltungstrieb noch normal funktioniert.

AMBROSE BIERCE

Feigling

Einer, der in gefährlichen Notlagen mit den Beinen denkt.

AMBROSE BIERCE

Feind

Eine gescheite Frau hat Millionen geborener Feinde – alle dummen Männer.

MARIE VON EBNER-ESCHENBACH

Liebe deinen Feind – es wird ihn wahnsinnig machen.

ELEANOR DOAN

Ich mache mir ganz bewußt Feinde. Sie sind die pikante Würze in meinem Leben.

ELSA MAXWELL

Der Feind beginnt gefährlich zu werden, wenn er anfängt recht zu haben.

JACINTO BENAVENTE

Man sollte seinen Feinden vergeben, aber nicht, bevor sie aufgehängt sind.

HEINRICH HEINE

Vergib deinen Feinden, aber vergiß nie ihre Namen.

JOHN F. KENNEDY

Liebet eure Feinde, vielleicht schadet das ihrem Ruf.

STANISŁAW JERZY LEC

Feind

Was unsere Feinde am meisten aufregt, ist die heilige Ruhe, wie wir unsere eigenen Mißstände übersehen.

JUPP MÜLLER

Sei reizend zu deinen Feinden, nichts ärgert sie mehr.

CARL ORFF

Man kann sich keine Feinde machen. Sie sind immer schon da.

WERNER SCHNEYDER

Wer deine bittersten Feinde sind? Unbekannte, die ahnen, wie sehr du sie verachten würdest, wenn du sie kenntest.

ARTHUR SCHNITZLER

Zehn Späße bescheren dir hundert Feinde.

LAURENCE STERNE

Wer sich jemand zum Feind macht, sollte dessen Freunde kennen.

KURT TACHMANN

Man fällt selten über seine Fehler. Man fällt meistens über seine Feinde.

KURT TUCHOLSKY

Dein Feind hat endgültig über dich triumphiert, wenn du glaubst, was er über dich sagt.

PAUL VALÉRY

Feind

Fürchte nicht den klugen Feind, fürchte den dummen Freund.

AUS RUSSLAND

Wer davon lebt, einen Feind zu bekämpfen, hat ein Interesse daran, daß er am Leben bleibt.

FRIEDRICH NIETZSCHE

Feindseligkeiten

Feindseligkeiten sind wie Austern, man (er)öffnet sie.

GUSTAVE FLAUBERT

Feminismus

Das Motto meines Feminismus lautet: Komm allein zurecht. Wir können uns nicht ständig bei anderen beklagen.

CAMILLE PAGLIA

Es gibt überzeugte, politische, zornige Frauen mit der Haltung: Seht ihr nicht, wie gut wir sind, ihr Wichser? Und dann gibt es Frauen, die sich den Busen operieren lassen. Beide versuchen, den Männern was zu beweisen. Für mich liegt Feminismus irgendwo zwischen den Puppen und den Hodenquetscherinnen.

LAURA DERN

Wir wußten nicht, wohin es führen würde, aber wir wußten, daß es getan werden mußte.

BETTY FRIEDAN

Feminismus

Nennen Sie mich nie wieder einen weiblichen Jockey!

ROBYN SMITH

Die Frauenbewegung hat mein Liebesleben in keiner Weise verändert. Sie würde es nicht wagen!

ZSA ZSA GABOR

Wenn Gott wollte, daß wir mit dem Unterleib denken, warum hat er uns dann ein Gehirn gegeben?

CLARE BOOTH LUCE

Geht niemals mit Ärger ins Bett. Bleibt wach und kämpft.

PHYLLIS DILLER

Ich ärgere mich über Feministinnen, die ständig ausposaunen, Frauen seien klüger als Männer. Natürlich stimmt das, aber es sollte nicht so breitgetreten werden, sonst verdirbt es einem den ganzen Spaß.

ANITA LOOS

Wenn eine Frau sich schon wie ein Mann benimmt, warum kann sie sich dann nicht wie ein netter Mann benehmen?

EDITH EVANS

Feminismus

Man muß seinen feministischen Grundsätzen treu bleiben. Ich würde niemals meinen Slip zusammen mit einer Männerunterhose an derselben Wäscheleine trocknen.

DOROTHY MILLS

Frauen sind die einzige ausgebeutete Kaste der Geschichte, deren Machtlosigkeit verherrlicht wurde.

ERICA JONG

Wir sind noch nicht weit gekommen – wirklich nicht. Sonst würde man uns nicht »Baby« nennen.

ELIZABETH JANEWAY

Von allen schrecklichen Folgen, die man der Frauenbewegung prophezeite, war vom feministischem Standpunkt aus keine so alarmierend wie die Vorstellung, Frauen könnten möglicherweise wie Männer werden.

BARBARA EHRENREICH

Feministin

Kratz an der Oberfläche einer Feministin, und in den meisten Fällen findest du darunter eine Frau, die sich danach sehnt, ein Sexobjekt zu sein. Der Unterschied ist nur, daß das nicht alles ist, was sie sein will.

BETTY ROLLIN

Feministin

Wann immer ich Gefühle ausdrücke, die mich von einem Fußabtreter oder einer Prostituierten unterscheiden, bezeichnen mich die Leute als Feministin.

REBECCA WEST

Ich bin Feministin geworden, weil ich sonst Masochistin geworden wäre.

SALLY KEMPTON

Die ewige Frustration militanter Feministinnen: daß es voraussichtlich niemals gelingen wird, den Mann ins Wochenbett zu zwingen.

NORMAN MAILER

Die Feministinnen zäumten die Sache vom Schwanz her auf.

WERNER SCHNEYDER

Ferne

So mancher mag in deiner süßen Nähe begeistert sein – mich aber macht erst liebeskrank die Ferne!

PETER ALTENBERG

Fernsehen

Wenn eine wissenschaftliche Analyse der Blödheit möglich wäre, würde das ganze Fernsehen in sich zusammenbrechen.

ROLAND BARTHES

Fernsehen

Fernsehen ist dazu da, daß man drin auftritt, nicht daß man davorsitzt.

NOËL COWARD

Ich sitze nicht vor dem Fernseher, ich glaube, er zerstört die hohe Kunst, über sich selbst zu reden.

STEPHEN FRY

Fernsehen ist ein Märchenmedium.

JOHANNES GROSS

Das Fernsehen wurde erfunden, um den Analphabeten einen guten Grund zum Brillentragen zu geben.

GABRIEL LAUB

Zu den bemerkenswerteren Tendenzen unserer Tage zählt die Besetzung von Gebäuden, begleitet von Geiselnahmen. Die Ausführenden dieser Handlungen sind im allgemeinen angetrieben vom Unbehagen an politischen und sozialen Mißständen sowie vom tiefempfundenen Bedürfnis zu erleben, wie sie im Fernsehen aussehen.

FRAN LEBOWITZ

Das Fernsehen hat feste Regeln. Bei den Western gewinnen immer die Guten, bei den Nachrichten immer die Bösen.

ROBERT LEMBKE

Fernsehen

Nicht die Pille, das Fernsehen ist die wirksamste Methode zur Geburtenbeschränkung.

ROBERT LEMBKE

Das Fernsehen ist eine Prothese für die häusliche Dialogschwäche.

WERNER SCHNEYDER

Das Fernsehen liefert das Wegwerfbild.

WERNER SCHNEYDER

Der Dreck der Menschheit fließt in Kanälen. Aus Kanälen wiederum kommen die Fernsehprogramme.

WERNER SCHNEYDER

Television – das Wort ist halb griechischen, halb lateinischen Ursprungs. Dabei kann nichts Gutes rauskommen.

C. P. SCOTT

Fernsehen ist das einzige Schlafmittel, das mit den Augen eingenommen wird.

VITTORIO DE SICA

Der Horizont der breiten Massen variiert. Je nach Bildschirmgröße.

HANS-HORST SKUPY

Früher galt der Film als die niedrigste Form von Kunst. Jetzt gibt es etwas, auf das wir hinabschauen können.

BILLY WILDER

Fernsehwerbung Rätsel: Was ist fest in Händen der Waschmittel und doch unsauber?

WERNER SCHNEYDER

Fersengeld Fersengeld ist nicht selten das einzige Geld, das der Schuldner dem Gläubiger gibt.

HELLMUT WALTERS

Festredner Festredner sind Leute, die im Schlaf anderer Menschen sprechen.

JERRY LEWIS

Fetisch Die Fixierung auf die Brüste ist von allen Sex-Fetischen der infantilste – und der amerikanischste.

HOLLY HUNTER

Fetischismus Es gibt kein unglücklicheres Wesen unter der Sonne als einen Fetischisten, der sich nach einem Frauenschuh sehnt und mit einem ganzen Weib vorlieb nehmen muß.

KARL KRAUS

Fettnapf Wer einmal aus dem Fettnapf frißt, leckt nächstes Mal den Speichel.

ULRICH ERCKENBRECHT

Feuerlöscher Manche Frauen sind nur deshalb nicht Feuer und Flamme, weil sie mit einem Feuerlöscher verheiratet sind.

SENTA BERGER

Feuilleton

Feuilletonistisch – federleicht und tintenfaßlich.

ELAZAR BENYOËTZ

Ein Feuilleton schreiben heißt auf einer Glatze Locken drehen.

KARL KRAUS

Figur

Es ist nicht gerade das, was man eine gute Figur nennen würde, nicht wahr?

TWIGGY

Die Leute können mich schon nicht ausstehen, weil ich eine tolle Figur habe und schön bin. Dazu bin ich auch noch klug. Das scheint irgendwie zuviel des Guten zu sein.

GABRIELLE REECE

In jeden dicken Kerl ist ein dünner eingesperrt, der heftig nach Freilassung verlangt.

CYRIL CONOLLY

Film

Manche Filme verkürzen unser Leben um anderthalb Stunden.

MICHAEL M. GENIN

Die Länge eines Films sollte in einem direkten Verhältnis zum Fassungsvermögen der menschlichen Blase stehen.

ALFRED HITCHCOCK

Film	Was sind schon Filme – nichts als zwei Stunen lang Popcorn. ANTHONY HOPKINS
	Filmkrisen hat es immer gegeben, nur waren sie früher erfreulicher. BILLY WILDER
Filmdialoge	Die meisten Filmdialoge werden von rachsüchtigen Anhängern des Stummfilms geschrieben. GABRIEL LAUB
Finanzamt	Das Finanzamt ist eine schmerzliche Realität, die uns daran erinnert, daß der Staat keine bloße Fiktion ist. ARTHUR MILLER
Fischen	Fischen: ein Wurm an einem Ende und ein Idiot am anderen. SAMUEL JOHNSON
Fliegen	Fliegen ist nach Seefahren die zweitlangsamste Fortbewegungsart. DIETER HILDEBRANDT
Flirt	Flirt ist ein Überbrückungskredit bis zur nächsten Liebe. JEANNE MOREAU
	Flirt ist Training mit dem Unrichtigen für den Richtigen. SENTA BERGER

Flirt

Flirt ist die Kunst, so weit davonzulaufen, daß man bestimmt eingeholt wird.

ZSA ZSA GABOR

Flirts aus der Ferne sind wie Sachertorten aus einem Bilderbuch.

ERIKA PLUHAR

Flirt ist ein Versuch, gleichzeitig Feuer zu fangen und zu löschen.

SENTA BERGER

Die Einladung zum Flirt wird mit den Augen geschrieben.

JEANNE MOREAU

Beim Flirten laufen Männer einer Frau nach, die längst hinter ihnen her ist.

COLETTE

Der Flirt ist ein Wettlauf, bei dem man gewonnen hat, wenn man eingeholt worden ist.

JEANNE MOREAU

Der Flirt ist ein Zimmer mit Aussicht in den Garten, aber ohne Gartenbenutzung.

ANONYM

Flirt

Flirten ist der Versuch, mit dem Feuer zu spielen, ohne welches zu fangen.

ANONYM

Ein Flirt ist wie eine Tablette: Niemand kann die Nebenwirkungen genau voraussagen.

CATHÉRINE DENEUVE

Flirt ist die Kunst, einer Frau in die Arme zu sinken, ohne ihr in die Hände zu fallen.

SACHA GUITRY

Der Flirt verhält sich zur Liebe ungefähr so wie der Wetterbericht zum Wetter.

FRANÇOISE HARDY

Fluchen

Fluche nicht in einer Sprache, die der Verfluchte nicht versteht. Das ist Sadismus.

STANISŁAW JERZY LEC

Fluß

Man kann denselben Fluß nicht zweimal überqueren.

HERAKLIT

Forschung

Wenn du bei einem Autor abschreibst, nennt man das Plagiat; schreibst du bei zweien ab, ist es Forschung.

WILSON MIZNER

Fortpflanzung

Der Trieb, unser Geschlecht fortzupflanzen, hat noch eine Menge anderes Zeug fortgepflanzt.

GEORG CHRISTOPH LICHTENBERG

Fortschritt

Shakespeare mußte auch ohne Bad auskommen.

SEAN O'CASEY

Es geht mit uns flott voran. Wir tanzen nicht auf einem Vulkan, sondern auf dem Brett einer Latrine, das mir ganz schön morsch vorkommt.

GUSTAVE FLAUBERT

Man macht nur Fortschritte, wenn man nicht mehr weiter weiß.

ALBERTO GIACOMETTI

Fortschritt: Der männliche Haustyrann wird durch elektrische Geräte ersetzt.

GABRIEL LAUB

Wenn ein Menschenfresser mit Messer und Gabel ißt – ist das Fortschritt?

STANISŁAW JERZY LEC

Roboter, triumhiert nicht zu früh. Der nächste Fortschritt könnte auch euch befreien.

STANISŁAW JERZY LEC

Der Fortschritt mag ja gut und schön sein, aber er dauert zu lange.

OGDEN NASH

Fortschritt

Überhaupt hat der Fortschritt das an sich, daß er viel größer ausschaut, als er wirklich ist.

JOHANN NESTROY

Mit Fortschritt bezeichnen gewisse Leute die Zerstörungen, die sie anrichten.

AUREL SCHMIDT

Je weniger sich ändert, um so mehr bleibt alles beim alten.

AUS SIZILIEN

Sie waren ein so modernes Paar, daß sie versuchten, ein schwules Baby zu adoptieren.

ANONYM

Fotografieren

Kühe lassen sich sehr gern fotografieren und bewegen sich nicht, im Gegensatz zu Bauwerken.

OSCAR WILDE

Fotografieren erschien mir immer wie etwas Unanständiges, das hat mir mit am meisten daran gefallen. Und als ich die ersten Bilder machte, fühlte ich mich richtig pervers.

DIANE ARBUS

Frage

Die meisten Fragen werden erst durch die Antwort indiskret.

FAYE DUNAWAY

Frage

Es ist wichtiger, Fragen stellen zu können, als auf alles eine Antwort zu wissen.

JAMES THURBER

Frankreich

Wie höflich und eindeutig auch immer man einem Pariser eine Frage stellt, er wird darauf bestehen, einem auf Französisch zu antworten.

FRAN LEBOWITZ

Frankreich ist ein Land, in dem der Wert des Geldes sinkt und wo sich das Toilettenpapier nicht abreißen läßt.

BILLY WILDER

Frau

Eine Frau ohne Mann ist wie ein Fisch ohne Fahrrad.

GLORIA STEINEM

An der Seite vieler Männer kann sich eine Frau maximal den Rang eines Möbelstücks erarbeiten.

AMELIE FRIED

Ein Mann kann höchstens vollständig sein, eine Frau aber vollkommen.

ELEONORA DUSE

Die meisten Frauen wählen ihr Nachthemd mit mehr Verstand als ihren Ehemann.

LAUREN BACALL

Frau

Während junge Männer davon träumen, was sie erreichen und gewinnen wollen, träumen junge Frauen davon, wen sie erreichen und gewinnen wollen.

CHARLOTTE PERKINS GIEMAN

Eine Frau ist wie ein Teebeutel. Wie stark sie ist, weiß man erst, wenn man sie in heißes Wasser hängt.

NANCY REAGAN

Was wollen Frauen? Schuhe.

MIMI POND

Keine Frau trägt gern ein Kleid, das eine andere abgelegt hat. Mit Männern ist sie nicht so heikel.

FRANÇOISE SAGAN

Wer eine Frau beim Wort nimmt, ist ein Sadist.

JEANNE MOREAU

Das Problem für die Frau liegt darin, den Mann so kleinzukriegen, daß einiges an ihm immer noch groß genug bleibt.

LINDA LION

Der Pullover einer Frau sitzt richtig, wenn die Männer nicht mehr atmen können.

ZSA ZSA GABOR

Frau

Die Frauen müssen wieder lernen, den Mann auf das neugierig zu machen, was er schon kennt.

COCO CHANEL

Die Männer, auf die die Frauen fliegen, sind nicht dieselben, bei denen sie landen.

SENTA BERGER

Passiert einem Mann auf offener Straße ein Unfall, schaut er zuerst nach seinem Geld – die Frau zuerst in den Spiegel.

MARGARET TURNBULL

Eine Frau wird gefährlich, wenn sie hilflos ist.

FELICITAS VON REZNICEK

Frauen mit Vergangenheit interessieren die Männer, weil die Männer hoffen, daß sich Geschichte wiederholt.

MAE WEST

Eine Frau kann jederzeit hundert Männer täuschen, aber nicht eine einzige Frau.

MICHÈLE MORGAN

Sie kocht wie eine Göttin und putzt wie ein Teufel.

CHARLOTTE SEEMANN

Frau

Frauen waren jahrhundertelang ein Vergrößerungsspiegel, der es den Männern ermöglichte, sich selbst in doppelter Lebensgröße zu sehen.

VIRGINIA WOOLF

Eine Frau, die so klug ist, den Rat eines Mannes einzuholen, wird bestimmt nicht so dumm sein, ihn auch zu befolgen.

ELSA MAXWELL

Frauen sind nicht dumm. Sie sind bloß die Dummen.

BIRGIT BERG

Der Charakter einer Frau zeigt sich nicht, wo die Liebe beginnt, sondern wo sie endet.

ROSA LUXEMBURG

Eine gescheite Frau hat Millionen geborener Feinde – alle dummen Männer.

MARIE VON EBNER-ESCHENBACH

Eva ist die umgearbeitete, verbesserte und gekürzte Ausgabe von Adam.

HELEN VITA

Frauen sind immer dann besonders gestraft, wenn sie einen Mann haben, der selber Kind bleiben will.

MARGARETHE SCHREINEMAKERS

Frau

Ein Mann braucht eine Frau, weil irgendwann ja doch einmal etwas passiert, für das er die Politiker nicht verantwortlich machen kann.

ANONYM

Männer sind männlich, Frauen sind göttlich.

ANONYM

Ständig wird den Frauen vorgeworfen, daß sie alle Dinge persönlich nähmen. Ich wüßte keine andere ehrliche Art, sie zu nehmen.

MARYA MANNER

Die männliche Vormachtstellung hat die Frauen unterdrückt. Sie hat sie nicht besiegt.

CLARE BOOTH LUCE

Ich bin lieber eine Frau als ein Mann. Frauen dürfen weinen, hübsche Kleider tragen, und sie werden als erste von einem sinkenden Schiff gerettet.

GILDA RADNER

Man wird nicht als Frau geboren, man wird erst zu einer.

SIMONE DE BEAUVOIR

Frau

Ich bin eine böse Frau, aber es macht verdammt viel Spaß, mit mir zusammen zu sein.

FANNY BRICE

Es ist wirklich gut, daß ich als Frau auf die Welt gekommen bin. Sonst wäre ich Transvestit geworden.

DOLLY PARTON

Die Kunst, eine Frau zu sein, kann nie darin bestehen, die schlechte Imitation eines Mannes zu sein.

OLGA KNOPF

Bedauernswert ist die Frau, die nichts zu bereuen hat.

JEANNE MOREAU

Du kennst keine Frau, ehe du nicht einen Brief von ihr bekommen hast.

ADA LEVERSON

Die ideale Frau gibt es ebensowenig wie den idealen Mann, bloß ein bißchen öfter.

VANESSA REDGRAVE

Eine Frau soll aussehen wie ein junges Mädchen, auftreten wie eine Lady, denken wie ein Mann und arbeiten wie ein Pferd.

CAROLINE K. SIMON

Frau

Hinter beinahe jeder Frau, die von sich reden macht, steht ein Mann, der sie enttäuscht hat.

NAOMI BLIVEN

Wenn ein Mann eine Frau kennenlernt, zu der er sich hingezogen fühlt, ist ihm so, als erblühe plötzlich eine Blume in seinem Knopfloch.

LOUISE DE VILMORIN

In neun von zehn Fällen sollte eine Frau lieber mehr Gefühle zeigen, als sie empfindet.

JANE AUSTEN

Jede Frau folgt dem Mann, wohin sie will.

MONIKA PEITSCH

Eine kluge Frau, die ihre Intelligenz offen zeigt, wirkt auf viele Männer wie eine rote Verkehrsampel.

MARJORIE HALL

Ich bin nichts als ein Mensch, der im Körper einer Frau gefangen ist.

ELAINE BOOSLER

Es ist kein Kunststück, bei einer Frau der erste oder der letzte zu sein. Trotzdem bilden sich die Männer auf beides etwas ein.

FRANÇOISE ROSAY

Frau

Alle Männer sind auf der Suche nach der idealen Frau – vor allem nach der Hochzeit.

HELEN ROWLAND

Ein Mann kann sich an eine häßliche Frau gewöhnen, aber nie an eine nachlässige.

COCO CHANEL

Frauen sind wie Katzen: Beide kann man nur zwingen, das zu tun, was sie selber mögen.

COLETTE

Eine Frau, die sich gehen läßt, wird ihren Mann bald gehen lassen müssen.

NATALIE WOOD

Eine zugeknöpfte Frau ist interessanter als eine reißverschlossene. Man sollte den Männern wieder Gelegenheit zum Aufknöpfen geben.

SENTA BERGER

Wenn Frauen einander umarmen, dann ist das so ehrlich gemeint wie die Begrüßung der Boxer im Ring.

ANNEMARIE DÜRINGER

Ich bin eine Frau, die für einen Mann geschaffen wurde, aber bisher habe ich noch keinen gefunden, der mithalten konnte.

BETTE DAVIS

Frau

Eine Frau tut, was der Mann will, wenn er verlangt, was sie wünscht.

ELIZABETH TAYLOR

Eine kluge Frau sucht die Leidenschaft ihres Liebhabers in Gewöhnung umzuwandeln.

SIMONE DE BEAUVOIR

Eine kokette Frau, die einen ständigen Liebhaber nimmt, steht kurz vor der Abdankung.

AIMÉE DE COIGNY

Frauen, die nur alles oder nichts gewähren, wissen nicht, was Spaß ist.

COLETTE

Man wird erst wissen, was die Frauen sind, wenn ihnen nicht mehr vorgeschrieben wird, was sie sein sollen.

ROSA MAYREDER

Frauen mit Vergangenheit haben eine Vorliebe für Männer mit Zukunft.

DIANA RIGG

Nach einem Wochenende mit einem Mann sehen viele Frauen traurig aus, weil etwas passiert ist. Aber noch mehr Frauen sehen traurig aus, weil nichts passiert ist.

COLETTE

Frau

Wenn Frauen unergründlich erscheinen, liegt das meistens an dem geringen Tiefgang der Männer.

KATHARINE HEPBURN

Eine Frau darf nur so viel zeigen, daß seine Phantasie geweckt wird.

AUDREY HEPBURN

Die meisten Frauen setzen alles daran, einen Mann zu ändern, und wenn sie ihn geändert haben, mögen sie ihn nicht mehr.

MARLENE DIETRICH

Unverstandene Frauen suchen sich einen Dolmetscher.

FRANÇOISE SAGAN

Es gibt zweierlei Frauen: Die einen glauben, daß ihr Platz in der Welt das Bett sei, die anderen glauben: am Spülstein.

COLETTE

Frauen sind Luft für mich – doch ohne Luft kann ich nicht leben.

ANONYM

Frauen sind nie wie die Frau aus der Diebels-Reklame, die ihrem Mann Fußballkarten besorgt und ihn auch noch ins Stadion fährt, damit er während des Spiels Bier trinken kann.

ANONYM

Frau

Ein Mann ist so jung wie die Frau, die er fühlt.

ANONYM

Nichts ist unermüdlicher als die Oberflächlichkeit der Frauen.

ANONYM

Wo wäre die Macht der Frauen, wenn die Eitelkeit der Männer nicht wäre.

ANONYM

Wenn Frauen gut wären, würde Gott eine genommen haben.

ANONYM

Früher bekam man eine Frau, die konnte kochen wie Mutter. Heute bekommt man eine, die saufen kann wie Vater.

ANONYM

Frauen müssen doppelt so gut sein wie Männer, um die Hälfte zu erreichen – Gott sei Dank ist das ein Kinderspiel!

ANONYM

Keine Frau kann aus einem Narren einen Weisen machen, aber jede Frau kann aus einem Weisen einen Narren machen.

ANONYM

Frau

Eine Frau ist nur dann ehrlich, wenn sie keine überflüssigen Lügen erzählt.

ANONYM

Die Frau ist die Rätselecke in Gottes großer Weltzeitung.

MARCEL ACHARD

Die Seele der Frau enthält etwas Dunkles und Geheimnisvolles, das sie für alle Arten von Aberglauben empfänglich macht und die Kräfte des Mannes schwächt.

HENRI FRÉDERIC AMIEL

Frauen und Öfen soll man nicht ausgehen lassen.

GUILLAUME APOLLINAIRE

Die Frau überwindet alle Grenzen, deren erste der Mann ist.

PIERRE BAILLARGEON

Ich war immer erstaunt, daß man die Frauen in die Kirche hineinläßt. Welche Gespräche können sie mit Gott führen?

CHARLES BAUDELAIRE

Eine Frau ist verstimmt, wenn man zuviel von ihr verlangt. Aber sie ist tödlich beleidigt, wenn man zuwenig von ihr verlangt.

JEAN-PAUL BELMONDO

Frau

Nichts reizt Frauen so sehr wie kein Widerspruch.

JEAN-PAUL BELMONDO

Eine Frau spricht mit einem Mann, guckt einem anderen nach und denkt an einen dritten.

BHARTRIHARI

In allen bewohnbaren Weltteilen anzutreffendes Raubtier, ansatzweise domestizierbar; gehört zur Gattung der Katzen.

AMBROSE BIERCE

Wenn eine hübsche Frau davongeht, hat der Mann immerhin noch das Nachsehen.

ALFRED BIOLEK

Kein kluger Mann widerspricht seiner Frau. Er wartet, bis sie es selbst tut.

HUMPHREY BOGART

Straßenräuber verlangen Geld oder Leben – Frauen wollen beides.

SAMUEL BUTLER

Wenn eine Frau nicht spricht, soll man sie um Himmels willen nicht unterbrechen.

ENRIQUE CASTALDO

Wie schlecht ein Mann auch von den Frauen denken mag, es gibt keine Frau, die ihn nicht darin übertrifft.

NICOLAS CHAMFORT

Frau

Es ist so schwer für Frauen – sogar für anständige Frauen – zu begreifen, daß ihre Körper nicht unwiderstehlich sind.

RAYMOND CHANDLER

Es gibt keine größere Wut als die einer Ex-Frau auf der Suche nach einem neuen Liebhaber.

CYRIL CONNOLLY

Es ist ein schrecklich schwieriges Geschäft, eine Frau zu sein, seit dies hauptsächlich darin besteht, mit Männern zu handeln.

JOSEPH CONRAD

Es gibt drei Arten von Frauen: die schönen, die intelligenten und die Mehrheit.

RAINER WERNER FASSBINDER

Frauen sind für mich wie Elefanten. Ich schau' sie mir gern an, aber ich würde keinen haben wollen.

W. C. FIELDS

Die Frau ist kein Raubtier. Im Gegenteil: Sie ist die Beute, die dem Raubtier auflauert.

JOSÉ ORTEGA Y GASSET

Wenn eine Frau sagte, sie sei genau wie alle Frauen – die wäre anders.

WILLIAM GERHARDI

Frau

Frauen haben es besser als Männer: Sie trinken nicht, rauchen nicht, und Weiber sind sie selber.

ANDRÉ GIDE

Man darf Frauen nur die Hälfte glauben. Aber welche Hälfte?

JEAN GIRAUDOUX

Die Frauen ändern zwar manchmal ihre Ansichten, aber nie ihre Absichten.

CURT GOETZ

Wenn die Männer wüßten, wie die Frauen sich die Zeit vertreiben, wenn sie allein sind – sie würden nie heiraten.

O. HENRY

Einer Frau ihren Herzenswunsch ausreden zu wollen, gleicht dem Versuch, den Niagara-Fall mit bloßen Händen zu stoppen.

BOB HOPE

Für jeden ist eine Frau etwas anderes; für den einen Hausmannskost, für den Dichter Nachtigallenfutter, für den Maler ein Schauessen, für einen Empfindsamen Himmelbrot und Liebe- und Abendmahl, für Weltmenschen der Leckerbissen seines indischen Vogelnestes oder eine pommersche Gänsebrust – und für einen andern eine kalte Küche.

JEAN PAUL

Frau

»Liebet eure Feinde« heißt bei den Weibern: besucht eure Feindinnen und trinket Tee.

JEAN PAUL

Die Damen werden täglich verbessert, und jedes Jahr kommt eine vermehrte Auflage von ihnen hervor.

JEAN PAUL

Wem Gott ein Amt gibt, dem gibt er, wenn nicht Verstand, doch eine Frau.

JEAN PAUL

Nichts ist unerträglicher als eine wohlhabende Frau.

JUVENAL

Der Mann ist leicht zu erforschen, die Frau verrät ihr Geheimnis nicht.

IMMANUEL KANT

Die dümmste Frau kann einen schlauen Mann im Griff behalten; eine Frau muß allerdings sehr schlau sein, um einen Dummkopf im Griff zu behalten.

RUDYARD KIPLING

Nicht mal der Teufel selbst kann eine Frau retten, die 30-Mark-Unterwäsche unter einem 1000-Mark-Kleid trägt.

RUDYARD KIPLING

Frau

Mit Frauen führe ich gern einen Monolog. Aber die Zwiesprache mit mir selbst ist anregender.

KARL KRAUS

Es gibt Frauen, die nicht schön sind, sondern nur so aussehen.

KARL KRAUS

Die Frau ist da, damit der Mann durch sie klug werde.

KARL KRAUS

Ein Weib ist manchmal ein ganz brauchbares Surrogat für die Selbstbefriedigung. Freilich gehört ein Übermaß von Phantasie dazu.

KARL KRAUS

Man kann eine Frau nicht hoch genug überschätzen.

KARL KRAUS

Viele Frauen möchten mit Männern träumen, ohne mit ihnen zu schlafen. Man mache sie auf das Unmögliche dieses Vorhabens nachdrücklich aufmerksam.

KARL KRAUS

Mancher rächt an einer Frau durch Gemeinheit, was er durch Torheit an ihr gesündigt hat.

KARL KRAUS

Frau

Es ist nicht wahr, daß man ohne eine Frau nicht leben kann. Man kann bloß ohne eine Frau nicht gelebt haben.

KARL KRAUS

Ich stehe immer unter dem starken Eindruck dessen, was ich von einer Frau denke.

KARL KRAUS

Die Frauen sind die besten, mit denen man am wenigsten spricht.

KARL KRAUS

Wenn's einem kein Vergnügen macht, eine Frau zu beschenken, unterlasse man es. Es gibt Frauen, gegen die ein Danaidenfaß die reinste Sparbüchse ist.

KARL KRAUS

Mit Frauen muß man, wenn sie lange fort waren, Feste des Nichtwiedererkennens feiern.

KARL KRAUS

Eine Frau, die gern Männer hat, hat nur einen Mann gern.

KARL KRAUS

Das Leben ist wie das Telefon: Irgendwo steckt eine Frau in der Leitung, und man kommt um sie nicht herum.

GABRIEL LAUB

Frau

Die schönsten Frauen sind die, denen wir gefallen.

GABRIEL LAUB

Der Widerstand einer Frau ist nicht immer Beweis ihrer Tugend. Oft ist er ein Beweis ihrer Erfahrung.

NINON DE LENCLOS

Es ist eine schöne Ehre, die die Frauenzimmer haben, die einen halben Zoll vom Arsch abliegt.

GEORG CHRISTOPH LICHTENBERG

Wer ohne Weiber könnte sein, wär' frei von vielerlei Beschwerden; wer ohne Weiber wollte sein, wär' aber nicht viel nütz auf Erden.

FRIEDRICH VON LOGAU

Frauen, die unter sich sind, brauchen keine Männer. Das macht sie stark. Männer sind früher oder später auf Frauen angewiesen. Das macht sie schwach.

LORIOT

Wer Sehnsucht nach harmlosen Menschen hat, sollte sich nur mit Frauen umgeben.

NORMAN MAILER

Du weißt so lange nichts über eine Frau, bis du ihr vor Gericht begegnest.

NORMAN MAILER

Frau

Für dumme Frauen hat man die Galanterie; aber was tut man mit den Klugen?

HEINRICH MANN

Wer sagt, er durchschaue die Frauen, dem entgeht 'ne ganze Menge.

GROUCHO MARX

Frauen lieben die einfachen Dinge des Lebens, zum Beispiel – Männer.

WILLIAM SOMERSET MANGHAM

Von allen wilden Tieren auf dem Lande und im Wasser ist die Frau das wildeste.

MENANDER

Wenigstens in einem Punkt sind sich Männer und Frauen einig: Beide mißtrauen den Frauen.

HENRY LOUIS MENCKEN

Frauen lügen nie. Sie erfinden höchstens die Wahrheit, die sie gerade brauchen.

YVES MONTAND

Von Frauen spricht man nicht, man beschäftigt sich mit ihnen.

NAPOLEON BONAPARTE

Eine Frau, ein Gewehr und einen Gaul darf man nicht ausleihen.

NAPOLEON BONAPARTE

Frau

Die Frau war Gottes zweiter Fehler.

FRIEDRICH NIETZSCHE

Gäbe es keine Frauen, wäre all das Geld auf der Welt bedeutungslos.

ARISTOTELES ONASSIS

Frau: Eine raffinierte Mischung von Brandstifter und Feuerwehr.

JOHN OSBORNE

Es gibt zwei Arten von Frauen – Göttinnen und Hausmeisterinnen.

PABLO PICASSO

Begehrst du sie, so sagen sie, du seist vulgär wie alle anderen Männer; begehrst du sie nicht, so sagen sie, du seist impotent.

PITIGRILLI

Unglück in Frauendingen besagt, daß man des Glaubens war, der Erfolg sei ohne Risiko zu haben.

OTTO PLATHE

Solange der Nagellack nicht trocken ist, ist eine Frau praktisch wehrlos.

BURT REYNOLDS

Einer Frau hilft es nichts, wenn sie jung, aber nicht schön, oder schön, aber nicht jung ist.

LA ROCHEFOUCAULD

Frau

Man tut den Frauen Unrecht, wenn man sagt, sie würden immer zu spät fertig; es ist nicht wahr: Sie fangen immer nur zu spät an.

MORITZ GOTTLIEB SAPHIR

Frauen, die sich für ein Konzert ein neues Kleid kaufen, hoffen, vom Dirigenten ausgezogen zu werden.

WERNER SCHNEYDER

Der Umgang mit Frauen ist kinderleicht. wenn man möchte, daß sie etwas tun, braucht man es ihnen bloß zu verbieten.

GEORGE BERNARD SHAW

Die Wankelmütigkeit der Frauen, die ich liebe, kann nur von der höllischen Treue der Frauen ausgeglichen werden, die mich lieben.

GEORGE BERNARD SHAW

Eine Frau macht niemals einen Mann zum Narren; sie sitzt bloß dabei und sieht zu, wie er sich selbst dazu macht.

FRANK SINATRA

Frauen sind merkwürdig: Sie wollen alle einen Don Juan zum Mann – aber einen für sich allein.

HEINRICH SPOERL

Frau

Man muß sehr viel verdienen, um eine Frau zu bekommen, die man nicht verdient.

GEORG THOMALLA

Ich hasse Frauen, weil sie immer wissen, wo die Sachen sind, die man sucht.

JAMES THURBER

Die Frauen haben es ja von Zeit zu Zeit auch nicht leicht. Wir Männer aber müssen uns rasieren.

KURT TUCHOLSKY

Um mit einer Frau glücklich zu sein, muß man sehr viel Liebe zu ihr haben und es nicht erst versuchen, sie zu verstehen.

MARK TWAIN

Zwischen einer Frau und mir gibt es keine gemeinsame Ebene, auf der wir einander verstehen könnten. Sie kann nicht durch die Luft fliegen, und ich kann nicht im Wasser schwimmen.

MIGUEL DE UNAMUNO

Die Frauen sind so unberechenbar, daß man sich nicht einmal auf das Gegenteil dessen verlassen kann, was sie sagen.

PETER USTINOV

Männer sind imstande, stundenlang über ein Thema zu reden – Frauen brauchen dazu gar kein Thema.

PETER USTINOV

Frau

Mit einer verliebten Frau kann man alles tun, was man will.

PETER USTINOV

Graue Männerschläfen ziehen eine Frau unwiderstehlich an, sofern sie sie nicht selbst verursacht hat.

PETER USTINOV

Die Frau ist ein menschliches Wesen, das sich anzieht, schwatzt und sich wieder auszieht.

VOLTAIRE

Für die Frauen ist das Leben viel amüsanter, weil ihnen so viel mehr verboten ist als uns.

OSCAR WILDE

Frauen sind ein faszinierend eigenwilliges Geschlecht. Jede Frau ist eine Rebellin und gewöhnlich in wildem Aufruhr gegen sich selbst.

OSCAR WILDE

Ein Mann kann mit jeder Frau glücklich sein, solange er sie nicht liebt.

OSCAR WILDE

Frau

Frauen sollten mit Maßen denken, wie sie alles mit Maßen tun sollten.

OSCAR WILDE

Die englischen Frauen verbergen ihre Gefühle bis nach der Hochzeit, dann zeigen sie sie.

OSCAR WILDE

Für den Philosophen stellen die Frauen den Triumph der Materie über den Geist dar – so wie Männer den Triumph des Geistes über die Moral darstellen.

OSCAR WILDE

Bestimmt altern heutzutage mehr Frauen durch die Treue ihrer Anbeter als durch sonst etwas.

OSCAR WILDE

Die erste Pflicht im Leben einer Frau ist die gegen ihren Schneider. Welches die zweite Pflicht ist, hat bisher noch niemand entdeckt.

OSCAR WILDE

Nichts auf der Welt kommt der Hingabe einer verheirateten Frau gleich. Das ist etwas, wovon kein verheirateter Mann eine Ahnung hat.

OSCAR WILDE

Frau

Die meisten Frauen sind so gekünstelt, daß ihnen jeder Sinn für die Kunst fehlt. Die meisten Männer sind so natürlich, daß ihnen jeder Sinn für Schönheit fehlt.

OSCAR WILDE

Sie hatte gestern abend zuviel Rouge und nicht ganz hinreichend Stoff an sich. Das ist bei Frauen immer ein Zeichen von Verzweiflung.

OSCAR WILDE

Frauen besitzen einen erstaunlichen Instinkt für die Dinge. Sie entdecken alles außer dem, was in die Augen springt.

OSCAR WILDE

Die Stärke der Frauen rührt aus der Tatsache her, daß die Psychologie sie nicht zu denken vermag. Männer kann man analysieren, Frauen … nur anbeten.

OSCAR WILDE

Indiskretion: etwas, auf das man sich nur bei den wenigsten Frauen nicht verlassen kann.

OSCAR WILDE

Ich ziehe Frauen mit einer Vergangenheit vor. Man kann sich mit ihnen so verdammt gut unterhalten.

OSCAR WILDE

Frau

Die Frauen behandeln uns geradeso wie die Menschheit ihre Götter behandelt. Sie verehren uns und liegen uns ständig in den Ohren, etwas für sie zu tun.

OSCAR WILDE

Man sollte nie einer Frau trauen, die einem ihr wirkliches Alter verrät. Eine Frau, die einem das erzählt, würde einem auch alles andere erzählen.

OSCAR WILDE

Frauen nähern sich immer den vierzig – zuerst von der einen, dann von der anderen Seite.

BILLY WILDER

Die außergewöhnliche Frau ist von der gewöhnlichen Frau abhängig.

VIRGINIA WOOLF

Wenn die Frauen auch aus Glas wären, sie würden dennoch undurchsichtig sein.

AUS RUSSLAND

Frauen erreichen alles, weil sie jene beherrschen, die alles beherschen.

AUS FRANKREICH

Frauen haben stets eine Schachtel Tränen in der Tasche.

AUS ITALIEN

Frauenarbeit

Die Definition für Frauenarbeit ist Scheißarbeit.

GLORIA STEINEM

Ich kenne nur eine Frau, die nicht in der Lage wäre, ein Sinfonieorchester zu dirigieren, und das ist die Venus von Milo.

MARGARET HILLS

Frauenbewegung

Die Frauenbewegung ist nichts als Unsinn. Die Männer sind die Diskriminierten. Sie können keine Kinder austragen. Und daran kann niemand etwas ändern.

GOLDA MEIR

Frauenfreundschaft

Stimmt genau, was man über Frauenfreundschaften denkt. Wir reden über die Länge von Schwänzen.

CYNTHIA HEIMEL

Ich habe die Erfahrung gemacht, daß Frauen gewitzt und stark sind, in einer Gemeinschaft ohne Männer leben können und Männer im Grunde auch kaum brauchen.

ANNA QUINDLEN

Frauenhasser

Bestimmte Frauen sollten regelmäßig geschlagen werden, wie ein Gong.

NOEL COWARD

Wer kein Weiberhasser werden will, höre nie zwei Weiber zanken.

JEAN PAUL

Frauenkenner

Die Frauen lieben uns wegen unserer Fehler. Wenn wir deren genügend haben, werden sie uns alles verzeihen, selbst unseren gigantischen Intellekt.

OSCAR WILDE

Die einzige Art, wie man sich zu einer Frau verhalten kann, ist sie zu lieben, wenn sie hübsch ist, und eine andere zu lieben, wenn sie es nicht ist.

OSCAR WILDE

Frau fürs Leben

Alle Komplikationen entstehen dadurch, daß man der Frau fürs Leben nicht nur einmal begegnet.

MARLON BRANDO

Freiheit

Wen ich liebe, der soll frei sein, auch von mir.

ANNE MORROW LINDBERGH

Eine kluge Frau läßt ihrem Mann gerade so viel Freiheit, daß er nicht auf die Idee kommt, diese Freiheit zu mißbrauchen.

ANNE MORROW LINDBERGH

Ich hätte gern zwei Pässe. Einen, in dem »Frau des Premierministers« steht, und einen, in dem steht, daß ich frei bin.

MARGARET TRUDEAU

Für viele Frauen ist die Freiheit eine bessere Gefährtin als die Liebe.

LOUISE MAY ALCOTT

Freiheit

Eines der kostbarsten Güter der Einbildung.

AMBROSE BIERCE

Freiheit, das sind nicht nur die eigenen Briefmarken.

HANAN ASHRAWI

Die glücklichsten Sklaven sind die erbittertsten Feinde der Freiheit.

MARIE VON EBNER-ESCHENBACH

Freiheit – die Aufgabe der Aufgaben.

ELAZAR BENYOËTZ

Freiheit ist die Einsicht, daß zur Veränderung keine Notwendigkeit besteht.

PETER ENSIKAT

Freiheit ist mehr als »Besser verdienen«.

HANS-DIETRICH GENSCHER

Wenn die Menschen um ihre Freiheit kämpfen, erhalten sie durch ihren Sieg selten mehr als neue Herren.

LORD HALIFAX

Laß dich gehn, aber zieh Stiefel an.

HANS PETER KELLER

Um sich frei zu fühlen, gibt es ein einfaches Mittel: nicht an der Leine zerren.

HANS KREILSHEIMER

Freiheit

Freiheit kann man nicht simulieren.

STANISŁAW JERZY LEC

Man kann das »Lied der Freiheit« nicht auf dem Instrument der Gewalt spielen.

STANISŁAW JERZY LEC

Kein gehorsames Kind kann je ein freier Mensch werden.

ALEXANDER SUTHERLAND NEILL

Die Freiheit, aus der eine Frau den höchsten Gewinn schöpft, ist jene, die sie einem anderen nimmt.

ALFRED POLGAR

Ein wichtiger Teil der inneren Freiheit besteht in einem gut erzogenen Magen, der eine gelegentliche Mißhandlung nicht übel nimmt.

SENECA

Freiheit ist die Fähigkeit, eine Wahl zu treffen, deren Gefangener man hinterher ist.

HEINRICH WIESNER

Freiraum

Einem Mann seinen Freiraum zu lassen ist wie einem Hund einen Computer zu schenken: Aller Wahrscheinlichkeit nach wird er ihn nicht weise zu nutzen verstehen.

BETTE-JANE RAPHAEL

Freizeit

Es ist unmöglich, sich Goethe oder Beethoven beim Billard oder beim Golf vorzustellen.

HENRY LOUIS MENCKEN

Fremde

Achten Menschen sich selbst, so achten sie gewöhnlich auch Fremde.

ANONYM

In der Fremde mißfallen mir so viele Dinge, daß ich mich fast wie zu Hause fühle.

GABRIEL LAUB

Fremder Atem stinkt immer.

AUS LITAUEN

Freude

Da ich das Unglück in den Ehen meiner Freundinnen sah, war ich froh, Musik und Lachen anstelle eines Ehemanns gewählt zu haben.

ELSA MAXWELL

Ist das ein Revolver da in Ihrer Hose oder freuen Sie sich nur, mich zu sehen?

MAE WEST

Freunde

Im Kinde tanzt noch die Freude, im Manne lächelt oder weint sie höchstens.

JEAN PAUL

Ich habe schon so viele Freunde verloren. Ich hätte sie nicht unter die Lupe nehmen sollen.

ANONYM

Freunde

Ich traue ihm nicht. Wir sind Freunde.

BERTOLT BRECHT

Man soll sich davor hüten, sich eng mit seinen Freunden zu verbinden, wenn man sie behalten will.

EDMOND UND JULES DE GONCOURT

Freund: Ein Mensch der dich nicht umsonst verkauft.

GABRIEL LAUB

Es gibt nur eines, das schwieriger ist, als Freunde zu gewinnen: sie dann auch wieder loszuwerden.

MARK TWAIN

Freundlichkeit

Freundlichkeit ist ein Passepartout.

SIEGFRIED UND INGE STARCK

Freundschaft

Wenn Liebe in Freundschaft übergeht, kann sie nicht sehr groß gewesen sein.

KATHARINE HEPBURN

Platonische Freundschaft – die Zeitspanne zwischen Kennenlernen und erstem Kuß.

SOPHIE IRENE LOEB

Schon immer habe ich den Gedanken verabscheut, daß Sex die wichtigste Verbindung zwischen Mann und Frau ist. Freundschaft ist weitaus menschlicher.

AGNES SMEDLEY

Freundschaft

Es gibt wenig aufrichtige Freunde – die Nachfrage ist auch gering.

MARIE VON EBNER-ESCHENBACH

Mit Geld kann man sich viele Freunde kaufen, aber selten ist einer seinen Preis wert.

JOSEPHINE BAKER

Ich hamstere zwei Dinge leidenschaftlich: Urkunden und verläßliche Freunde.

MURIEL SPARK

Hin und wieder verlieren junge Mädchen ihren besten Freund dann, wenn sie ihn heiraten.

FRANÇOISE SAGAN

Liebe ist ein Tornado, Freundschaft ein ständig wehender Passat.

COLETTE

Ich habe eine Freundin, die immer eine Ausrede hat, um *dazubleiben*; und eine, die immer eine Ausrede hat, um *nicht* dazubleiben. Jetzt denke ich in einem fort nach, welche mich weniger stört.

PETER ALTENBERG

Wenn man älter wird, mag es schwieriger werden, neue Freundschaften zu schließen. Aber es ist doch tröstlich zu wissen, wie schnell man Freunde verliert, wenn man jung ist.

JEFFREY BERNARD

Freundschaft

Freundschaft ist wie Geld: leichter zu erwerben als zu behalten.

SAMUEL BUTLER

Um einen Freund zu finden, muß man ein Auge zudrücken. Um ihn zu behalten – beide.

NORMAN DOUGLAS

Ich bin durchaus erfreut, wenn mir ein Freund auf die Schulter schlägt und mir sagt, was für ein prima Kerl ich bin. Allerdings nehme ich es ihm ein wenig übel, wenn er mir mit der anderen Hand die Börse klaut.

WILLIAM SOMERSET MAUGHAM

Ich halte es für eine Tatsache, daß es nicht vier Freunde auf der Welt gäbe, wenn alle Menschen wüßten, was die anderen über sie sagen.

BLAISE PASCAL

Daß die meisten Frauen wenig für Freundschaft empfänglich sind, kommt daher, daß sie matt ist, wenn man die Liebe gefühlt hat.

LA ROCHEFOUCAULD

Freundschaft ist, wenn dich einer für gutes Schwimmen lobt, nachdem du beim Segeln gekentert bist.

WERNER SCHNEYDER

Freundschaft

Du hattest auf der ganzen Welt nur zwei Freunde. Nachdem du den einen umgebracht hast, kannst du es dir nicht leisten, den anderen im Ungewissen zu lassen.

TOM STOPPARD

Freund und Feind müssen zusammenarbeiten, um dich wirklich tief zu verletzen: der eine verleumdet dich, der andere überbringt dir die Nachricht.

MARK TWAIN

Ich habe keine Freunde mehr. Ich habe sie umgebracht, bevor sie mich umbringen.

RÉAL BENOÎT

Das Leben in fremden Ländern lehrt Genügsamkeit.

DEMOKRIT

Es gibt drei treue Freunde – eine alte Ehefrau, ein alter Hund und flüssiges Geld.

BENJAMIN FRANKLIN

Frieden

In der Weltpolitik eine Periode des Betrugs zwischen zwei Perioden des Kampfes.

AMBROSE BIERCE

Den letzten Intelligenztest müssen die Menschen noch bestehen, nämlich sich miteinander zu vertragen.

HEINZ HABER

Frieden	Frieden ist, wenn woanders geschossen wird. GABRIEL LAUB
Friedensbewegung	Die größte Gefahr ist heute die Friedensbewegung. Wahrscheinlich wird es nie wieder möglich sein, ungestört Kriege zu führen. AUREL SCHMIDT
Friedenstaube	Galgenvögel mit einer Mistel im Maul nennt man Friedenstauben. WERNER SCHNEYDER
Friedhof	Abgelegene Stelle der Vorstadt, allwo Trauernde mit Lügen wetteifern, Dichter wider ein Ziel schreiben und Steinmetze um die Wette buchstabieren. AMBROSE BIERCE
Friseur	Friseurgespräche sind der unwiderlegliche Beweis dafür, daß die Köpfe der Haare wegen da sind. KARL KRAUS
	Der Friseur: ein Mann, der etwas gelernt haben muß, damit wir ihm unseren Kopf anvertrauen. GABRIEL LAUB

Frivolität	Immer nur auf die Barrikaden zu gehen, wäre mir nicht genug. Ich behalte mir das Recht vor, frivol zu sein. BETTY FRIEDAN
Frömmigkeit	Frömmlerisch – theoviel. ELAZAR BENYOËTZ
Frühreif	Frühreif sein heißt vollkommen sein. OSCAR WILDE
Fußball	Das Schöne am Fußball: Das Runde muß ins Eckige. MARCEL REIF
	Für den Fußball sind vernünftige Fragen und vernünftige Antworten zu kompliziert. MARCEL REIF
	Es gibt nur etwas, das noch sinnloser ist als Fußball: Nachdenken über Fußball. MARTIN WALSER
Fußgänger	Der verantwortungsbewußte Fußgänger von heute tut drei Dinge: Er läßt seinen Anzug panzern, er schließt ein Dutzend Versicherungen ab, und er bleibt zu Hause. DANNY KAYE
Fußstapfen	Man kann niemanden überholen, wenn man in seine Fußstapfen tritt. ANONYM

G

Gäste

Wirke nie gescheiter als deine Gäste.

ALFRED BIOLEK

Nach drei Tagen fangen Fisch und Gäste an zu stinken.

JOHN LYLY

Wer mich besucht, erweist mir eine Ehre. Wer mich nicht besucht, macht mir eine Freude.

HENRY DE MONTHERLAND

Gastgeber

Manche Gastgeber sind so geizig, daß sie ihren Gästen höchstens das Du anbieten.

WERNER MITSCH

Gebot

»Du sollst nicht töten« klingt im Dekalog wie eine Mahnung, dabei ist es eine Entdeckung.

STANISŁAW JERZY LEC

Gebrechen

Kleine Gebrechen erhalten die Demut.

GUNTER STEINBACH

Gebrechlichkeit

Die Gebrechlichen haben oft Fertigkeiten, deren ein ordentlich gebauter Mensch, wo nicht unfähig, doch zu erlernen nicht entschlossen genug ist.

GEORG CHRISTOPH LICHTENBERG

Geburt

Der besondere Vorteil einer Geburt liegt darin, daß die zukünftige Mutter sich dabei zum letzten Mal abscheulich benehmen, fluchen, alle Regeln mißachten, kreischen, stöhnen und den Ehemann in die Brust boxen kann und daß man ihr alles verzeihen wird.

LIBBY PURVES

Ein Baby zu bekommen ist wie der Versuch, einen Konzertflügel durch ein Oberlicht zu bugsieren.

ALICE ROOSEVELT LONGWORTH

Geburt ist die Aushändigung einer Rückfahrkarte.

HANS KUNDSZUS

Mit der Geburt beginnt der Countdown.

HELLMUT WALTERS

Das Kind, das am Tage geboren wird, gleicht dem Vater, und das in der Nacht geboren wird, der Mutter.

AUS JAPAN

Geburtstag

Auf dieses Lebens Pfad, dumm, trüb und eisig, schleppt ich mich bis zu dreiunddreißig; und was gewann ich dabei? Dreißig und drei!

LORD BYRON

Was könnte man dem Menschen antun, der das Feiern von Geburtstagen erfunden hat? Bloß umbringen wäre zu wenig.

MARK TWAIN

Geburtsurkunde

Die Geburtsurkunde ist ein Gerücht, das eine Frau durch ihr Aussehen jederzeit dementieren kann.

MARLENE DIETRICH

Gedächtnis

Über ihr Gedächtnis klagen viele Leute, nur mit ihrem Verstand sind alle zufrieden.

ANONYM

Gedächtnis – der Erinnerung vorgeschobener Riegel.

ELAZAR BENYOËTZ

Das längste Gedächtnis der Welt haben Elefanten und – Künstlerwitwen.

DANIEL-HENRY KAHNWEILER

Wer ein schlechtes Gedächtnis hat, spart sich viele Gewissensbisse.

JOHN OSBORNE

Gedächtnis

Ein schlechtes Gedächtnis ist oft Voraussetzung für eine gute Karriere.

ZARKO PETAN

Eine schreckliche Sache, das Gedächtnis einer Frau!

OSAR WILDE

Die schlechteste Tinte ist besser als das beste Gedächtnis.

AUS CHINA

Gedanke

Ein Gedanke, der sich nicht kurz fassen läßt, verdient es nicht, ausgesprochen zu werden.

ANONYM

Es gibt Gedanken, die nicht am Ende, sondern nur am Rande einleuchten.

ELAZAR BENYOËTZ

Ob die Gedanken wirklich aus den Köpfen stammen? Meist stammen sie aus zweiter Hand.

WIESŁAW BRUDZINSKI

Gedanken sind zollfrei. Aber man hat doch Scherereien.

KARL KRAUS

Lieber Freund, du kleidest deine Gedanken so sonderbar, daß sie nicht mehr aussehen wie Gedanken.

GEORG CHRISTOPH LICHTENBERG

Gedankenlosigkeit Gedankenlosigkeit tötet. Andere.

STANISŁAW JERŻY LEC

Geduld Die Männer haben keine Geduld. Deswegen haben sie ja auch den Reißverschluß erfunden.

SENTA BERGER

Es bedarf großer Geduld, um sie zu lernen.

STANISŁAW JERZY LEC

Geduld haben heißt so tun, als ob man sie hätte.

WOLFRAM WEIDNER

Geduld ist die Fähigkeit, die dann, wenn man sie am meisten braucht, erschöpft ist.

MAC WILLIAMS

Gefängnis Ein Gefängnishof ist schließlich ein Hof wie jeder andere, nur fehlt die Teppichklopfstange …

KURT TUCHOLSKY

Gefühle Wer die Zurschaustellung von Gefühlen einklagt, will betrogen werden.

CORA STEPHAN

Lieber ohne Logik sein, als ohne Gefühle.

CHARLOTTE BRONTË

Gefühle

Alle Schwüre, die die ewige Dauer der Gefühle beinhalten, sind eine Vergewaltigung der Persönlichkeit. Schließlich kann niemand etwas dafür, wenn seine Gefühle sich verändern.

ELLEN KEY

Gefühl braucht Opposition. Wenn man schon aus Liebe heiratet, sollten wenigstens die Eltern dagegen sein.

HERMANN BAHR

Gefühl ist eine Unart, die man sich nicht abgewöhnt.

RICHARD SCHAUKAL

Auch ein Blinder ist beleidigt, wenn man ihm sagt, daß er nichts sieht.

AUS KOREA

Gegner

Frauen, diskutiert miteinander, hasset einander, seid niederträchtig zueinander, versucht euch gegenseitig auszustechen – aber niemals dürft ihr vergessen: Euer Gegner ist der Mann.

MICHÈLE MAUROIS

Nicht diejenigen, die nicht mit dir übereinstimmen, mußt du fürchten, sondern diejenigen, die nicht mit dir übereinstimmen und die zu feige sind, es dich wissen zu lassen.

NAPOLEON BONAPARTE

Geheimdiplomatie

Es liegt im Wesen der Geheimdiplomatie, daß die dabei getroffenen Abmachungen einen internationalen Bekanntheitsgrad erreichen.

RUPERT SCHÜTZBACH

Geheimnis

Wer liebt, kann nicht schweigen. Deshalb gibt es unter Liebenden keine Geheimnisse.

VIVIEN LEIGH

Wer die Geheimnisse des Bettes verrät, verdient die Liebe nicht.

INGEBORG BACHMANN

Auch Frauen können ein Geheimnis für sich behalten, vorausgesetzt, man erzählt es ihnen nicht.

AUGUST STRINDBERG

Das schönste aller Geheimnisse ist es, ein Genie zu sein und es als einziger zu wissen.

MARK TWAIN

Gehirn

Gehirn: Vorrichtung, mit der wir denken, wir dächten.

AMBROSE BIERCE

Das Gehirn ist ein wunderbares Organ. Es fängt an zu arbeiten, wenn du morgens aufstehst, und hört nicht auf, bis du ins Büro kommst.

ROBERT FROST

Gehirnerschütterung

Verbale Gehirnerschütterungen sind gesund.

GABRIEL LAUB

Geist

Der geistige Mensch hat ein durchlüftetes Gehirn, der intellektuelle ein ungewaschenes.

ANTON KUH

Was ist Geist? Die Luftlinie vom Gehirn zur Sache.

ANTON KUH

Manchmal dient uns der Geist dazu, auf kühne Weise Dummheiten zu begehen.

LA ROCHEFOUCAULD

Um geistreich zu sein, braucht einer nur vor nichts mehr Respekt zu haben.

AUS FRANKREICH

Geisteskrank

Persönlichkeitsspaltung bewahrt einen davor, allein essen zu müssen.

ANONYM

Geistlicher

Geistlicher: Mann, der unsere geistlichen Angelegenheiten verwaltet, um seine weltlichen aufzubessern.

AMBROSE BIERCE

Geistreich

Wer viele Einfälle hat, ist deswegen noch lange nicht geistreich; man ist nicht schon ein guter General, wenn man über viele Soldaten verfügt.

NICOLAS CHAMFORT

Geiz

Geizige Männer schenken einen Lippenstift, weil sie ihn sich nach und nach zurückholen können.

ZSA ZSA GABOR

Geiz ist wie seelischer Körpergeruch. Geiz macht einsam.

ANONYM

Geiz ist subjektive Armut.

PETER HILLE

Geiz: pervertierter Sammlertrieb.

SIEGFRIED UND INGE STARCK

Geizhals

Der Supergeizhals kann sich nicht mal von seinen Fingernägeln trennen.

ANONYM

Geizhälse sind unangenehme Zeitgenossen, aber angenehme Vorfahren.

ANONYM

Der Geizige lebt von der Hoffnung auf schlechte Zeiten, in denen es ihm gut geht.

SIGMUND GRAFF

Geizhals

Alle Geizhälse werden steinalt. Es ist, als grauste selbst dem Tod vor ihnen.

ROBERT WALSER

Gelassenheit

Ich halte mich daran, nie die Beherrschung zu verlieren – bis zu dem Punkt, an dem es von Nachteil wäre, sie zu bewahren.

SEAN O'CASEY

Geld

Geld ist dazu da, um ausgegeben zu werden. Strömende Wasser bleiben frisch.

FRANÇOISE SAGAN

Geld ist immer vorhanden, aber die Taschen wechseln.

GERTRUDE STEIN

Viele Männer suchen eine Frau mit Geld. Aber die meisten suchen Geld mit Frau.

JEANNE MOREAU

Es ist meistens leichter, mit einem Mann auszukommen, als mit seinem Geld.

INGRID VAN BERGEN

Geld aus Hollywood ist kein Geld. Es ist ein gefrorener Schneeball, der in deiner Hand wegschmilzt – und dann stehst du da.

DOROTHY PARKER

Niemand arbeitet so hart für sein Geld wie der, der es geheiratet hat.

KIM HUBBARD

Geld

Geld hat überhaupt nichts mit Stil zu tun, aber natürlich ist es in jeder Situation nützlich.

DIANA VREELAND

Die beliebteste arbeitssparende Maßnahme ist immer noch, Geld zu haben.

PHYLLIS GEORGE

Wo Geld ist, gibt es auch Kampf.

MARIAN ANDERSON

Am lebendigsten fühle ich mich, wenn ich Geld verdiene.

BROOKE ASTOR

Ich hasse Geld, wenn es nicht mein eigenes ist.

FRANCES BROOKE

Ich habe schon früh im Leben den Kick gehabt, den eine Frau verspürt, wenn sie einen Mann mit Geld versorgt.

ANITA LOOS

Mit Bezahlen verplempert man das meiste Geld.

ANONYM

Wer behauptet, daß man Glück nicht mit Geld kaufen kann, weiß bloß nicht, wo er einkaufen soll.

ANONYM

Geld

Um wieder auf die Beine zu kommen, laß zwei Raten füs Auto aus.

ANONYM

Warum ist am Ende des Geldes immer noch so viel Monat übrig?

ANONYM

Wer nichts weiter macht als Geld verdienen, der verdient auch nichts anderes als Geld.

ANONYM

Das schöne Gefühl, Geld zu haben, ist nicht so intensiv wie das Scheißgefühl, kein Geld zu haben.

HERBERT ACHTERNBUSCH

Mit dem Geld ist es genauso wie mit dem Sex: Man denkt an nichts anderes, wenn man es nicht hat, und an anderes, wenn man es hat.

JAMES BALDWIN

Mit Geld kann man einen guten Hund kaufen, aber es wird nicht das Wedeln des Schwanzes erworben.

JOSH BILLINGS

Bargeld ist die Kreditkarte des armen Mannes.

WALTER CAVANAGH

Geld

Geld ist nur wichtig, wenn man es nicht hat.

HARRISON FORD

Wenn man kein Geld hat, denkt man immer an Geld. Wenn man Geld hat, denkt man nur noch an Geld.

PAUL GETTY SR.

Ein weinender Pfarrer und eine lachende Wirtin nimmt den Leuten das Geld aus dem Beutel.

JEAN PAUL

Wenn man genug Geld hat, stellt sich der gute Ruf ganz von selbst ein.

ERICH KÄSTNER

Geld regiert die Welt. Danach sieht sie auch aus.

RICHARD KATZ

An der Börse kommen erst die Schmerzen, dann das Geld.

ANDRÉ KOSTOLANY

Geld ist die einzige Macht, auf die Verlaß ist.

MADONNA

Sobald einer genug Geld hat, fragt keiner mehr, woher er es hat.

NORMAN MAILER

Geld

Geld hat die unangenehme Eigenschaft, nicht den Gesetzen der Schwerkraft zu unterliegen. Es bewegt sich immer von unten nach oben.

LOTHAR DE MAIZIÈRE

Mit Geld kann man sich keine Freunde kaufen, aber man bekommt dadurch hochklassige Feinde.

SPIKE MILLIGAN

Geld hat bestechende Eigenschaften.

WERNER MITSCH

Es ist nicht alles Geld, was stinkt.

WOLFGANG MOCHER

Geld besitzen ist eine noch größere Tortur als es zu erwerben.

SENECA

Das einzige, was man ohne Geld machen kann, sind Schulden.

HEINZ SCHENK

Mit dem Geld ist es wie mit dem Toilettenpapier. Wenn man es braucht, braucht man es dringend.

UPTON SINCLAIR

Wer den Verlust fürchtet, der kann keine Gewinne machen.

GEORGE SOROS

Geld

Vielleicht verdirbt Geld den Charakter ... auf keinen Fall aber macht Mangel an Geld ihn besser.

JOHN STEINBECK

Man sollte nur von Pessimisten Geld borgen, denn sie erwarten ohnehin nicht, daß sie es jemals zurückbekommen.

GEORG THOMALLA

Meistens lebt man über seine Verhältnisse, wenn man welche hat.

OTTO WAALKES

Damit das Geld wieder bei der Tür hereinkommt, ist man geradazu verpflichtet, es vorher zum Fenster hinauszuwerfen.

HANS HERMANN WEYER

Sobald es um Geld geht, sind Eltern und Kinder Fremde.

AUS JAPAN

Natürlich ist Geld nicht alles – aber es hilft einem, mit seinen Kindern besser in Kontakt zu bleiben.

AUS DEN USA

Ein Mensch ohne Geld ist wie ein Wolf ohne Zähne.

AUS FRANKREICH

Geld

Geldgeschenke sind phantasielos, vor allem kleine.

WERNER MITSCH

Gelegenheit

Verpasse niemals die Gelegenheit, mit jemanden ins Bett zu gehen oder im Fernsehen aufzutreten.

GORE VIDAL

Gelegenheitskauf

Eine Frau davon zu überzeugen, daß auch ein Gelegenheitskauf Geld kostet, ist eine der schwierigsten Aufgaben des Lebens.

EDGAR W. HOWE

Gelehrsamkeit

Gelehrsamkeit: Staub, aus einem Buch in einen leeren Schädel geblasen.

AMBROSE BIERCE

Geliebte

Eine Geliebte wählt man nicht. Sie bricht über einen herein.

CLAUDE ANET

Liebt eure Geliebte stark, verwegen, orientalisch, wild und von Herzen.

CHARLES BAUDELAIRE

Die vollkommene Geliebte ist ganz Gegenwart. Vergangenheit hat sie vergessen, Zukunft kümmert sie nicht.

FRANZ BLEI

Geliebter

Ein Geliebter ist ein Mann, den man nicht heiratet, weil man ihn gern hat.

VANESSA REDGRAVE

Eine große Liebe läßt sich durch die Wirklichkeit des Geliebten nicht stören.

HANNAH ARENDT

Meinen konservativen Freundinnen, die mir meine jungen Geliebten vorhalten, sage ich: »Verpißt euch oder nehmt euch selber einen.«

URSULA ANDRESS

Geltungsbedürfnis

Es gibt Menschen, die heiser werden, wenn sie ununterbrochen acht Tage lang mit keinem ein Wort gesprochen haben.

KARL KRAUS

Der Mensch hat viele Bedürfnisse. Geltungsbedürfnis steht obenan.

LOTHAR SCHMIDT

Gemeinschaftsgefühl

Gemeinschaftsgefühl – das ist PR-Mist, der in den dreißiger Jahren von Großfirmen erfunden wurde, als sie Angst vor dem Zusammenbruch ihrer Gesellschaft bekamen.

NOAH CHOMSKY

General

Der General: ein Gefreiter, der mehrmals befördert wurde.

GABRIEL LAUB

Generationen

Mein Vater hatte Angst vor seiner Mutter. Ich hatte Angst vor meinem Vater. Und ich werde verdammt nochmal alles dafür tun, daß meine Kinder Angst vor mir haben.

KÖNIG GEORGE V.

Der Großvater kauft, der Vater baut, der Sohn verkauft, der Enkel geht betteln.

AUS SCHOTTLAND

Die Kinder müssen noch auslöffeln, was die Alten ihnen eingebrockt haben.

AUS DEUTSCHLAND

Generationskrieg

Es ist der einzige Krieg, in dem jeder die Seiten wechselt.

CYRIL CONNOLLY

Genie

Die Juden haben drei wahre Genies hervorgebracht: Christus, Spinoza und mich.

GERTRUDE STEIN

Genie hat kein Geschlecht.

GERMAINE DE STAËL

Es dauert ganz schön lange, bis man endlich ein Genie ist. Man muß soviel rumsitzen und nichts tun, einfach nichts.

GERTRUDE STEIN

Was glauben Sie denn, wer noch zählt, außer Shakespeare und mir?

GERTRUDE STEIN

Genie

Weder Herkunft noch Geschlecht setzen dem Genie Grenzen.

CHARLOTTE BRONTË

Die meisten Gedankenflüge haben nur einen Passagier.

ANONYM

Genie ist nichts als eine größere Eignung zur Geduld.

GEORGS LOUIS LECLERC DE BUFFON

Die Aufzucht der Genies sollte man nicht unbedingt mit Kretins beginnen.

STANISŁAW JERZY LEC

Jedes Kind ist gewissermaßen ein Genie, und jedes Genie ist gewissermaßen ein Kind.

ARTHUR SCHOPENHAUER

Das Talent arbeitet, das Genie schafft.

ROBERT SCHUMANN

Nicht jedes Genie wird eins.

GERHARD UHLENBRUCK

Gentleman

Ein Gentleman ist ein Mann, der wenigstens von Zeit zu Zeit so ist, wie er immer sein sollte.

VIVIEN LEIGH

Gentleman

Ein Gentleman beherrscht die Fähigkeit, die Gedanken einer Frau zu erraten, ohne daß sie ihm auf die Sprünge zu helfen braucht.

ELIZABETH TAYLOR

Ein Gentleman ist ein Mann, mit dem man noch nicht im Kino war.

MARISA MELL

Ein Gentleman ist genau das, was das Wort besagt: ein Mann, der vornehm, milde und ruhig ist, der gute Manieren hat, dem man vertrauen kann; ein Mann, der einen nie enttäuschen wird.

MARLENE DIETRICH

Heutzutage gilt ein Mann schon als Gentleman, wenn er die Zigarette aus dem Mund nimmt, bevor er eine Frau küßt.

BARBRA STREISAND

Ein Gentleman ist ein Mann, in dessen Gesellschaft die Frauen zu blühen beginnen.

JEANNE MOREAU

Ein Gentlemen ist jeder, der nie eine Frau schlagen würde, solange er einen Hut aufhat.

FRED ALLEN

Gentleman

Nicht mal heutzutage kann ein Mann losziehen und eine Frau umbringen, ohne sich dabei ein bißchen unhöflich zu fühlen.

ROBERT BENCHLEY

Gentleman ist ein Mann, der einer Frau gegenüber nicht aus dem Rahmen fällt, auch wenn er über sie im Bilde ist.

WERNER FINCK

Ein Gentleman ist ein Mann, der eine Frau solange beschützt, bis er mit ihr allein ist.

ALEC GUINNESS

Zum Gentleman gehört auch die Fähgikeit, sich mit Würde betrügen zu lassen.

ALEC GUINNESS

Ein Gentleman ist ein Mann, der eine verheiratete Frau nur dann nach Hause bringt, wenn er ganz bestimmt weiß, daß der Gatte nicht daheim ist.

PETER THOMSON

Ein Dieb, den das Stehlen reich gemacht hat, gilt als Gentleman.

AUS ENGLAND

Genügsamkeit

Wem genug zuwenig ist, dem ist nichts genug.

EPIKUR

Genügsamkeit

Der Anfang der Genügsamkeit: gleichen Lohn für halbe Arbeit.

MANFRED STAHL

Genuß

Lieber mit Fettleber als ohne Rückgrat.

ANONYM

Selbst ißt der Mann.

ANONYM

Für wirklich schlechte Weine ist das Leben zu kurz.

MICHAEL BROADBENT

Gerechtigkeit

Gerechtigkeit: Gebrauchsgegenstand, den der Staat in mehr oder minder verdorbenem Zustand dem Bürger verkauft, als Entgelt für dessen Treue, Steuerzahlung und persönlichen Dienste.

AMBROSE BIERCE

Wer wenig nimmt, glaubt noch an Gerechtigkeit. Wer viel nimmt, hat seine Erfahrungen mit ihr.

FRANK FELDMAN

Gib nie einem Dummkopf eine faire Chance.

W. C. FIELDS

Das Unrecht triumphiert, sobald die Gerechtigkeit ihren Lauf nimmt.

MARTIN KESSEL

Gerechtigkeit

Vor dem Recht sind alle gleich. Aber nicht vor den Rechtssprechern.

STANISŁAW JERZY LEC

Gerücht

Was geflüstert wird, wird am leichtesten geglaubt.

SIMONE DE BEAUVOIR

Wenn ich all das gemacht hätte, was mir nachgesagt wird, würde ich jetzt aus einem Labor-Schauglas der Harvard University zu Ihnen reden.

FRANK SINATRA

Gesang

Alles, was zu dumm ist, um gesprochen zu werden, wird gesungen.

VOLTAIRE

Geschäft

Ich begreife nicht, warum man über geschäftstüchtige Frauen die Nase rümpft. Meines Wissens ist Geschäftstüchtigkeit kein sekundäres männliches Geschlechtsmerkmal.

JANE FONDA

Ich weiß natürlich, wie wichtig es ist, eine geschäftliche Verabredung nicht einzuhalten, wenn man sich ein Gefühl für die Schönheit des Lebens bewahren will.

OSCAR WILDE

Geschenk

Geschenke sind wie Ratschläge: Vergnügen bereiten sie vor allem demjenigen am meisten, der sie gibt.

EMILE HENRIOT

Ein Geschenk ist genau soviel wert wie die Liebe, mit der es ausgesucht worden ist.

THYDE MONNIER

Geschichte

1989 war die Utopie vom Vormittag die Wirklichkeit vom Nachmittag.

TIMOTHY GARTON ASH

Was kennen wir aus der Geschichte? Daß aus der Geschichte nichts zu lernen ist.

WOLF BIERMANN

Ich glaube nicht, daß man durch beharrliches Starren ins Chaos weiser und besser wird.

JACOB BURCKHARDT

Leute, die Geschichte machen, haben keine Ahnung von Geschichte. Man erkennt das an der Art von Geschichte, die sie machen.

GILBERT KEITH CHESTERTON

Die Geschichte wird freundlicher mit mir umgehen, denn ich habe vor, sie zu schreiben.

WINSTON CHURCHILL

Geschichte

Die Geschichte wiederholt *sich*. Geschichtswissenschaftler wiederholen *einander*.

PHILIP GUEDALLA

Männer machen nicht immer Geschichte, wohl aber Geschichten.

WERNER KOLLATH

Auch die größten Schurken der Geschichte enden als Musicalfiguren.

HANS KOLLHOFF

Ich könnte mir denken, daß die Geschichtsschreibung alle gewesenen Epochen der Menschheit, von der Urzeit bis zur Gegenwart, dereinst als das »Zeitalter des Infantilismus« zusammenfaßt.

ANTON KUH

Nur wenige sahen es dem 19. Jahrhundert an, daß ihm das 20. folgen würde.

STANISŁAW JERZY LEC

Auch an den Kreuzwegen der Geschichte versucht die Polizei den Verkehr zu regeln.

STANISŁAW JERZY LEC

Die Geschichte lehrt, wie man sie fälscht.

STANISŁAW JERZY LEC

Geschichte

Weiße Flecken werden in unserem Klima schneller braun als rot.

HEINER MÜLLER

Das Rad der Geschichte dreht sich. Besonders für die daran Geflochtenen.

WERNER SCHNEYDER

Weltgeschichte ist eine Verschwörung der Diplomaten gegen den gesunden Menschenverstand.

ARTHUR SCHNITZLER

Die Geschichte wiederholt sich nicht, aber die Leichtfertigkeit, mit der sie gemacht wird.

WOLFRAM WEIDNER

Die Geschichte fing schlecht an und ist beständig schlechter geworden.

GEOFFREY WILLIAMS / RONALD SEARLE

Geschlecht

Ich persönlich empfinde es als Last, überhaupt ein Geschlecht zu haben.

PATTY SMITH

Der Grund, warum Männer und Frauen einander nicht verstehen: Sie gehören verschiedenen Geschlechtern an.

DOROTHY DIX

Geschlecht

Gibt es etwas Dümmeres als das Protzen mit seinem Geschlecht? Kann sich ein geistreicher Mann auf eine Eigenschaft etwas einbilden, die er mit unzähligen Nullen gemein hat?

ISOLDE KURZ

Die Männer halten sich für das starke Geschlecht, weil die Frauen aus ästhetischen Gründen darauf verzichtet haben, Muskeln zu entwickeln.

FRANÇOISE SAGAN

Männer, die einer Frau zeigen, daß sie sich als das schwache Geschlecht fühlen, sind gefährlich.

FELICITAS VON REZNICEK

Es gibt drei Geschlechter: Männer, Frauen und Mädchen.

AMBROSE BIERCE

Die Gesellschaft, die die Männer hinreichend verkleinert, macht die Frauen zu nichts.

NICOLAS CHAMFORT

Männer schließen von einer Frau auf alle, Frauen schließen von allen Männern auf einen.

BEN KINGSLEY

Geschlecht

Wer soll im Kampf der Geschlechter unparteiischer Richter sein? Ein Zwitter?

STANISŁAW JERZY LEC

Die Erotik des Mannes ist die Sexualität des Weibes.

KARL KRAUS

Ein Weib ohne Spiegel und ein Mann ohne Selbstbewußtsein – wie sollten die sich durch die Welt schlagen?

KARL KRAUS

Treu und Glauben im Geschlechtsverkehr ist eine Börsenusance.

KARL KRAUS

Geschmack

Die Männer haben einen sehr sicheren Geschmack: Sie wünschen sich immer eine andere Frau, als sie gerade haben.

BARBRA STREISAND

Es gibt Frauen, die wohl bemerken, was eine andere kleidet, aber bei sich selbst verläßt sie der gute Geschmack.

ELIZABETH SCHULER

Guter Geschmack ist die Fähigkeit kontinuierlich den Übertreibungen entgegenzuwirken.

HUGO VON HOFMANNSTHAL

Geschmack

Einen schlechten Geschmack kann niemand haben, aber gar keinen haben manche Leute.

GEORG CHRISTOPH LICHTENBERG

Geschwindigkeit

Geschwindigkeitsbegrenzung ist für viele männliche Autofahrer so etwas wie eine amtlich verfügte Potenzminderung.

SILVIA MINGOTTI

Geschwister

Wird ein Sohn nach drei Töchtern geboren, so ist ihm bestimmt, ein Bettler zu werden; ist eine Tochter nach drei Söhnen geboren, wird sie ein Königreich regieren.

AUS INDIEN

Gesellschaft

Die Gesellschaft besteht aus zwei großen Klassen: die einen haben Mahlzeiten, größer als ihr Appetit, die anderen haben Appetit, größer als ihre Mahlzeiten.

NICOLAS CHAMFORT

Die Stillen haben heute nicht die geringste Chance, ausgenommen auf dem Friedhof.

NORMAN MAILER

In unserer Gesellschaft gilt die moralische Regel: In dubio Prosecco.

HELLMUTH KARASEK

Ehe und Konvention sind die Bausteine der Gesellschaft, die Lüge ist der Kitt.

HANS KASPER

Gesellschaft

Die Grenze der Gesellschaft ist ranzig.

HANNS-DIETRICH VON SEYDLITZ

Impotenz und Sodomie sind gesellschaftlich akzeptabel, Geburtenkontrolle ist allerdings entsetzlich Mittelschicht.

EVELYN WAUGH

Das Laster der Kleinstadt ist Klatsch, das Laster der Großstadt die Gleichgültigkeit.

TOM WOLFE

Gähnen und Unsinn stecken in Gesellschaft an.

AUS GRIECHENLAND

Gesetz

Mit Gesetzen ist es wie mit Würstchen. Es ist besser, wenn man nicht sieht, wie sie gemacht werden.

OTTO VON BISMARCK

Wenn die Menschen ehrlich sind, sind Gesetze nutzlos; wenn die Menschen korrupt sind, werden die Gesetze gebrochen.

BENJAMIN DISRAELI

Wenn man alle Gesetze studieren sollte, so hätte man gar keine Zeit, sie zu übertreten.

JOHANN WOLFGANG VON GOETHE

Gesetze – die Freiheit der anderen.

GEORG OPITZ

Gesetz

Gesetze sind wie Spinnweben, die kleine Fliegen fangen, aber Wespen und Hornissen entkommen lassen.

JONATHAN SWIFT

Gesicht

Die Natur gibt uns das Gesicht, das wir mit zwanzig haben. Das Leben formt das Gesicht, das wir mit dreißig haben. Aber das Gesicht, das wir mit fünfzig haben, müssen wir uns selber verdienen.

COCO CHANEL

Es gibt wenig Menschen, die ein gescheites Gesicht machen können, wenn sie nach der Sonne sehen.

GEORG CHRISTOPH LICHTENBERG

Die unterhaltendste Fläche auf der Erde für uns ist die vom menschlichen Gesicht.

GEORG CHRISTOPH LICHTENBERG

Wenn ich zwei Gesichter hätte, würde ich dann mein jetziges tragen?

ABRAHAM LINCOLN

Gespräch

Der eigentliche Spaß beim Gespräch ist herauszufinden, was jemand wirklich denkt – und das dann den gewaltigen Lügen gegenüberzustellen, die er beim ganzen Abendessen, vielleicht in seinem ganzen Leben erzählt hat.

BENJAMIN DISRAELI

Gespräch	Es gibt zwei Dinge im normalen Gespräch, die normale Leute nicht mögen – Informationen und Witz. STEPHEN LEACOCK
	Der Gegensatz von Reden ist nicht Zuhören. Der Gegensatz von Reden ist Warten. FRAN LEBOWITZ
	Lieber im Gespräch sein als ins Gerede kommen. HANS-HORST SKUPY
	Sprich nicht, während ich dich unterbreche. BILLY WILDER
Geständnis	Geständnis nennt man den Vorgang, wenn ein Mann gerade noch zuvorkommt, bevor seine Frau dahinterkommt. EDITH HANCKE
Gestotter	Gestotter – redliche Mühe. ELAZAR BENYOËTZ
Gesundheit	Jede Gesundheit ist gemeinhin tödlich, wenn sie lange anhält, etwa 70, 80 Jahre. JEAN PAUL
	Zeig mir einen gesunden Mann, und ich werde ihn heilen. CARL GUSTAV JUNG

Gesundheit

Wie geht's, sagte ein Blinder zu einem Lahmen. Wie Sie sehen, antwortete der Lahme.

GEORG CHRISTOPH LICHTENBERG

Gesundheit ist das, was verhindert, daß man an jeder schweren Krankheit stirbt.

GEORGES PERROS

Früh aufstehen und früh ins Bett gehen macht Männer gesund, mächtig und tot.

JAMES THURBER

Vorsicht beim Lesen von Gesundheitsbüchern. Du könntest an einem Druckfehler sterben.

MARK TWAIN

Gesundheit ist die Summe aller Krankheiten, die man nicht hat.

GERHARD UHLENBRUCK

In der einen Hälfte des Lebens opfern wir unsere Gesundheit, um Geld zu erwerben. In der anderen Hälfte opfern wir Geld, um die Gesundheit wiederzuerlangen.

VOLTAIRE

Gesundheit: Krankheiten auf Urlaub.

HELLMUT WALTERS

Gesundheit ist am meisten wert – Geld aber auch.

AUS RUSSLAND

Gewalt

Schrecklich sind die Schwächen der Gewalt.

STANISŁAW JERZY LEC

Gewicht

Frauen sollten lieber versuchen, zuzunehmen, statt dünner zu werden. Denn je dicker wir sind, desto mehr Platz beanspruchen wir, und desto mehr muß man mit uns rechnen. Ich finde, alle Frauen sollten so fett sein wie ich.

ROSEANNE ARNOLD

Es ist nicht einfach, Gewicht zu verlieren. Ich habe Walking gemacht, bin jeden Tag drei Kilometer gejoggt. Aber wissen Sie, was die beste Methode ist? Junge Männer.

ARETHA FRANKLIN

Ich bin nicht eins von diesen kleinen unscheinbaren Dingern. Ich habe einen Hintern und Brüste. Das ist großartig. Manchmal erzähle ich den Leuten, daß ich zehn Pfund mehr wiege, als ich wirklich auf die Waage bringe.

COURTNEY LOVE

Nichts macht eine Frau dicker als ein Mann.

ZSA ZSA GABOR

Ich fühle mich schöner, wenn ich ein bißchen schwerer bin.

ANDIE MACDOWELL

Gewicht

Wie man ißt, so wiegt man.

ANONYM

Gewinn

Der Gewinn anderer wird fast wie ein eigener Verlust empfunden.

WILHELM BUSCH

Gewissen

Ein schlechtes Gewissen ist die Mutter vieler guter Erfindungen.

CAROLYN WELLS

Wenn das Gewissen ein Rotlicht ist, dann bemühen sich die meisten, noch schnell bei Gelb über die Kreuzung zu kommen.

SENTA BERGER

Das schlechte Gewissen entsteht aus guten Freunden.

ELAZAR BENYOËTZ

Am ruhigsten schläft das Gewissen auf dem Stempelkissen.

GÜNTER HARTMANN

Schlechtes Gewissen macht schlechten Teint.

ANTON KUH

Auch die Stimme des Gewissens macht einen Stimmbruch mit.

STANISŁAW JERZY LEC

Gewissen

Sein Gewissen war rein. Er benutzte es nie.

STANISŁAW JERZY LEC

Gewissensbisse

Gewissensbisse sind die sadistischen Regungen des Christentums.

KARL KRAUS

Gewissensbisse sind das erste Symptom der schwindenden Männerschaft.

ANTON KUH

Jeder Gewissensbiß ist ein Ahnen Gottes.

PETER USTINOV

Gewißheit

Es gibt nur eines, dessen ich ganz gewiß bin, und das ist die Tatsache, daß es nur sehr wenig gibt, dessen wir uns gewiß sein können.

WILLIAM SOMERSET MAUGHAM

Gewohnheit

Die Liebe überwindet den Tod – aber es kommt vor, daß eine kleine üble Gewohnheit die Liebe überwindet.

MARIE VON EBNER-ESCHENBACH

Giftmüll

Das einzige, was heute zurück zur Natur geht, ist der Giftmüll.

ERNST DITTRICH

Gin

Ich praktiziere starke Selbstkontrolle: Vor dem Frühstück trinke ich grundsätzlich nichts Stärkeres als Gin.

W. C. FIELDS

Glamour

Jedes junge Mädchen kann glamourös sein. Es muß nur stillstehen und dumm gucken.

HEDI LAMARR

Glamour ist nichts weiter als zivilisierter Sex.

DOROTHY LAMOUR

Glatze

Glatze: Immer zu früh. Verursacht durch jugendliche Ausschweifungen oder die Konzeption großer Gedanken.

GUSTAVE FLAUBERT

Glaube

Jeder sollte irgend etwas glauben; ich glaube, ich sollte noch einen Drink nehmen.

ANONYM

Der Glaube duldet keine Überzeugung neben sind.

ELAZAR BENYOËTZ

Mein einziger Glaube ist der an die menschliche Dummheit. Und der bringt mir hohe, regelmäßige Zinsen.

ADAM CHLEDOWSKI

Wo der Glaube versagt, hilft die Statistik.

WERNER EHRENFORTH

Wer an andere glaubt, sollte eine gute Konstitution mitbringen.

FRANK FELDMAN

Glaube

Ob ich gläubig bin? Das weiß nur Gott allein.

STANISŁAW JERZY LEC

Bei den meisten Menschen gründet sich der Unglaube an einer Sache auf blinden Glauben in einer anderen.

GEORG CHRISTOPH LICHTENBERG

Wer an Gott glaubt, muß auch mit dem Teufel rechnen.

WERNER MITSCH

Glauben ist auf etwas zu vertrauen, von dem du weißt, daß es nicht existiert.

MARK TWAIN

Gleichberechtigung

Ich wünsche mir, daß die Männer endlich gleichberechtigt werden.

PETRA SCHÜRMANN

Was immer eine Frau macht, muß sie doppelt so gut machen wie ein Mann, damit sie für halb so gut gehalten wird. Zum Glück ist das nicht schwer.

CHARLOTTE WHITTON

Eine Frau, die sich für intelligent hält, verlangt die Gleichberechtigung mit dem Mann. Eine Frau, die intelligent ist, tut das nicht.

COLETTE

Gleichberechtigung

Es gibt nur sehr wenige Berufe, die einen Penis oder eine Vagina erfordern. Alle anderen Berufe sollten jedem gleichermaßen zugänglich sein.

FLORYNCE R. KENNEDY

Ich lasse mir den Glauben nicht nehmen, daß manche Männer mir ebenbürtig sind.

BRIGID BROPHY

Die Gleichberechtigung ist eine gefährliche Sache. Vielleicht fällt es den Männern ja ein, alle drei Tage zum Friseur zu gehen und jeden Monat einen neuen Anzug haben zu wollen und sofort eine Szene zu machen, wenn sie das nicht bekommen.

CYNTHIA WELLS

Unter Gleichberechtigung verstehen manche Männer, daß sie auch eine Freundin haben möchten, weil ihre Frau ebenfalls eine Freundin hat.

LISA GOCCIONI

Die Gleichberechtigung der Geschlechter wird erst dann erreicht sein, wenn mittelmäßige Frauen hohe Ämter bekleiden.

FRANÇOISE GIROUD

Gleichberechtigung

Gleichberechtigung zwischen Mann und Frau ist nur möglich, wenn die Frau sich unterordnet.

MARTIAL

Ich habe meine Finger gleichgerechtigt und bohre jeden Tag mit einem anderen in der Nase.

FRANZ XAVER NEUWIRTH

Die Gleichberechtigung der Frau verstößt gegen das Sittengesetz.

FRANZ-JOSEPH WÜRMLING

Gleichgültigkeit

Die Wissenschaft hat Mittel zur Behandlung der meisten Krankheiten gefunden. Aber sie hat noch kein Heilmittel für das schlimmste aller Übel entdeckt – die Gleichgültigkeit.

HELEN KELLER

Die Gleichgültigkeit ist auch ein legitimes Kind der Toleranz.

NIKOLAUS CYBINSKI

Gleichheit

Das Postulat der Gleichheit aller Menschen beruht auf dem Postulat der Ungleichheit des Menschen mit allen anderen Lebewesen.

ANONYM

Gleichheit

Politisch: Imaginärer Zustand, bei dem Schädel gezählt werden statt Gehirne, Verdienst durch das Los und Bestrafung durch Beförderung bestimmt werden.

AMBROSE BIERCE

Vor Gott waren alle Menschen gleich, nach ihm gibt es Unterschiede.

VOLKER ERHARDT

Alle Menschen sind gleich. Es sei denn, sie sind Politiker.

HANS-HORST SKUPY

Vor dem Fernseher sind alle gleich.

HANS-HORST SKUPY

Jeder ist vor dem Gesetz gleich. Das Nähere regeln Ausländergesetze, Parteibuch, Geschlecht, Alter und Dienstgrad.

GERD WOLLSCHON

Globus

Globus: Sittsamer Ausdruck zur Umschreibung der weiblichen Brüste. »Lassen Sie mich Ihre anbetungswürdigen Globen küssen.«

GUSTAVE FLAUBERT

Glück

Die meisten Frauen sind glücklicher durch das, was ihr Mann unterläßt, als durch das, was er tut.

VIVIEN PRICKER

Glück

Wie soll man denn überhaupt wissen, was Glück ist, wenn man ihm nie begegnet ist?

CLEO KRETSCHMER

Glück ist gute Gesundheit und ein schlechtes Gedächtnis.

INGRID BERGMAN

Das Glück kommt lautlos, aber man hört, wenn es geht.

ANNEMARIE SELINKO

Man darf nicht mehr Glück verbrauchen, als man erzeugt.

GLENN CLOSE

Dumm sein und Arbeit haben, das ist das Glück.

GOTTFRIED BENN

Angenehmes Gefühl; erblüht aus der Betrachtung fremden Elends.

AMBROSE BIERCE

Das Glück kommt nie zweifach, aber das Unheil selten allein.

MEISTER DSI

Glück

Das höchste Glück des Lebens besteht in der Überzeugung, geliebt zu sein.

VICTOR HUGO

Ein glücklicher Mensch ist seltener als eine weiße Krähe.

JUVENAL

Die meisten Menschen wären glücklich, wenn sie sich das Leben leisten könnten, das sie sich leisten.

DANNY KAYE

Das individuelle Glück ist kurz, erfolgreich ist das gebrochene Kreuz.

FRIEDRICH WILHELM KORFF

Mehr als drei Chancen hat kein Mensch.

HELMUT LANG

Gib acht, daß du nicht zufällig unter das Glücksrad eines anderen gerätst.

STANISŁAW JERZY LEC

Es war ein so schöner Tag, daß ich dachte, es wäre ein Jammer aufzustehen.

WILLIAM SOMERSET MAUGHAM

Ginge es nach rein vernünftigen Gesichtspunkten, dann gibt es keinen Grund, die Forderung zu unterstützen, man solle das eigene Glück dem der anderen opfern.

WILLIAM SOMERSET MAUGHAM

Glück

Ich bin so etwas wie ein umgekehrter Paranoiker. Ich verdächtige Menschen, daß sie sich verbünden, um mich glücklich zu machen.

JEROME D. SALINGER

Glück ist, wenn man zusieht, wie die Zeit vergeht und hofft, daß sie für einen arbeitet.

WERNER SCHNEYDER

Glücklich ist nicht, wer anderen so erscheint, sondern wer sich selbst dafür hält.

SENECA

Es gibt im Leben zwei Tragödien: Die eine ist, den eigenen Herzenswunsch nicht erfüllt zu bekommen, die andere, daß genau das geschieht.

GEORGE BERNARD SHAW

Ein ganzes Leben erfüllt von Glück! Kein lebender Mensch könnte das ertragen: Es wäre die Hölle auf Erden.

GEORGE BERNARD SHAW

Das Glück unterscheidet sich von Unglück vor allem durch die kurze Dauer.

GERHARD UHLENBRUCH

Glück	Lieber vulgär und glücklich als gut gestylt und langweilig. GIANNI VERSACE
	Glück wird vom Magen hervorgerufen. VOLTAIRE
	Wären die Menschen mit ihrem Glück so zufrieden wie mit ihrem Verstande – welche Millionen Glücklicher. KARL JULIUS WEBER
	Ich habe nie das Glück gesucht. Wer braucht Glück? Ich habe den Genuß gesucht. OSCAR WILDE
	Alle Dinge, die ich wirklich gerne machen würde, sind entweder ungesetzlich, unmoralisch oder machen dick. ALEXANDER WOOLLCOTT
Goldenes Zeitalter	Das goldene Zeitalter war damals, als das Gold noch nicht herrschte. AUS FRANKREICH
Golf	Golf ist ein verdorbener Spaziergang. KURT TUCHOLSKY
Gordischer Knoten	Gordischer Knoten: Methode der Alten, ihre Krawatte zu binden. GUSTAVE FLAUBERT

Gott

Als Gott den Mann schuf, übte sie nur.

ANONYM

Ohne Frauen geht es nicht, das hat sogar Gott einsehen müssen.

ELEONORA DUSE

Auch Gott lernt dazu. Man merkt das an den Verbesserungen bei der Erschaffung der Frau gegenüber der des Mannes.

ZSA ZSA GABOR

Im Tierreich sind die Männchen schöner als die Weibchen. Diesen Fehler hat Gott beim Menschen korrigiert.

CLAUDIA BINI

Die Frauen geben sich Gott hin, wenn der Teufel nichts mehr mit ihnen zu tun haben will.

SOPHIE ARNOULD

Ich weiß, daß Gott keine Frau ist. Eine Frau hätte die Menschheit nicht mit so vielen Fehlern geschaffen.

JILL M. CONSIDEINE

Wenn wir mit Gott sprechen, beten wir. Wenn Gott zu uns spricht, sind wir schizophren.

LILY TOMLIN

Gott

Ich werde in meiner letzten Stunde nicht nach einem Priester schicken, Reue zeigen oder Buße tun. Wenn Gott mich verdammt, weil ich keinen Handel mit ihm abschließe, ist das Pech. Mit so jemandem würde ich sowieso nicht die Ewigkeit verbringen wollen.

MARY McCARTHY

Ich würde eher glauben, daß es Gott nicht gibt, als zu glauben, daß er sich gleichgültig verhalten hat.

GEORGE SAND

Ich mache mir keine Gedanken darüber, ob Gott existiert. Aber ich habe den Eindruck, Gott leidet an Alzheimer und hat vergessen, daß wir existieren.

JANE WAGNER

An Götter zu glauben stiftet immer Verwirrung.

PEARL S. BUCK

Ich persönlich bin göttlicher als jeder Mensch.

MARGARET FULLER

Gott sieht alles! Aber er petzt nicht.

ANONYM

Gott ist nicht tot. Er lebt, es geht ihm gut, und mittlerweile arbeitet er an einem weniger ehrgeizigen Projekt.

ANONYM

Gott

Es ist angenehm zu sehen, wie es in der Welt zugehen könnte, wenn Gott nur höhere Budgets und bessere Drehbuchschreiber hätte.

WOODY ALLEN

Gäbe Gott mir doch nur ein eindeutiges Zeichen seiner Existenz! Zum Beispiel indem er unter meinem Namen eine erhebliche Zahlung auf ein schweizer Bankkonto leistete.

WOODY ALLEN

Gott ist still; wenn wir nur endlich die Menschheit dazu bringen könnten, die Klappe zu halten.

WOODY ALLEN

Ich war Gott sei Dank immer Atheist.

LUIS BUÑUEL

Eine Entschuldigung für den Teufel: Man darf nicht vergessen, daß wir in dem ganzen Fall immer nur eine Seite gehört haben: Gott hat all die Bücher geschrieben.

SAMUEL BUTLER

Gott wird mir vergeben, das ist sein Geschäft.

HEINRICH HEINE

Die größte Glaubenstat ist, wenn ein Mann beschließt, nicht Gott zu sein.

OLIVER WENDELL HOLMES JR.

Gott

Wir nähern uns immer mehr der Entdeckung Gottes durch die Wissenschaft. Ich bange um sein Schicksal.

STANISŁAW JERZY LEC

Oh, wenn doch ein Gott sagte: »Glaubt mir!« und nicht »Glaubt an mich!«.

STANISŁAW JERZY LEC

Der Allmächtige leiht mir nicht sein Ohr, und ich schrecke davor zurück, Mutmaßungen über die Pläne anzustellen, die er mit dieser Welt hat. Aber es muß in den himmlischen Archiven irgendwo eine Akte geben, auf der der Vermerk steht: »Betr.: Völlige Zerstörung durch Feuer/Schwefel/Pest/Sintflut/Ungeheuer u.a.m.« Und ich habe das ungute Gefühl, Gott könnte gerade dabei sein, den Staub vom Deckel zu blasen.

BERNARD LEVIN

Der liebe Gott muß uns doch recht lieb haben, daß er immer in so schlechtem Wetter zu uns kommt.

GEORG CHRISTOPH LICHTENBERG

Der Hauptbeitrag des Protestantismus zum Denken der Menschheit ist der klare Beweis, daß Gott ein Langweiler ist.

HENRY LOUIS MENCKEN

Gott

Man kann sich unmöglich vorstellen, daß das Universum von einem weisen, gerechten und allmächtigen Gott regiert wird. Was allerdings leicht vorstellbar ist, ist ein Universum, das von einem Aufsichtsrat von Göttern regiert wird. Besteht ein Aufsichtsrat dieser Art in unserer heutigen Situation, dann verhält es sich exakt so wie der eines Unternehmers, dessen Geschäfte schlecht gehen.

HENRY LOUIS MENCKEN

Der Mensch ist wahrlich verrückt. Er kann nicht einmal einen Wurm erschaffen und erschafft doch dutzendweise Götter.

MICHEL DE MONTAIGNE

Ich glaube an Gott und einen guten Anwalt.

OLIVER NORTH

Der Teufel hätte vermutlich nicht so eine dicke Lippe riskiert, wenn Gott seine Frau gewesen wäre.

P. J. O'ROURKE

Wer sich daran macht, Gott und dem Mammon zu dienen, wird bald entdecken, daß es keinen Gott gibt.

LOGAN PERSALL SMITH

Nur eins ist für Gott unmöglich: irgendeinen Sinn in irgendeinem Urheberrechtsgesetz auf diesem Planeten zu entdecken.

MARK TWAIN

Gott

Gottvater ist tot. Er hinterließ zwei Testamente.

HEINRICH WIESNER

Wenn Gott auf Erden leben würde, würden ihm die Leute die Fenster einwerfen.

JÜDISCHES SPRICHWORT

Gotteslästerung

Alle großen Dinge beginnen als Gotteslästerung.

GEORG BERNARD SHAW

G-Punkt

Männer glauben an den G-Punkt.

ANONYM

Gouvernante

Gouvernante: Müssen immer besonders häßlich sein. Kommen immer aus einer sehr guten Familie, der ein Mißgeschick widerfuhr. Tragen alle blaue Brillen. Gefahr im Haus. Verderben den Ehemann.

GUSTAVE FLAUBERT

Grab

Ein Grab ist noch immer die beste Befestigung wider die Stürme des Schicksals.

GEORG CHRISTOPH LICHTENBERG

Greis

Ein verliebter Greis ist ein junger Narr.

ANONYM

Grenzen

Ein Land ist ein Stück Erde, auf allen Seiten von Grenzen umgeben, die typischerweise künstlich sind.

JOSEPH HELLER

Grenzkonflikte

Wehe dem Nachbarn, wenn ein Volk an der Grenze der Verzweiflung lebt.

STANISŁAW JERZY LEC

Größe

Wer sich zu groß fühlt, um kleine Aufgaben zu erfüllen, ist zu klein, um mit großen Aufgaben betreut zu werden.

JACQUES TATI

Größenwahn

Die Realität ist der größte Streßfaktor für alle, die mit ihr in Berührung kommen. Größenwahn bewirkt, daß ich mich selbst viel besser akzeptieren kann.

JANE WAGNER

Ich hatte früher mal den Größenwahn, bis ich in ein Varieté kam, wo ein dressierter Affe besser gefiel als ich.

OTTO REUTTER

Großeltern

Großeltern und Enkel kommen so gut miteinander aus, weil sie einen gemeisamen Feind haben.

SAM LEVERSON

Großmut

Ein Mensch mit einem großen Herzen *muß* an Gleichgewichtsstörungen leiden.

STANISŁAW JERZY LEC

Großvater

Ich kenne einen Menge Leute, die hunderttausend Dollar hergeben würden, um einen Großvater zu besitzen, und noch viel mehr für ein Familiengespenst.

OSCAR WILDE

Großzügigkeit

Die Weitherzigkeit ist nichts als das Mitleid der vornehmen Seelen.

NICOLAS CHAMFORT

Gründe

Gründe, die an den Haaren herbeigezerrt werden, sind immer die ersten, die eine Glatze bekommen.

MARTIN KESSEL

Die Menschen lassen sich im allgemeinen besser von solchen Gründen überzeugen, die sie selbst entdeckt haben, als von solchen, die anderen in den Sinn kamen.

BLAISE PASCAL

Grüne Witwe

Grüne Witwen sind Hinterbliebene von Männern, die noch leben.

SENTA BERGER

Grundfrage

Im Grunde geht es darum, ob das Weltall an einer Hecke oder an einem Stacheldrahtverhau endet.

STANISŁAW JERZY LEC

Grundsatz

Ich hab' nur einen Grundsatz, und das ist der, gar keinen Grundsatz zu haben.

JOHANN NESTROY

Grußkarte

Verschicken Sie keine lustigen Grußkarten zum Geburtstag oder zu Weihnachten. Bewahren Sie sie für Trauerfälle auf, wenn ihr fröhlicher Ton gebraucht wird.

P. J. O'ROURKE

Gürtellinie

Es hat schon etwas Tröstliches, daß unterhalb der Gürtellinie auch der klügste Professor sich nur wenig von einem Affen unterscheidet.

BRENDAN BEHAN

Güte

Güte: Eigenschaft eines Menschen, der fünf Dollar spendet, damit sein alter Großvater nicht im Armenhaus verhungere, und der dies in die Zeitung setzt.

AMBROSE BIERCE

Gut

Die heutige Form des Gutseins ist das Guthaben.

HELMUT ARNTZEN

Alle Menschen sind gut, und außerdem muß es auch böse Menschen geben.

HANS WEIGEL

Gute Vorsätze

Gute Vorsätze sind der Beginn schlechter Nachrede.

WERNER SCHNEYDER

Es ist ein Verhängnis mit allen guten Vorsätzen. Sie werden unweigerlich zu früh gefaßt.

OSCAR WILDE

Gute Vorsätze

Gute Vorsätze sind nutzlose Versuche, in wissenschaftliche Gesetze einzugreifen. Ihr Ursprung ist pure Eitelkeit. Ihr Resultat ist entschieden gleich Null.

OSCAR WILDE

Guter Rat

Einen guten Rat gebe ich immer weiter. Es ist das einzige, was man damit machen kann.

OSCAR WILDE

Guter Ruf

Der gute Ruf sitzt hinter dem Ofen, der schlechte läuft in der Welt herum.

AUS RUSSLAND

Gymnastik

Ich mag keine Gymnastik. Die Leute riechen danach.

ALEC Y. THORNTON

H

Haar in der Suppe

Es gibt Leute, die nur aus dem Grunde in jeder Suppe ein Haar finden, weil sie, wenn sie davorsitzen, so lange den Kopf schütteln, bis eins hineinfällt.

FRIEDRICH HEBBEL

Härte

Es gibt keine harten Frauen, nur weiche Männer.

RAQUEL WELCH

Hand

Wenn ein Mann einer Frau etwas ans Herz legt, dann bestimmt seine Hand.

HELEN VITA

Laß einem Mann eine Hand frei, und er wird sie überall auf dir spazierenführen.

MAE WEST

Es ist ja keineswegs so, daß die Frauen die besseren Menschen sind, sondern sie hatten nur bisher nicht soviel Gelegenheit, sich die Hände schmutzig zu machen.

ALICE SCHWARZER

Mit geballten Fäusten kann man sich nicht die Hände schütteln.

INDIRA GHANDI

Handelsregister Es ist moralisch weniger verwirrend, von einem Handelsregister geleimt zu werden als von einem Bischof.

WYSTAN HUGH AUDEN

Happy-End Auch das Happy-End ist nur ein Ende.

STANISŁAW JERZY LEC

Romanzen, die glücklich enden, mag ich nicht. Sie deprimieren mich so sehr.

OSCAR WILDE

Harem Wenn ein Mann sich ohne zwingenden Grund mehrere Autos hält, so ist das ein gefühlsmäßiger Ersatz für einen Harem.

JOHN HALLIBUTON

Harte Zeiten Kann sich irgendwer erinnern, daß die Zeiten einmal nicht hart waren und das Geld nicht knapp?

RALPH WALDO EMERSON

Haschisch Haschisch ist der Heurige für Trinkfaule.

WERNER SCHNEYDER

Haß Ich habe niemals einen Mann so sehr gehaßt, daß ich ihm seine Diamanten zurückgegeben hätte.

ZSA ZSA GABOR

Ich liebe die Menschheit, aber ich hasse die Leute.

EDNA ST. VINCENT MILLAY

Haß

Haß ist oft die stärkste Anerkennung, deren ein niedriger Mensch fähig ist.

MICHAEL JOSEF EISLER

Wer liebt, ist blind. Wer haßt, sieht Gespenster.

MAURUS JÓKAI

Sei sparsam! Hasse nicht, wo du mit Verachtung auskommst.

RODA RODA

Haß ist die Rache des Feiglings dafür, daß er eingeschüchtert wird.

GEORGE BERNARD SHAW

Haß ist die unbefriedigte Habgier der Liebe.

GERHARD UHLENBRUCK

Hausarbeit

Ich hasse Hausarbeit! Man macht die Betten, wäscht das Geschirr ab – und sechs Monate später geht's wieder von vorne los.

JOAN RIVERS

Der Haß auf die Hausarbeit ist eine natürliche und bewundernswerte Folge der Zivilisierung.

REBECCA WEST

Hausbesitzer

Der Philosoph wie der Hausbesitzer hat immer Reparaturen.

WILHELM BUSCH

Hausfrau

In meiner Phantasie bin ich immer wieder eine Hausfrau. Ich nehme an, ich bin eine Phantasie.

MARILYN MONROE

Ich behaupte nicht, daß ich eine normale Hausfrau bin. Ich habe alles durchgemacht, Baby. Ich bin Mutter Courage.

ELIZABETH TAYLOR

Haushalt

Ich hätte vermutlich auch zu Hause bleiben, Kekse backen und Tea-Partys veranstalten können.

HILLARY CLINTON

Ein Mann im Haus ist so im Wege!

ELIZABETH GASKELL

Haushälterin

Ich bin eine wunderbare Haushälterin. Immer wenn ich einen Mann verlasse, behalte ich sein Haus.

ZSA ZSA GABOR

Haustier

Ich habe nie geheiratet, weil ich drei Haustiere habe, die den gleichen Zweck erfüllen wie ein Ehemann. Ich habe einen Hund, der jeden Morgen knurrt, einen Papagei, der den ganzen Nachmittag flucht, und eine Katze, die spät in der Nacht nach Hause kommt.

MARIE CORELLI

Heilige

Die Heiligen: postume Karrieristen.

GABRIEL LAUB

Heiliger

Toter Sünder; bearbeitet und neu herausgegeben.

AMBROSE BIERCE

Heimat

Die Überschätzung der Frage, wo man sich befinde, stammt aus der Hordenzeit, wo man sich die Futterplätze merken mußte.

ROBERT MUSIL

Unsere Heimat liegt dort, wo wir uns wohlfühlen. Unser Paß sollte dabei keine Rolle spielen.

ANTONIO TABUCCHI

Heirat

Das Problem mit machen Frauen ist, daß sie wegen nichts völlig aus dem Häuschen geraten – und ihn dann heiraten.

CHER

Man kann anderen Leuten erklären, warum man seinen Mann geheiratet hat, aber sich selbst kann man davon nicht überzeugen.

GEORGE SAND

Männer sollen ihre Augen vor der Heirat offen halten und danach immer mindestens eins zudrücken.

MADELEINE DE SCUDÉRY

Heirat

Hin und wieder verlieren junge Mädchen ihren besten Freund, indem sie ihn heiraten.

FRANÇOISE SAGAN

Mit dem Heiraten sollte man warten, bis der Richtige kommt. Die meisten Mädchen wählen ihren Ehemann mit weniger Sorgfalt als einen Gebrauchtwagen.

JULIA MCKENZIE

Ich habe unter meinem Niveau geheiratet. Alle Frauen tun das.

LADY NANCY ASTOR

Ich würde gern heiraten. Mir gefällt der Gedanke, daß ein Mann per Gesetz dazu verpflichtet ist, jede Nacht mit mir zu schlafen.

CARRIE SNOW

Ich hab ein paar Leute geheiratet, die ich nicht hätte heiraten sollen, aber haben wir das nicht alle?

MAMIE VAN DOREN

Heiraten heißt, alle seine Vernunft zusammenzunehmen, um die wahnsinnigste Handlung zu begehen, die ein Mensch begehen kann.

MARIE VON EBNER-ESCHENBACH

Heirat

Warum sollte ich heiraten und einen Mann unglücklich machen, wenn ich auch Single bleiben und Tausende unglücklich machen kann?

CARRIE SNOW

Wenn Sie die Bewunderung vieler Männer für die Nörgeleien eines einzigen eintauschen wollen – nur zu, heiraten Sie!

KATHARINE HEPBURN

Ich glaube, das größte Problem alleinlebender Frauen ist mit den Leuten zurechtzukommen, die immerzu meinen, sie sollten doch endlich heiraten.

HELEN GURLEY BROWN

Ich werde wieder heiraten, wenn ich einen Mann finde, der fünfzehn Millionen Dollar hat, mir vor der Hochzeit die Hälfte davon überschreibt und dann garantiert, daß er innerhalb eines Jahres stirbt.

BETTE DAVIS

Wenn wir heiraten, übernehmen wir ein versiegeltes Schreiben, dessen Inhalt wir erst erfahren, wenn wir auf hoher See sind.

LILLI PALMER

Heirat

Ich sage immer, ein Mädchen soll aus Liebe heiraten – und das so oft, bis sie sie endlich findet.

ZSA ZSA GABOR

O Gott, es ist fast unnatürlich, daß zwei Menschen den Rest ihres Lebens zusammenbleiben.

JANE FONDA

Zum Heiraten gehören immer zwei: ein Mädchen und ihre Mutter!

ADELE SANDROCK

Mir war so kalt, daß ich fast geheiratet hätte.

SHELLEY WINTERS

Wenn du dir anschaust, was einige Mädchen heiraten, dann wird dir klar, wie sehr sie es hassen, ihren Lebensunterhalt zu verdienen.

HELEN ROWLAND

Eine Frau heiratet das erste Mal aus Liebe, das zweite Mal aus Geselligkeit, das dritte Mal aus Berechnung und von da ab aus Gewohnheit.

HELEN ROWLAND

Heirat

Wenn ein Mädchen heiratet, tauscht es die Aufmerksamkeit vieler Männer gegen die Unaufmerksamkeit eines einzigen ein.

HELEN ROWLAND

Er gehört zu der Sorte von Männern, die eine Frau heiraten muß, um sie loszuwerden.

MAE WEST

Für die obere Mittelklasse ist heiraten das einzige übriggebliebene Abenteuer.

ANONYM

Einen Heiratsantrag annehmen heißt: Den Wirbelsturm ernten, nachdem man den Wind gesät hat.

AMBROSE BIERCE

Heirat: Ein Herr, eine Herrin und zwei Sklaven, die insgesamt zwei sind.

AMBROSE BIERCE

Die Heirat ist eine wundervolle Erfindung. Aber ein Fahrrad-Reparierset ebenso.

BILLY CONNOLLY

Jede Frau sollte heiraten – und kein Mann.

BENJAMIN DISRAELI

Heirat

Wenn eine Frau heiratet, so ist das, als wenn sie mitten im Winter in ein Eisloch springt. Du tust es einmal und du erinnerst dich dein ganzes Leben daran.

MAXIM GORKI

Schwerlich hat ein Mann je bereut, irgendeine Frau nicht geheiratet zu haben.

JEAN PAUL

Zwei haben nicht geheiratet: sie leben seit damals in gegenseitiger Witwerschaft.

KARL KRAUS

Sollte ich jemals heiraten, wird dies einem schnellen Entschluß entspringen, so, wie man sich erschießt.

HENRY LOUIS MENCKEN

Es ist nicht so wichtig, wen du heiratest, denn auf jeden Fall wirst du am nächsten Morgen entdecken, daß es jemand anders war.

SAMUEL ROGERS

Heirat ist die Gründung einer Gesellschaft für Konfliktforschung.

WOLFRAM WEIDNER

Männer heiraten, weil sie müde, Frauen, weil sie neugierig sind. Beide werden enttäuscht.

OSCAR WILDE

Heirat

Wenn wir Männer die Frauen heirateten, die wir verdienen, wäre uns eine sehr schlimme Zeit beschieden.

OSCAR WILDE

Ich glaube nicht, daß ich geeignet bin zu heiraten. (...) Ich bin zu verliebt.

OSCAR WILDE

Heiratsantrag

Das größte Kompliment, das ein Mann einer Frau machen kann, ist ein Heiratsantrag. Leider ist es meist auch das letzte.

GRETHE WEISER

Es wird für einen Mann immer unfaßbar bleiben, daß eine Frau einen Heiratsantrag zurückweisen könnte.

JANE AUSTEN

Nach meiner Theorie sind es stets die Frauen, die uns Heiratsanträge machen, und nicht wir, die sie den Frauen machen.

OSCAR WILDE

Held

Der Held ist einer, der fünf Minuten länger tapfer ist als der gewöhnliche Mensch.

RALPH WALDO EMERSON

Jeder Held wird am Ende langweilig.

RALPH WALDO EMERSON

Zeig mir einen Helden, und ich schreibe dir eine Tragödie.

F. SCOTT FITZGERALD

Held

Wer eine Tragödie überlebt hat, ist nicht ihr Held gewesen.

STANISŁAW JERZY LEC

Der Held braucht Verhängnis und Unglück, um sich beweisen zu können. Not und Held gehören zusammen wie Krankheit und Fieber.

ROBERT MUSIL

Für Helden gilt die umgekehrte Perspektive. Sie werden immer kleiner, je näher man ihnen kommt.

NIKOLAUS CYBINSKI

Nicht nur Helden bleiben auf den sinkenden Schiffen, auch die Nichtschwimmer.

GABRIEL LAUB

Die Helden der alten Mythen waren fast nackt, die Helden der heutigen sind völlig nackt.

STANISŁAW JERZY LEC

Wir können nicht alle Helden sein, denn es muß auch Menschen geben, die applaudieren, wenn sie vorbeigehen.

WILL ROGERS

Heldenfriedhof

Auch Heldenfriedhöfe sind nur Stätten des Todes.

HANS-HORST SKUPY

Heranwachsen

Niemand fürchtet sich vor dem, was er heranwachsen gesehen hat.

AUS AFRIKA

Herkunft

Vorsicht bei Leuten, die damit kokettieren, aus kleinen Verhältnissen zu kommen: Es stimmt!

HANS PETER HEINZL

Herr

Der Herr in den besten Jahren ist daran zu erkennen, daß er sein Jagdgebiet erweitert, obwohl die Munition knapper wird.

THADDÄUS TROLL

Herr und Knecht

Lieber ein kleiner Herr als ein großer Knecht.

AUS ITALIEN

Herrschaft

Den Frauen wurde schon früh beigebracht, daß vorgetäuschte Nachgiebigkeit die einzige Möglichkeit ist, zu herrschen.

SARAH MOORE GRIMKÉ

Ich würde schon gern in einem kommunistischen Land leben, vorausgesetzt, ich wäre Königin.

STELLA ADLER

Herz

Früher schenkte man sein Herz, heute spendet man es.

HEINRICH WIESNER

Herzensbrecher

In der Liebe sind auch die größten Herzensbrecher nur Lehrlinge mit Vergangenheit.

ZSA ZSA GABOR

Herzinfarkt

Wirksamer Schutz vor Herzinfarkt: rechtzeitig versagen.

OLIVER HASSENKAMP

Der Herzinfarkt: auch so ein Statussymbol.

RENÉ FLUM

Herzkrankheiten

Die gefährlichsten Herzkrankheiten sind immer noch Neid, Haß, Geiz.

PEARL S. BUCK

Herzschlag

Lebensimpuls als Todesursache: Herzschlag.

WOLFDIETRICH SCHNURRE

Heterosexualität

Ich finde, daß extreme Heterosexualität eine Perversion ist.

MARGARET MEAD

Heuchelei

Heuchelei ist die Korruption des kleinen Mannes; die großen kommen ohne sie aus. Sie sind guten Gewissens korrupt.

NIKOLAUS CYBINSKI

Gar nicht von sich zu reden, ist eine sehr vornehme Heuchelei.

FRIEDRICH NIETZSCHE

Heuchelei

Heucheln, das Wort klingt schlecht, darum nennt man's Takt.

CARL SPITTELER

Ja, ich hasse die Heuchler, die, um sich nur selbst nicht zu waschen, spähen nach Sonne und Mond, wo sie ein Fleck entstellt.

LORD BYRON

Hilferuf

Rufe nicht nachts um Hilfe. Du könntest die Nachbarn wecken.

STANISŁAW JERZY LEC

Himmel

Himmel: ein Ort, wo die Bösen aufhören, dich mit ihren persönlichen Angelegenheiten zu behelligen, und wo die Guten aufmerksam zuhören, wenn du deine Angelegenheit darlegst.

AMBROSE BIERCE

Der Himmel gehört allen, die Erde wenigen.

KLAUS STAECK

Hintern

Befreit euren Geist, und der Hintern wird folgen.

SARAH FERGUSON

Die größte Sünde ist es, den Hintern nicht hochzukriegen.

FLORYNCE R. KENNEDY

Hochmut

Der Hochmütige hält seinen Löffel für so lang, daß er mit jedem Teufel essen kann.

WOLF BIERMANN

Hochzeit

Vor der Hochzeit wird ein Mann die halbe Nacht wachliegen, um nachzudenken, was du gesagt hast. Nach der Hochzeit wird er einschlafen, bevor du ausreden konntest.

HELEN ROWLAND

Vor der Hochzeit sprechen die Männer hauptsächlich von ihrem Herzen, später von der Leber und ganz zuletzt von der Galle.

HELEN VITA

Die Musik, die man auf Hochzeiten spielt, erinnert mich immer an die Musik, die gespielt wurde, wenn Soldaten ins Feld ziehen.

HEINRICH HEINE

Don't marry, be happy.

HERA LIND

Hochzeitsreise

Früher hat man eine einzige lange Hochzeitsreise mit dem Mann seines Lebens gemacht. Heute macht man mehrere kürzere mit verschiedenen Männern.

GOLDA MEIR

Höflichkeit

Höflichkeit bedeutet meistens, daß man den Leuten nicht sagt, was man denkt.

KATHARINE HEPBURN

Erträgliche Form der Heuchelei.

AMBROSE BIERCE

Vorsicht vor allen überschwenglichen und unbegründeten Höflichkeiten.

THOMAS FULLER

Höflichkeit ist der Versuch, Menschenkenntnis durch gute Manieren zu mildern.

JEAN GABIN

Höflichkeit ist der Versuch, die anderen so zu sehen, wie sie nicht sind.

VICTOR DE KOWA

Es ist keine Höflichkeit, dem Lahmen den Stock tragen zu wollen.

ARTHUR SCHNITZLER

Hölle

Der Teufel selbst hat vermutlich die Hölle neu gestaltet, nachdem ihm durch die Konstruktionspläne unserer Flughäfen zahlreiche Anregungen zuteil geworden sind.

ANTHONY PRICE

Der Weg zur Hölle ist mit guten Vorsätzen gepflastert.

SPRICHWORT

Höllenqualen Höllenqualen sind den Gläubigen bekannt.

GABRIEL LAUB

Hoffnung Hoffen heißt: vom Leben falsche Vorstellungen haben.

GOTTFRIED BENN

Hoffnung ist ein Mittelding zwischen Flügel und Fallschirm.

WILL QUADFLIEG

Das Licht am Ende des Tunnels ist der Expreßzug, der direkt auf dich zufährt.

BILLY WILDER

Hohlköpfe Es ist gefährlich, Hohlköpfe nicht für voll zu nehmen.

ANDRÉ BRIE

Holland Holland liegt so tief – seine Rettung ist allein das Verdammt-Sein.

THOMAS HOOD

Hollywood Hollywood ist ein Ort, an dem sie dir tausend Dollar für einen Kuß bezahlen und fünfzig Cents für deine Seele.

MARILYN MONROE

Es gibt kein Problem in Hollywood, das nicht durch sechs Beerdigungen erster Klase gelöst werden könnte.

ANONYM

Hollywood

Hollywood ist ein Ort, an dem sich Leute aus Iowa fälschlicherweise gegenseitig für Stars halten.

FRED ALLEN

Wenn meine Bücher schlechter gewesen wären, hätte man mich nach Hollywood eingeladen; wenn sie besser gewesen wären, wäre ich nicht gekommen.

RAYMOND CHANDLER

Hollywood: die schönste Sklavenkolonie der Welt.

MOSS HART

Hinter dem unechten Flitter Hollywoods liegt bloß der echte.

OSCAR LEVANT

Holzweg

Er mußte erst mit dem Kopf gegen die Bäume rennen, ehe er merkte, daß er auf dem Holzwege war.

WILHELM BUSCH

Homo sapiens

Der Homo sapiens ist kein Tier mehr. Er ist schon fähig, sich selbst als Gattung zu vernichten.

GABRIEL LAUB

Homosexualität

Menschen mit geringem Selbstwertgefühl neigen dazu, sich an ihr eigenes Geschlecht zu halten, weil es sie weniger verunsichert.

CLARA THOMPSON

Ich verstehe nicht, wie man homosexuell sein kann. Das Normale ist doch schon unangenehm genug.

EGON FRIEDELL

Hosenträger

Ein Mann, der Hosenträger bevorzugt, mag ein guter Familienvater sein, ein feuriger Liebhaber ist er bestimmt nicht.

VIVIAN PRICE

Humanität

Was ist Humanität? Geistesgegenwart der Gerechtigkeit.

ANTON KUH

Wenn alle Menschen Brüder sind, dann ist der natürliche Zustand unter ihnen der Bruderkrieg.

HARRY LEVIN

Humor

Humor hat, wer gleich lacht; später lachen ist keine Kunst.

GERHARD BRANSTNER

Humor steckt an. Aber nur die, die schon von ihm infiziert sind.

WERNER EHRENFORTH

Zuviel Humor macht dumm.

MAX GOLDT

Ohne ein bißchen Bosheit kann man unmöglich witzig sein.

ROSE MACANLAY

Humor

Humor ist der Knopf, der verhindert, daß uns der Kragen platzt.

JOACHIM RINGELNATZ

Humorist

Humoristen haben keinen Humor. Sie verkaufen ihn.

HANNS-HERMANN KERSTEN

Hund

Der Hund ist der sechste Sinn des Menschen.

FRIEDRICH HEBBEL

Der Hund ist die Tugend, die sich nicht zum Menschen machen konnte.

VICTOR HUGO

Hunde, die ihren Lebensunterhalt damit verdienen, daß sie in Fernseh-Werbespots beständig und heftig nach Fleisch verlangen, sollten nicht vergessen, daß *sie* in mindestens einem Land des Nahen Ostens selbst zum Fleisch zählen.

FRAN LEBOWITZ

Der eigene Hund macht keinen Lärm – er bellt nur.

ANONYM

Hundehalter

Ich verabscheue Menschen, die sich Hunde halten. Das sind Feiglinge, die nicht den Mut haben, andere Leute selbst zu beißen.

AUGUST STRINDBERG

Hunger	Hunger ist der Feind aller Grundsätze. JAKOB STEBLER
Hutabnehmen	Das Hutabnehmen ist eine Abkürzung unseres Körpers, ein Kleinermachen. GEORG CHRISTOPH LICHTENBERG
Hypochonder	Es gilt als taktlos, einem Hypochonder Gesundheit zu wünschen. WERNER MITSCH
Hypochondrie	Das beste Mittel gegen Hypochondrie ist es, den eigenen Körper zu vergessen und sich für den eines anderen zu interessieren. GOODMAN ACE
Hysterie	Kürzeste Formel für Hysterie: Inkongruenz mit sich selber. ANTON KUH

I

Ich

Bei vielen Menschen ist es bereits eine Unverschämtheit, wenn sie Ich sagen.

THEODOR W. ADORNO

Ideale

Alle großen Ideale scheitern an den Leuten.

BERTOLT BRECHT

Angewandte Ideale entarten rasch zu fixen Ideen.

HANS KASPER

Ideale Frau

Alle Männer sind auf der Suche nach der idealen Frau – vor allem nach der Hochzeit.

YOKO ONO

Idealismus

Der Versuch, den Himmel auf Erden zu verwirklichen, produzierte stets die Hölle.

KARL POPPER

Idealist

Ein Idealist ist ein Mann, der aus der Tatsache, daß eine Rose besser riecht als Kohl, darauf schließt, eine Suppe aus Rosen müsse auch besser schmecken.

ERNEST HEMINGWAY

Idealist

Idealist – ein Mensch, der glaubt, daß man glauben muß.

GABRIEL LAUB

Idealisten – Idealobjekte für Ausbeuter.

HANS-HORST SKUPY

Das ewige Kreuz mit den Weltverbesserern ist, daß sie nie bei sich selbst anfangen.

THORNTON WILDER

Er war Idealist. Er glaubte an sich.

BOGUSLAW WOJNAR

Idee

Der Mensch ist bereit, für eine Idee zu sterben, vorausgesetzt, daß sie ihm nicht ganz klar ist.

GILBERT KEITH CHESTERTON

Ein Mann mit einer neuen Idee ist unausstehlich, bis er der Idee zum Erfolg verholfen hat.

MARK TWAIN

Eine gute Idee erkennt man daran, daß sie geklaut wird.

GERHARD UHLENBRUCK

Neue Ideen begeistern jene am meisten, die auch mit den alten nichts anzufangen wußten.

KARL HEINRICH WAGGERL

Idee

Eine Idee, die nicht gefährlich ist, verdient es nicht, überhaupt eine Idee genannt zu werden.

OSCAR WILDE

Im Kampf der Ideen fallen Menschen.

STANISŁAW JERZY LEC

Ideologie

Ideologie ist ein geistiges Fertigprodukt. An die Massenverbraucher wird sie in kleinen, steril verpackten Rationen verteilt.

GABRIEL LAUB

Idiot

Die Idiome sind in jedem Landstrich unterschiedlich, die Idioten sind überall gleich.

GABRIEL LAUB

Was den Idioten vom Dummkopf unterscheidet, ist, daß der Dummkopf manchmal auch sich selbst schadet.

GABRIEL LAUB

Laß dich nicht mit Idioten ein, wenn du kein Psychiater bist. Sie sind zu dumm, um einem Nichtfachmann seine Konsultation zu honorieren.

STANISŁAW JERZY LEC

Ignorant

Einer, dem bestimmte dir vertraute Wissensbereiche unbekannt sind und der andere kennt, von denen du nichts weißt.

AMBROSE BIERCE

Ignoranz

Menschliche Ignoranz bleibt nicht hinter der Wissenschaft zurück. Sie wächst genauso atemberaubend wie diese.

STANISŁAW JERZY LEC

Illusionen

Illusionen platzen immer, Träume werden immer wahr.

YOKO ONO

Die Menschen verlieren zuerst ihre Illusionen, dann ihre Zähne.

ANONYM

Illusionen: Vorgeben, einen ganzen Haufen gehabt zu haben. Bedauern, sie alle verloren zu haben.

GUSTAVE FLAUBERT

Illusionist

Politische Illusionisten glauben auch dann noch an die ehrlichen Absichten eines Straßenräubers, wenn er ihre Brieftasche zu sehen wünscht.

JACQUES CHABAN-DELMAS

Illustrierte

Die großen Illustrierten überleben durch Werbung für Luxusartikel und mit Reportagen über das Elend in der Welt.

LÉOPOLD HOFFMANN

Impotenz

Wer an Impotenz leidet, hat mehr Zeit für andere Dinge.

M. OLAF KUNTZ

Infantil

Wenn man alle Männer, die infantil geblieben sind, auch als solche behandeln würde, wäre die Welt voller Kinderwagen.

MERLE OBERON

Infinitesimal

Man weiß nicht, was das ist, aber es hat wohl was mit Homöopathie zu tun.

GUSTAVE FLAUBERT

Inflation

Wenn die Regierung das Geld verschlechtert, um alle Gläubiger zu betrügen, so gibt man diesem Verfahren den höflichen Namen Inflation.

GEORGE BERNARD SHAW

Ingenieur

Der schönste Titel, den man jemandem neiden kann; gleichwohl braucht man bloß Brillen zu verkaufen, um das Recht zu haben, sich Ingenieur zu nennen.

GUSTAVE FLAUBERT

Innenleben

Das Innenleben mancher Frauen beschränkt sich auf die Schwangerschaft.

RAIMUND VIDRÁNYI

Innenpolitik

Innenpolitik ist die Kunst, verschiedene Meinungen unter einen Hut zu bringen, der kein Helm ist.

HANS HENNY JAHNN

Innere Stimme	Die innere Stimme eines Menschen ist bei Bauchrednern besonders ausgeprägt. WERNER SCHNEYDER
Inspiration	Ich schreibe, wenn ich inspiriert bin; und ich bemühe mich, jeden Morgen um neun inspiriert zu sein. PETER DE VRIES
Instinkt	Der vielgerühmte weibliche Instinkt gleicht einem Seismographen, der den Sturz eines Blumentopfes anzeigt, aber beim Ausbruch des Ätna versagt. ANNA MAGNANI
	Instinkt wiegt Intelligenz auf. GUSTAVE FLAUBERT
Intellekt	Intellekt: das Instrument, mit dessen Hilfe man feststellt, daß es keinen Sinn hat, überhaupt etwas zu tun. GABRIEL LAUB
Intellektuelle	Rat an Intellektuelle: laß dich nicht vertreten. THEODOR W. ADORNO
	Intellektuell ist man dann, wenn man zwischen den Zeilen lesen kann. WERNER HÖFER

Intellektuelle

Auch an Gedankenwegen lauern Räuber. Natürlich, auch sie halten sich für Intellektuelle.

STANISŁAW JERZY LEC

Ich halte es für verfehlt, einen Intellektuellen danach zu beurteilen, ob er richtige Voraussagen macht.

KARL R. POPPER

Der Intellektuelle stellt seiner Vernunft den Gewerbeschein aus.

MICHAEL RUMPF

Ein Intellektueller ist einer, der glaubt, er könne im Dunkeln mit Brille besser sehen.

GERHARD UHLENBRUCK

Intelligenz

Männer laufen vor gescheiten Frauen davon. Intelligenz beim weiblichen Geschlecht ist ein Geburtsfehler, den man besser verbirgt.

DIANA WELLS

Ich hasse die Behauptung, daß eine Frau nicht gleichzeitig intelligent und sexy sein kann. Als ich mir die Haare blond färbte, hat das Peroxid doch nicht meine Gehirnzellen verbrannt.

LONI ANDERSON

Intelligenz

Wie kommt es, daß Kinder so intelligent und Männer so dumm sind? Es muß wohl an der Ausbildung liegen.

ALEXANDRE DUMAS

Leider reformieren die Menschen vom Hut nach dem Gehirn zu statt umgekehrt.

JEAN PAUL

Der Nachteil der Intelligenz besteht darin, daß man dauernd gezwungen ist, dazuzulernen.

GEORGE BERNARD SHAW

Ich war froh, daß ich sofort antworten konnte. Ich sagte, ich hätte keine Ahnung.

MARK TWAIN

Zu schlau ist dumm.

AUS DEUTSCHLAND

Interesse

Ein Mann interessiert sich im allgemeinen eher für eine Frau, die sich für ihn interessiert, als für eine Frau mit schönen Beinen – wer immer sie auch sei.

MARLENE DIETRICH

Internationalismus

»Internationalismus« wird so verteilt: den kleinen Völkern gibt man das »Inter«, die großen behalten den Nationalismus.

GABRIEL LAUB

Interpunktion

Ein Franzose hat einmal ein neues Interpunktionszeichen vorgeschlagen: den point d'ironie.

KURT TUCHOLSKY

Interview

In Interviews reagiert man immer auf die Nadelspitze einer einzigen Sekunde.

MARTIN WALSER

Interview: Art des Beichtstuhls, in dem vulgäre Unverschämtheit den Torheiten der Eitelkeit und des Ehrgeizes ihr Ohr leiht.

AMBROSE BIERCE

Intimität

Mit ihm schlafen ja, aber keine Intimitäten.

KURT TUCHOLSKY

Intrige

Einziger Weg zum Erfolg. Öffnet alle Türen. Grundlage jeden Theaterstücks.

GUSTAVE FLAUBERT

Intuition

Unter Intuition versteht man die Fähigkeit gewisser Leute, eine Lage in Sekundenschnelle falsch zu beurteilen.

FRIEDRICH DÜRRENMATT

Invasion

Liebste Methode des Patrioten, seine Zuneigung zu seinem Land zu beweisen.

AMBROSE BIERCE

Inzest

Was ist eigentlich falsch an einem kleinen Inzest? Er ist schnell zur Hand und billig.

JAMES AGATE

Inzest

Seitdem junge Männer Motorräder besitzen, ist der Inzest ausgestorben.

MAX FRISCH

Iren

Die Iren ignorieren alles, was sich nicht trinken oder verhauen läßt.

ANONYM

Irische Männer sind die einzigen auf der Welt, die über ein Dutzend nackte Frauen hinwegsteigen würden, um zu einer Flasche Bier zu kommen.

ANONYM

Ironie

Sentimentale Ironie ist ein Hund, der den Mond anbellt, dieweil er auf Gräber pißt.

KARL KRAUS

Ironie ist, jemanden auf den Arm nehmen und in den Himmel heben.

WOLFRAM WEIDNER

Irren

Irren ist männlich.

ANONYM

Irren ist ärztlich.

CURT GOETZ

Irren ist menschlich. Deshalb werden Menschen, die sich irren, bestraft, Instanzen nicht.

KURT TACKMANN

Irren

Das Geheimnis des Lebens ist, daß man das Vergnügen schätzt, sich schrecklich, schrecklich zu irren.

OSCAR WILDE

Irrglaube

Es ist ein Irrglaube, daß Menschen mit Hornbrille, die nur schwarze Kleidung tragen, irgendwelche höhergestellten Ansprüche haben.

HARALD SCHMIDT

Irrsinn

Der Irrsinn ist bei einzelnen etwas Seltenes – aber bei Gruppen, Parteien, Völkern, Zeiten die Regel.

FRIEDRICH NIETZSCHE

Irrtum

Hoffentlich unterläuft dem Irrtum ein Fehler. Dann kommt alles von selbst in Ordnung.

STANISŁAW JERZY LEC

Italien

Ziel aller Hochzeitsreisen. Italien! Italien! Führt zu zahlreichen Enttäuschungen, ist längst nicht so schön, wie immer behauptet wird.

GUSTAVE FLAUBERT

Italiener

Der Italiener ist ein Gran Turismo des Flirts, aber ein Serienwagen der Leidenschaft.

MAUD BAYNHAM

Für den Italiener ist Liebe kein Longdrink,sondern ein Espresso.

JUDITH COSGRAVE

J

Jäger

Junge Jäger schießen entweder zu früh oder daneben.

WOLFGANG KÖRNER

Jämmerlichkeit

Armer Mensch. Du sagst »Nach mir die Sintflut«, dabei ziehst du nur an der Wasserspülung.

STANISŁAW JERZY LEC

Jagd

Die Jagd auf Sündenböcke kennt keine Schonzeit.

LOTHAR SCHMIDT

Januar

Die Januarius ist der Monat, da man seinen guten Freunden Wünsche darbringt, die übrigen die, worin sie nicht erfüllt werden.

GEORG CHRISTOPH LICHTENBERG

Japan

Dort ist alles aus Porzellan.

GUSTAVE FLAUBERT

Jasager

Ich möchte keine Jasager um mich. Ich möchte, daß jeder mir die Wahrheit sagt, auch wenn es ihn den Job kostet.

SAMUEL GOLDWYN

Job	Ausschlaggebend dafür, ob man einen guten Job bekommt, sollte nicht die Anordnung der Chromosomen sein. BELLA ABZUG
	Die einzige Möglichkeit vorwärtszukommen ist, sich einen schwierigen Job zu suchen, ihn gut zu erledigen und zuzusehen, daß man dafür auch ordentlich bezahlt wird. O ja, und vergeßt nicht, die Männer auszubeuten, wo es nur geht. Denn wenn ihr sie nicht, werden sie euch ausbeuten. EL DORADO JONES
	Ich finde, ein Mann, der einen Job genauso gut macht wie eine Frau, sollte auch genauso gut bezahlt werden. CELESTE HOLM
John Bull	Fällt einem der Name eines Engländers nicht ein, so nennt man ihn John Bull. GUSTAVE FLAUBERT
Journalismus	Zeitungsenten legen zuweilen goldene Eier. STANISŁAW JERZY LEC
	Der Humor ist in der Presse naturgemäß flach. STANISŁAW JERZY LEC
	Vielschichtigkeit ist der Feind des Journalismus. CHARLES SIMIC

Journalismus

Erstmal die Fakten sammeln – dann kannst du sie verdrehen, wie es dir paßt.

MARK TWAIN

Der Unterschied zwischen Journalismus und Literatur ist, daß Journalismus nicht lesbar ist und Literatur nicht gelesen wird.

OSCAR WILDE

Journalist

Journalisten müssen die Wachhunde des Bürgers, nicht die Schoßhunde der Mächtigen sein.

LILLI GRUBER

Es gibt Rezensenten, die lehnen Schinkenbrötchen ab, um nicht in den Ruf der Bestechlichkeit zu kommen. So hoch schätzen sie die Schinkenbrötchen.

ANTON KUH

Sie wissen nicht, wo Gott wohnt, aber sie haben ihn alle schon interviewt.

ANTON KUH

Journalist: ein Schriftsteller, dessen schöpferische Phantasie ein wenig von der Wirklichkeit eingeschränkt wird.

GABRIEL LAUB

Ein schlechter Journalist ist noch kein Philosoph.

KURT TUCHOLSKY

Judas

Jeder große Mann hat heutzutage seine Jünger, und immer ist es Judas, der die Biographie schreibt.

OSCAR WILDE

Jugend

Jugend ist das Stadium zwischen Kindheit und Ehebruch.

ANONYM

Jugend: Genesung von der Kindheit.

AMBROSE BIERCE

In der Zeit liebt sich's am besten, wenn man noch denkt, daß man allein liebt und noch kein Mensch so geliebt hat und lieben werde.

JOHANN WOLFGANG VON GOETHE

Wenn Jugend ein Fehler ist, so legt man ihn sehr bald ab.

JOHANN WOLFGANG VON GOETHE

Nur in der Jugend rollt das Glücksrad, später knarrt das Pflugrad, und mühsam langsam gibt die Furche, was der Glückstopf reichlich ausgießt.

JEAN PAUL

Und das soll die wahre Jugend von heute sein? Siehst du nicht, wie sie von Stunde zu Stunde altert?

STANISŁAW JERZY LEC

Jugend

Die Zukunft gehört der Jugend – sobald diese alt ist.

STANISŁAW JERZY LEC

Wer seiner eigenen Jugend nachläuft, wird sie nie einholen.

ANDRÉ MAUROIS

Manche Menschen glauben ihrer Jugend deshalb nahe zu sein, weil sie sich dauernd von ihr verabschieden.

WERNER SCHNEYDER

Jugend ist eine wunderbare Sache. Was für eine Schande, sie an Kinder zu verschwenden.

GEORGE BERNARD SHAW

Die Stürme der Jugend sind von strahlenden Tagen umgeben.

MARQUIS DE VAUVENARGUES

Wen die Götter lieben, den lassen sie jung werden.

OSCAR WILDE

Jugend ist das einzige, was zu besitzen lohnt.

OSCAR WILDE

Jugend

Es ist absurd, von der Unwissenheit der Jugend zu sprechen. Die einzigen, deren Ansichten ich mir noch mit einer gewissen Achtung anhöre, sind Leute, die viel jünger sind als ich. Sie scheinen mir voraus zu sein.

OSCAR WILDE

Um seine Jugend zurückzuerhalten, braucht man nur seine Torheiten zu wiederholen.

OSCAR WILDE

Jungen

Jungen sind wie Milch – wenn man sie stehen läßt, sind sie sauer.

MADONNA

Von allen Tieren ist der Knabe das ungebärdigste.

PLATON

Jungfrau

Die Natur verabscheut Jungfrauen – eingefrorenes Kapital.

CLARE BOOTH LUCE

Den Verlust meiner Jungfräulichkeit habe ich als Schritt auf der Karriereleiter angesehen.

MADONNA

Ich wette mit Ihnen, daß es in zehn Jahren wieder modern sein wird, Jungfrau zu sein.

BARBARA CARTLAND

Jungfrau

Eine alter Jungfer zu sein ist wie Ertrinken – eine wunderbare Erfahrung, wenn man nicht mehr dagegen ankämpft.

EDNA FERBER

Das Hymen folgt der Liebe wie der Rauch der Flamme.

NICOLAS CHAMFORT

Jungfrau: Nur in Verbindung mit »Orléans«.

GUSTAVE FLAUBERT

Als normal gilt, die Virginität im allgemeinen zu heiligen und ihm besonderen nach ihrer Zerstörung zu lechzen.

KARL KRAUS

Das Virginitätsideal ist das Ideal jener, die entjungfern wollen.

KARL KRAUS

Junggeselle

Junggesellen sind Reservisten, die schwer aus ihrer Reserve zu locken sind.

ELLEN KESSLER

Jeder Mann muß, darüber sollte sich eine Frau klar sein, erst einmal zu einem Ehemann entwickelt werden. Was eine Frau heiratet, ist ein Junggeselle, der momentan das Junggesellendasein satt hat.

SABINE SANDERS

Junggeselle

Junggesellen sind Männer, die nur halb aufs Ganze gehen.

TATJANA SAIS

Junggesellen sind Männer, die wissen, wie klein die Chance ist, daß man in einer Auster eine Perle findet.

AVA GARDNER

Junggesellen sind Männer, die sich nicht auf eine einzige Frau versteifen.

HELEN VITA

Junggesellen sind Männer, die lieber suchen als finden.

CATERINA VALENTE

Ein Junggeselle ist ein Mann, der einen Haupttreffer machen will, indem er kein Los erwirbt.

ISKA GERI

Ein Junggeselle ist ein Mann, der lieber mehreren Frauen untreu als einer einzigen treu ist.

EDITH HANCKE

Junggesellen sind Männer, die gern verheiratet wären, aber nicht ständig.

HELEN VITA

Ein Junggeselle ist ein Mann, der nur ein einziges Problem hat – und das ist lösbar.

WOODY ALLEN

Junggeselle

Der Junggeselle ist ein Mann, den die Frauen noch ausprobieren.

AMBROSE BIERCE

Der Ehemann kennt viele Leiden, der Junggeselle keine Freuden.

SAMUEL JOHNSON

Ein Junggeselle ist ein Mann, dem zum Glück die Frau fehlt.

WILHELM SCHLICHTING

Junggesellen sollten hohe Steuern zahlen. Es ist nicht gerecht, daß einige Männer glücklicher sein sollen als andere.

OSCAR WILDE

Juristen

Die Kunst der meisten Juristen erschöpft sich darin, bei der Rechtsprechung Formfehler zu vermeiden.

CARLOS WIDMANN

Justiz

Justiz ist die Fortsetzung der Sozialpolitik mit anderen Mitteln.

WOLFGANG BITTNER

K

Käse

Ein Essen ohne Käse ist wie eine schöne Frau, der ein Auge fehlt.

ANTHELME BRILLAT-SAVARIN

Kaffeehaus

Was ist ein Kaffeehausliterat? Ein Mensch, der Zeit hat, im Kaffeehaus über das nachzudenken, was die anderen draußen nicht erleben.

ANTON KUH

Kamel

Die Frauen sind die Kamele, mit deren Hilfe die Männer die Wüste des Lebens durchqueren.

DAVID BEN GURION

Kamm

Kamm: Davon gehen die Haare aus.

GUSTAVE FLAUBERT

Kandidat

Bescheidener Gentlemen, der die Auszeichnung des Privatlebens scheut und pflichtbewußt die ehrenhafte Anonymität eines öffentlichen Amtes sucht.

AMBROSE BIERCE

Kannibale

Hat ein Kannibale das Recht, im Namen dessen zu sprechen, den er gefressen hat?

STANISŁAW JERZY LEC

Man möchte manchmal Kannibale sein, nicht um den oder jenen aufzufressen, sondern um ihn auszukotzen.

JOHANN NESTROY

Kapitalismus

Kapitalismus ist das schlechteste aller Gesellschaftssysteme – für Leute, die kein anderes erlebt haben.

GABRIEL LAUB

Kapitalismus: Die einen arbeiten für ihr Geld, die anderen lassen ihr Geld für sich arbeiten.

GERHARD UHLENBRUCK

Der Kapitalismus ist eine kriminelle Vereinigung, von der wir alle profitieren.

PETER ZADEK

Kapitalist

Sinnlos, einem Kapitalisten Vorwürfe zu machen; er ist das Einstecken gewohnt.

BERT BERKENSTRÄTER

Kapitalisten sind eine Gesellschaft, die mit schlechten Schlagern soviel Geld verdient, daß sie sich die elitären Festspiele leisten kann.

WERNER SCHNEYDER

Kapitalist

Kapitalisten sind Menschen, die etwas Gewinnendes an sich haben.

HANNS-DIETRICH VON SEYDLITZ

Karate

Wenn du Karate kannst, ist es egal, ob du Höschen trägst oder nicht.

GERMAINE GREER

Karate ist der Interruptus des Todschlags.

WERNER SCHNEYDER

Karriere

Ah, was für eine Frau könnte ich sein, wenn ein fähiger junger Mann mir sein Leben widmen würde, so wie Sekretärinnen oder Facharbeiterinnen es bei ihren Chefs tun.

MABEL ULRICH

Ich stand länger am Ende meiner Karriere, als die Karriere der meisten Menschen überhaupt dauert.

MARTINA NAVRATILOVA

Mit der Zeit wird die Verwandtschaft es akzeptieren, daß Ihre Karriere genauso wichtig ist wie die Familie. Bis dahin wird allerdings das Polareis geschmolzen sein.

BARBARA DALE

Bedenke, daß auch ein Tritt in den Hintern einen Schritt vorwärts bedeuten kann.

ANONYM

Karriere

Wer nach oben will, sollte sich etwas Wärmendes für den Abstieg mitnehmen.

FRANK FELDMAN

Bestimmte Menschen müssen nach oben, weil sie unten Unheil stiften.

DIETER HILDEBRANDT

Wer andern keine Grube gräbt, fällt selbst hinein.

KARL KRAUS

Wer die Leiter des sozialen Aufstiegs erklettert hat, vergißt oft, wozu er geklettert war und in wessen Auftrag.

STANISŁAW JERZY LEC

Karriere macht man mit den Bonmots, die man unterdrückt.

ROGER PEYREFITTE

Wenn Karrieren schwindelnde Höhen erreichen, ist der Schwindel meistens nicht mehr nachzuweisen.

WERNER SCHNEYDER

Eine Karriere kann am besten in einem Wort zusammengefaßt werden: vorbei.

BILLY WILDER

Katholik

Ein skeptischer Katholik ist mir lieber als ein gläubiger Mensch.

KURT TUCHOLSKY

Katholizismus

Der Katholizismus ist nicht so sehr eine Glaubensfrage, sondern eine fast schon folkloristische Notwendigkeit.

OTTFRIED FISCHER

Das ist eines der typischen Kennzeichen des Katholizismus: bodenlose Behauptungen frech vorzutragen.

STANISLAUS JOYCE

Die katholische Religion ist eine Anweisung, den Himmel zu erbetteln, welchen zu verdienen zu unbequem wäre. – Die Pfaffen sind die Vermittler dieser Bettelei.

ARTHUR SCHOPENHAUER

Katzen und Hunde

Die Katze ist ein freier Mitarbeiter, der Hund ist ein Angestellter.

ANONYM

Kaufrausch

Eine Frau kauft immer irgend etwas.

OVID

Kaugummi

Dies wird erst dann ein zivilisiertes Land sein, wenn wir mehr Geld für Bücher als für Kaugummi ausgeben.

ELBERT HUBBARD

Kavalier

Ein Kavalier ist ein Mann, der wenigstens nicht mit den Frauen flirtet, die er im Omnibus stehen läßt.

MONIKA PEITSCH

Kavalier Die Männer sind Kavaliere. Zwar drängeln sie rücksichtslos am Bus, aber wenn eine Frau hinfällt, treten sie wenigstens nicht auf sie.

OLIVIA PORTER

Kette Das schwächste Glied einer Kette ist ihr stärkstes. An ihm reißt die Kette.

STANISŁAW JERZY LEC

Ketzerei Was in dem einen Jahrhundert als Ketzerei gilt, wird im nächsten zum Dogma.

HELEN KELLER

Keuschheit Keuschheit ist Verschwendung.

ANONYM

Um seine Keuschheit zu bewahren, sind ein leerer Magen und Lungenfieber unerläßlich.

ST. JEROME

Kind Wenn ich mir manchmal meine Kinder angucke, sage ich zu mir selbst: »Lillian, du hättest Jungfrau bleiben sollen.«

LILLIAN CARTER

Eltern können nie genug für ihre Kinder tun, um wiedergutzumachen, daß sie sie auf die Welt gebracht haben.

ELIZABETH CADY STANTON

Kind

Eltern haben zuwenig Respekt vor ihren Kindern, so wie Kinder zuviel Respekt vor ihren Eltern haben.

IVY COMPTON BURNETT

Ich habe oft zu meinem Mann gesagt, daß wir vielleicht mehr Kinder hätten, wenn wir häufiger im Urlaub gewesen wären.

HILLARY CLINTON

Schon als Kind hatte ich nur ein Ziel: Ich will die Welt regieren.

MADONNA

Ich liebe Kinder vor allem, wenn sie schreien, weil dann jemand kommt und sie mitnimmt.

NANCY MITFORD

Kinder, die man nicht liebt, werden Erwachsene, die nicht lieben.

PEARL S. BUCK

Kinder sollten wissen, daß Mami und Papi es nicht nur tun, um ein Kind in die Welt zu setzen.

KATHARINE WHITEHORN

Kleine Kinder sind ein enormes Managementproblem, aus dem sich allmählich eine Beziehung entwickelt.

LIBBY PURVES

Kind

Man soll die Kinder nicht in den Kleidern ihrer Vorfahren auf die Reise in die Zukunft schicken und auch nicht in deren Nervenkostümen.

ANTJE VOLLMER

Kind: Unfall, für dessen Eintreten alle Kräfte und Vorrichtungen der Natur besonders entworfen und bestens eingerichtet sind.

AMBROSE BIERCE

Ich habe noch nie ein faules Kind gesehen. Was normalerweise als Faulheit bezeichnet wird, ist in Wirklichkeit Interesselosigkeit oder schlechter Gesundheitszustand.

ALEXANDER SUTHERLAND NEILL

Ein Kind ist eine sichtbar gewordene Liebe.

NOVALIS

Das Kind will, daß man ihm befiehlt, damit es die Möglichkeit hat, nicht zu gehorchen.

JEAN-PAUL SARTRE

Wenn du ein Kind hast, dann wird auch aus dir wieder eins werden.

AUS ÄTHIOPIEN

Ein geliebtes Kind trägt viele Namen.

AUS DEUTSCHLAND

Kind

Vater und Mutter lehren das Kind sprechen, und die Welt: still zu sein.

AUS DER SLOWAKEI

Gestern kroch es aus der Schale, heute verachtet es sie.

AUS DER TÜRKEI

Wenn man ein Kind hat, das 1,80 groß ist, schneidet man ihm am besten nicht den Kopf oder die Füße ab. Man kauft ihm ein längeres Bett und hofft darauf, daß es Basketball spielt.

ROBERT ALTMAN

Es ist kein Wunder, daß die Leute so schrecklich werden, wenn sie als Kinder angefangen haben.

KINGSLEY AMIS

Es geht mit den Kindern des Geistes wie mit den irdischen: sie wachsen, während sie schlafen.

HANS CHRISTIAN ANDERSEN

Kinder müssen die Dummheiten der Erwachsenen ertragen, bis sie groß genug sind, sie selbst zu machen.

JEAN ANOUILH

Kind

Ich bin mit Beatrice Salked verheiratet, einer Malerin. Wir haben keine Kinder, außer mir.

BRENDAN BEHAN

Kinder gehen davon aus, daß das Sexualleben ihrer Eltern mit ihrer Zeugung zu einem quälenden Stillstand gekommen ist.

ALAN BENNETT

Die Tage, in denen Männer Pantoffelhelden genannt wurden, weil sie sich von ihrer Frau tyrannisieren ließen, gehören der Vergangenheit an. In unserem bedrohlichen Zeitalter sind es nicht mehr die Ehefrauen, die dem Mann die Hölle heiß machen, sondern seine Kinder.

ART BUCHWALD

Ich verabscheue den Anblick von Kindern so sehr, daß mich die Persönlichkeit von König Herodes stets besonders beeindruckt hat.

LORD BYRON

Alle Kinder sind im Grunde kriminell.

DENIS DIDEROT

Kinder schlagen gerade dann um sich, wenn sie noch nicht gelernt haben, ihre Gedanken auszudrücken; genau so wie wir.

FJODOR M. DOSTOJEWSKIJ

Kind

Ich wäre dringend für eine Reform der Konstruktion von Kindern. Die Natur scheint einzig und allein die Idee gehabt zu haben, sie als Maschinen zur pausenlosen Erzeugung von Geräuschen und Lärm anzulegen.

FREDERICK FAIRLIE

Ich liebe alle Kinder. Aber ich liebe auch meinen Schlaf.

AXEL HACKE

Kinder sind Rätsel von Gott und schwerer als alle zu lösen, aber der Liebe gelingt's, wenn sie sich selber bezwingt.

FRIEDRICH HEBBEL

Für Kinder gibt es kaum Abschiede; denn sie kennen keine Vergangenheit, sondern nur eine Gegenwart voll Zukunft.

JEAN PAUL

Daß wir wieder werden wie Kinder, ist eine unerfüllbare Forderung. Aber wir können es verhüten, daß die Kinder so werden wie wir.

ERICH KÄSTNER

Die eigentliche Gefahr beim Umgang mit einem Fünfjährigen liegt darin, daß man sich nach kürzester Zeit wie ein Fünfjähriger anhört.

JEAN KERR

Kind

Kinder sind nicht dümmer als Erwachsene, sie haben nur weniger Erfahrung.

JANUSZ KORCZAK

Der Kleine ist schon ein richtiger Mensch. Er kann schon »nein« sagen.

GABRIEL LAUB

Fragen Sie Ihr Kind nur dann, was es zum Abendessen haben will, wenn es selbst einkaufen geht.

FRAN LEBOWITZ

Kinder suchen immer nach dem Geheimnis jenseits des Spiegels. Nur wir Erwachsenen begnügen uns mit unserer flachen Vordergründigkeit.

STANISŁAW JERZY LEC

Für alle Kinder ist erst das Beste gut genug.

LIV LINDE

In der Literatur geht es meist ums Sex-miteinander-Haben und weniger ums Kinder-Haben. Im Leben ist es umgekehrt.

DAVID LODGE

Wir kommen nicht an der Tatsache vorbei, daß das Kind in erster Linie Egoist ist.

ALEXANDER SUTHERLAND NEILL

Kinder sind weise. Auf Liebe antworten sie mit Liebe und auf Haß mit Haß.

ALEXANDER SUTHERLAND NEILL

Kind

Wir finden der Kinder Leiden klein, ohne zu bedenken, wie kleinlich wir oft in unserem Leiden sind.

JOHANN NESTROY

Kinder sind gedankenlos, aber nicht berechnend böse; das lernen sie erst von den Erwachsenen.

MARTIN ANDERSEN NEXØ

Wo Kinder sind, da ist ein goldenes Zeitalter.

NOVALIS

Ich nehme meine Kinder überall hin mit, aber sie finden immer wieder den Weg nach Hause.

ROBERT ORBEN

An Kindern gefällt mir der Produktionsprozeß am besten.

ZARKO PETAN

Das Angenehme an den Kindern von Verwandten ist, daß sie am Schluß nach Hause gehen.

CLIFF RICHARD

Alle Junggesellen lieben Hunde – und wir würden Kinder genauso sehr lieben, wenn man ihnen das Apportieren beibringen könnte.

P. J. O'ROURKE

Kind

Jeder weiß, wie man Kinder großzieht, ausgenommen die Leute, die welche haben.

P. J. O'ROURKE

Kinder sind nicht nur freundliche Lichtstrahlen des Himmels, sondern auch ernste Fragen aus der Ewigkeit und schwere Aufgaben für die Zukunft.

FRIEDRICH SCHLEIERMACHER

Die Kinder sollten das Leben in jeder Hinsicht nicht früher aus der Kopie kennenlernen als aus dem Original.

ARTHUR SCHOPENHAUER

Ich glaube nicht, daß Gefahr besteht, daß freie Kinder sich so schlecht benehmen wie die heutigen Erwachsenen, die sich schlecht benehmen, weil sie niemals frei waren.

GEORGE BERNARD SHAW

Die Kinder von heute sind Tyrannen. Sie widersprechen ihren Eltern, kleckern mit dem Essen und ärgern ihre Lehrer.

SOKRATES

Es gibt nur zwei Dinge, die ein Kind freiwillig weitergibt – ansteckende Krankheiten und das Alter seiner Mutter.

BENJAMIN SPOCK

Kind

Familienleben führt zu Verachtung – und Kindern.

MARK TWAIN

Es gibt nur ein schönes Kind auf der Welt. Jede Mutter hat es.

HERMAN VAN VEEN

Das Kind ist der größte Lebensphilosoph; denn es lebt für den Augenblick und läßt andre für sich sorgen.

OTTO WEISS

Bei Kindern ist nichts von Dauer; das gilt besonders für Vasen, Masern, erzieherische Grundsätze und die Höhe von Gestellen, Tischen und Kommoden.

KATHARINE WHITEHORN

Wer sagt einem schon, daß die erste selige Liebesnacht am Beginn einer Entwicklung steht, die mit elenden Minderwertigkeitsgefühlen endet, falls man nicht imstande ist, sechs Eierschachteln zu einem Spielzeugwagen zusammenzufügen? Keiner.

KATHARINE WHITEHORN

Für meine Tochter Leonora, ohne deren beständige Zuneigung und Ermunterung dieses Buch in der Hälfte der Zeit fertiggestellt worden wäre.

PELHAM GRENVILLE WODEHOUSE

Kind

Süß ist der Honig, aber süßer noch ist ein kleines Kind.

AUS ASIEN

Wer Geld und keine Kinder hat, der ist nicht wirklich reich; wer Kinder und kein Geld hat, der ist nicht wirklich arm.

AUS CHINA

Der Zweig ist selten besser als der Stamm.

AUS DÄNEMARK

Kinder bleiben Kinder, und wenn sie bis Mittag schlafen.

AUS DEUTSCHLAND

Mißratene Kinder sind Nägel zu der Eltern Sarg.

AUS DEUTSCHLAND

Die Eltern sind für die Kinder da, die Kinder aber nur für sich selbst.

AUS GEORGIEN

Eltern sorgen für ihre Kinder, bis sie alle Zähne haben. Kinder sollen für die Eltern sorgen, wenn sie keine haben.

AUS GHANA

Ein kleines Kind kann Gottes Namen noch nicht begreifen, aber Gott liebt es.

AUS INDIEN

Kind

Wer den Baum gepflanzt hat, wird ihn wässern.

AUS INDIEN

Wer kein Kind hat, hat kein Licht in seinen Augen.

AUS PERSIEN

Man sollte drei Kinder haben: zwei zum Raufen, eins zum Schlichten.

AUS SCHOTTLAND

Die Eltern erziehen das Kind, und die Nachbarn verheiraten es.

AUS DER SCHWEIZ

Kinder und Eltern

Einem Kind genügt es nicht, wenn wir ihm von rosaroten Elefanten erzählen, später will es, daß wir ihm diese rosaroten Elefanten auch zeigen.

HADEMAR BANKHOFER

Kinder sollten wissen, daß Erwachsene nicht immer auf Rosen gebettet sind, nur weil sie im Auto vorn sitzen und jeden Abend spät zu Bett gehen.

KATHARINE WHITEHORN

Zuerst lieben die Kinder ihre Eltern. Nach einer gewissen Zeit fällen sie ihr Urteil über sie. Und selten, wenn überhaupt je, verzeihen sie ihnen.

OSCAR WILDE

Kindererziehung

Kindererziehung: Auf Sandmann bauen.

HANS-HORST SKUPY

Kinderfragen

Der Kinderfrage »Warum« verdankt die Menschheit immer wieder neue Entdeckungen.

GERHARD FABIAN

Kindergeburtstag

Der Hauptzweck einer Kindergesellschaft besteht darin, daran erinnert zu werden, daß es Kinder gibt, die noch schlimmer sind als die eigenen.

KATHARINE WHITEHORN

Kinderglauben

Ohne den Kinderglauben gäbe es gar keine Erziehung.

JEAN PAUL

Kinderhasser

Ein Mensch, der Kinder und Hunde haßt, kann nicht ganz schlecht sein.

W. C. FIELDS

Ich habe noch nie ein Kind getroffen, das ich mochte.

W. C. FIELDS

Kinderreich

Eine Mutter, die viele Kinder hat, ist reich wie ein Fluß.

AUS AFRIKA

Ein Kind kein Kind, zwei Kind Spielkind, drei Kind viel Kind, vier Kind ein ganzes Haus voll Kinder.

AUS DEUTSCHLAND

Kinderseele

Die Seele des Kindes führt ein Traumleben, bis das erste Heimweh sie aufweckt.

GEORG VON OERTZEN

Kinderzimmer

Die meisten der zweckmäßig fürs Kinderzimmer gebauten Möbel beruhen auf dem Grundsatz, daß kleine Menschen kleine Sachen und große Fabriken große Profite brauchen.

KATHARINE WHITEHORN

Kindheit

Jene Periode des Menschenlebens, die zwischen der Idiotie der Säuglingszeit und dem Wahnsinn der Jugend liegt – zwei Grad entfernt von der Sünde des Mannestums, und drei von der Reue des Alters.

AMBROSE BIERCE

Als Kind habe ich immer geglaubt, wenn man erst mal groß ist, könnte man alles tun, wozu man Lust hat – jede Nacht aufbleiben oder Eis direkt aus dem Eis-Container essen.

BILL BRYSON

Woher stamme ich? Ich stamme aus meiner Kindheit. Ich stamme aus meiner Kindheit wie aus einem Land.

ANTOINE DE SAINT-EXUPÉRY

Ich hatte eine sehr schwere Kindheit. Ich kam praktisch ohne Zähne zur Welt und war die ersten Jahre so gut wie infantil.

ROBERT GERNHARDT

Kindheit

So ist Kind- und Knabenheit: sie behält Kleinstes, sie vergißt Größtes, man weiß bei beiden selten warum.

JEAN PAUL

Mit einer Kindheit voll Liebe kann man ein halbes Leben hindurch für die kalte Welt haushalten.

JEAN PAUL

Die meisten Menschen legen ihre Kindheit ab wie einen alten Hut. Sie vergessen sie wie eine Telefonnummer, die nicht mehr gilt. Früher waren sie Kinder, dann wurden sie erwachsen, aber was sind sie nun? Nur wer erwachsen wird und ein Kind bleibt, ist ein Mensch.

ERICH KÄSTNER

Kindheit ist Spielzeit.

ALEXANDER SUTHERLAND NEILL

Die Druckerpresse hat die Kindheit hervorgebracht, die elektronischen Medien bringen sie zum Verschwinden.

NEIL POSTMAN

Kino

Ich würde nicht unbedingt sagen, wenn man einen Western gesehen hat, hat man praktisch alle gesehen; aber wenn man praktisch alle gesehen hat, hat man das Gefühl, bloß einen gesehen zu haben.

KATHARINE WHITEHORN

Kino

Wer Filme macht, hat eine erstklassige Chance, sein Bankkonto durch ein Magengeschwür zu ersetzen.

WOODY ALLEN

Filme sollen unterhalten, Botschaften sollen die Gewerkschaften verkünden.

SAM GOLDWYN

Alle Amerikaner, die in der Zeit zwischen 1890 und 1945 geboren wurden, wollten Filmstars werden.

GORE VIDAL

Kirche

Die Kirche befördert dich gleich ins Jenseits.

BERT BERKENSTRÄTER

Ich hätte einen guten Papst abgegeben.

RICHARD M. NIXON

Der Schoß der Kirche steht jedem offen, der bereit ist, sich von einer gewissen Summe Verstandes zu trennen.

BLOOR SCHLEPPEY

Die Kirche hält sich über Weihwasser.

HANS-HORST SKUPY

Was die Kirche nicht verhindern kann, das segnet sie.

KURT TUCHOLSKY

Kirchengeschichte Je mehr Licht man in die Kirchengeschichte bringt, desto dunkler wird's.

HEINRICH WIESNER

Kirchensteuer Das Wort Kirchensteuer suchte ich bisher in der Heiligen Schrift vergebens.

WERNER MITSCH

Klarheit Je klarer man sich ausdrückt, desto gefährlicher werden die Worte.

MAY SARTON

Klarinette Klarinette: Vom Spielen wird man blind. Beweis: Alle Blinden spielen Klarinette.

GUSTAVE FLAUBERT

Klassenkampf »Klasse«! sagte er, als er die Bourgeoisie zu sehen bekam.

STANISŁAW JERZY LEC

Klassenschranken Keine Macht der Erde kann die gnadenlosen Klassenschranken zwischen denen beseitigen, die körperlich begehrenswert sind, und der einsamen, bläßlichen, pickligen, schweigenden, phantasielosen Mehrheit.

JOHN MORTIMER

Klassiker Er ist schon fast ein Klassiker. Er wird kaum noch gelesen.

GABRIEL LAUB

Klassiker

Klassiker: einer, der uns nicht mehr davon in Kenntnis setzen kann, daß er die Ansichten, auf die wir uns berufen, längst geändert hat.

GABRIEL LAUB

Klatsch

Zeigen Sie mir einen Menschen, der nie tratscht. Das gibt's einfach nicht, daß man sich nicht für andere Leute interessiert.

BARBARA WALTERS

Frauen lieben es gar nicht, Klatsch weiterzuerzählen. Sie wissen nur nicht, was sie sonst damit tun sollen.

ROMY SCHNEIDER

Klatsch ist Verurteilung aus Mangel an Beweisen.

RALPH BOLLER

Wir sind geborene Polizisten. Was ist Klatsch anderes als Unterhaltung von Polizisten ohne Exekutivgewalt.

CHRISTIAN MORGENSTERN

Heutzutage ist jedermann so von den Skandalgeschichten betäubt, daß es nicht mal mehr eine Schlagzeile wert wäre, wenn sich herausstellen sollte, daß Richard Nixon der uneheliche Sohn von Golda Meir war.

GORE VIDAL

Kleider

Eine Frau ist nie dieselbe in zwei verschiedenen Kleidern.

KARIN MICHAELIS

Ich habe immer gesagt, ich ziehe liebend gern meine Klamotten aus, wenn der Mann sich ebenfalls auszieht. Wenn ihr einverstanden sein, daß er mit raushängendem Schwanz rumläuft, laufe ich gern nackt herum. Aber bisher hat noch nie jemand in den Handel eingewilligt.

MICHELLE PFEIFFER

Frauen, die schon im Kleid alles zeigen, haben nichts mehr, worauf sie den Mann neugierig machen können.

RAQUEL WELCH

Man darf anders denken als seine Zeit, aber man darf sich nicht anders kleiden.

ANONYM

Aus dem Bewußtsein, gut angezogen zu sein, empfängt eine Frau mehr innere Ruhe als aus religiösen Überzeugungen.

RALPH WALDO EMERSON

Was Männern an Frauenkleidern mögen, sind ihre Vorstellungen, wie sie wohl ohne aussehen würde.

BRENDAN FRANCIS

Kleider	Wir stecken doch alle nackt in unseren Kleidern. HEINRICH HEINE
Kleinbürgertum	Kleinbürgertum – die Provinz in uns. HANS-HORST SKUPY
Kleine Leute	Kleine Leute befürchten immer das Schlimmste. Die Intellektuellen darunter befürchten zudem, daß es nicht eintrifft. JOHANNES GROSS
Kleinigkeit	Seine Wenigkeit erkennen ist keine Kleinigkeit. ELAZAR BENYOËTZ
Kleinstadt	Kleinstadt: Alles ist hier viel kleiner, bis auf die Vorurteile. MANFRED HAUSIN
	Das kleinstädtische Cliquenwesen ist geistige Inzucht. JULIAN PRORÓK
Klitoris	Das ist schon furchtbar: Ich weiß nicht, ob man Klitoris auf dem i oder auf dem o betont, und er sucht schon zwanzig Jahre danach und findet sie nicht. KAREN ARTHUR

Klub

Es würde mir nicht im Traum einfallen, einem Klub beizutreten, der bereit wäre, jemanden wie mich als Mitglied aufzunehmen.

GROUCHO MARX

Klugheit

Kluger: Einer, der zehn Prozent dessen glaubt, was er hört, ein Viertel dessen, was er liest, und die Hälfte dessen, was er sieht.

AMBROSE BIERCE

Die größte Klugheit einer intelligenten Frau besteht darin, ihre Klugheit nicht zu zeigen.

VIRGINIA WOOLF

Manche kluge Frau ist nur deshalb einsam, weil sie es nicht verstanden hat, ihre Klugheit zu verbergen.

DAPHNE DU MAURIER

Kluge Frauen sind meistens einsame Frauen.

VANESSA REDGRAVE

Der Kluge leitet Schritte ein, der Dumme unternimmt sie.

ELAZAR BENYOËTZ

Klugheit ist oft lästig, wie ein Nachtlicht im Schlafzimmer.

LUDWIG BÖRNE

Klugheit

Ein kluger Mann macht nicht alle Fehler selber. Er gibt auch anderen eine Chance.

WINSTON CHURCHILL

Ein gescheiter Mann muß so gescheit sein, Leute anzustellen, die viel gescheiter sind als er.

JOHN F. KENNEDY

Frauen sind klüger als Männer, weil sie weniger wissen und mehr verstehen.

ANTHONY QUINN

Der Klügere zählt nach.

JOACHIM SCHWEDHELM

Knabe

Der Unterschied zwischen einem Knaben und einem Mann ist gar nicht so groß – er besteht meist nur in der Preisdifferenz ihrer Spielsachen.

CYNTHIA WARREN

Knie

Eine Frau ist so jung wie ihre Knie.

MARY QUANT

Knoblauch

Knoblauch: Vernichtet Spülwürmer und steigert die Bereitschaft zu Liebesgefechten.

GUSTAVE FLAUBERT

Knopfloch

Wer das erste Knopfloch verfehlt, kommt mit dem Zuknöpfen nicht zu Rande.

JOHANN WOLFGANG VON GOETHE

Kochen Kochen ist wie die Liebe. Man sollte ganz und gar darin aufgehen oder es bleiben lassen.

HARRIET VAN HORNE

Zu viele Köche mögen den Brei verderben. Aber einer reicht, um ihn anbrennen zu lassen.

JULIA CHILD

Alle ausgezeichneten Köchinnen sind schwer abnorm.

SIGMUND FREUD

Man sollte nicht davon überrascht sein, daß es unzählige Krankheiten gibt – zählt die Köche.

SENECA

Königin Die Frauen wurden lange Zeit Königinnen genannt, aber das Königreich, das man ihnen gab, war es nicht wert, regiert zu werden.

LOUISA MAY ALCOTT

Körper Die Frau von heute spricht mit dem Körper, und viele hören ihr mit den Augen zu.

RAQUEL WELCH

Körperpflege Ich würde Ihnen ein Bad empfehlen. Sie sehen aus wie die zweite Wache in einem Müllabfuhrstreik.

NEIL SIMON

Kohl

Kohl: Ein Gemüse, das in etwa so groß und weise ist wie ein menschlicher Kopf.

AMBROSE BIERCE

Kokain

Kokain ist Gottes Art und Weise, um dir mitzuteilen, daß du zuviel Geld hast.

STING

Kokotten

Kokotten sind Falschspielerinnen der Liebe.

DANIEL SPITZER

Kollektiv

Was ist ein Kollektiv? Eine Häufung von Nullen, die auf den Individualismus verzichtet haben, aber auf Namensnennung Wert legen.

ANTON KUH

Manches Kollektiv hätte schon Einlaß gefunden, wenn es einsehen könnte, daß Klingelknöpfe nur einem einzigen Daumen Platz bieten.

WERNER SCHNEYDER

Kolumbus

Nicht jedem Ei entschlüpft sogleich ein Kolumbus.

STANISŁAW JERZY LEC

Komik

Alles ist komisch, solange es jemand anderem passiert.

WILL ROGERS

Komiker Komiker nehmen nichts auf der Welt ernst, außer sich selbst.

NIKOLAUS PARYLA

Kommen und Gehen Sie freute sich immer, wenn er kam, und bedauerte es nie, wenn er ging.

DOROTHY PARKER

Kommunikation Während früher viele Männer um ein Gespräch baten, wenn sie in Wahrheit nur Sex wollten, fühlen sie sich heute häufig gezwungen, um Sex zu bitten, wenn sie in Wahrheit nur ein Gespräch wünschen.

KATHARINE WHITEHORN

Für Leute, die Frieden und Stille lieben: die telefonlose Schnur.

ANONYM

Wenn zwei einander nicht verstehen, liegt die Vermutung nahe, daß sie Kommunikationstheorie studiert haben.

HELLMUT WALTERS

Kommunion Wer hat bei der Erstkommunion nicht davon geträumt, Papst zu werden?

FRANÇOIS MITTERRAND

Kommunismus Kommunismus ist, wenn jeder von jedem genug hat.

SILVIU BRUCAN

Kommunismus

Der Kommunismus ist eine großartige Theorie. Das Unglück besteht darin, daß er sich in die Praxis umsetzen läßt.

EPHRAIM KISHON

Kommunismus ist eine besonders zeitraubende Umleitung zum Kapitalismus.

WOLFRAM WEIDNER

Kommunist

Kommunisten sind Leute, die sich einbilden, sie hätten eine unglückliche Kindheit gehabt.

GERTRUDE STEIN

Kompliment

Eine Frau kann tagelang von nichts anderem leben als von einem wunderbaren Kompliment.

MICHÈLE MORGAN

Wer einer Frau unvergeßlich bleiben will, braucht ihr bloß ein hübsches Kompliment zu machen.

VIRNA LISI

Ein Mann ist alt, wenn er seine Komplimente nicht mehr in die Tat umsetzen kann.

CHARLES BOYER

Ein geglücktes Kompliment ist die charmante Vergrößerung einer kleinen Wahrheit.

JOHANNES HEESTERS

Kompliment

Frauen werden nie durch Komplimente entwaffnet. Männer stets. Das ist der Unterschied zwischen den beiden Geschlechtern.

OSCAR WILDE

Kompromiß

Ein Kompromiß ist dann vollkommen, wenn alle unzufrieden sind.

ARISTIDE BRIAND

Es war ein Kompromiß in dem Sinne, daß von einem Hai in zwei Stücke zerrissen zu werden einen Kompromiß darstellt gegenüber der Tatsache, in einem Stück verschlungen zu werden.

P. J. O'ROURKE

Konferenz

Nicht alle Männer, die Konferenzen abhalten, haben eine Geliebte. Manche haben zwei.

ZSA ZSA GABOR

Konsequenz

Konsequent ist, wer sich selber mit den Umständen wandelt.

WINSTON CHURCHILL

Vor allem ihr Gradlinigen, gebt acht in den Kurven.

STANISŁAW JERZY LEC

Konservativ

Konservative sind sehr für den Fortschritt, sofern er auf der Stelle tritt.

NORMAN MAILER

Konservierungs-stoffe

Alte Leute sollten keine ökologischen Nahrungsmittel zu sich nehmen. Sie brauchen alle Konservierungsstoffe, die sie kriegen können.

ROBERT OWEN

Konsum

Mein erstes Gebot beim Einkaufen ist, nie etwas zu erwerben, was die eigenen Kinder nicht schleppen könnten.

BILL BRYSON

Konsumterror

Der Konsumterror ist mir noch lieber als der politische Terror. Ich lasse mir lieber irgendwelche Unterwäsche aufzwingen als die Gehirnwäsche.

GABRIEL LAUB

Konzept

Wenn Männer überhaupt den Mund aufmachen, haben sie schon ein Konzept.

VOLKER GEHR

Kopf

Wenn der Kopf Ihnen das eine rät und das Herz etwas anderes, sollten Sie, bevor Sie handeln, zunächst entscheiden, ob Sie einen besseren Kopf oder ein besseres Herz haben.

MARILYN LOS SAVANT

Da alles in unserem Kopf ist, sollten wir ihn besser nicht verlieren.

COCO CHANEL

Kopf Manche Köpfe sind bereits durch Hintergedanken vollends ausgefüllt.

J. F. BLOBERGER

Der Kopf ist jener Teil unseres Körpers, der uns am häufigsten im Wege steht.

GABRIEL LAUB

Kopie Die einzigen guten Kopien sind jene, die uns die Lächerlichkeit schlechter Originale erkennen lassen.

LA ROCHEFOUCAULD

Korruption Nur wer das Privateigentum abschaffte, konnte die Korruption abschaffen. Bloß – wen störte die Korruption, wenn es kein Privateigentum gäbe?

WOLFGANG MOCHER

Korruption: Anpassung an die Inflation.

HANS-HORST SKUPY

Korruption: Alles läuft wie geschmiert.

OLIVER TIETZE

Kosmetik Kosmetik ist die Kunst, die Geburtsurkunde zu dementieren.

OLGA TSCHECHOWA

Kosmetik

Ist es wirklich nötig, daß sich Frauen in den täglichen Kampf um übermenschliche Schönheit stürzen, nur um diese dann den Liebkosungen eines unmenschlich häßlichen Mannes darzubieten?

GERMAINE GREER

Sich des Lebens zu freuen ist die beste Kosmetik für eine Frau.

ROSALIND RUSSELL

Eine Kosmetikerin ist ihr eigenes Schaufenster.

OLGA TSCHECHOWA

Die Frauen machen sich nur deshalb so hübsch, weil das Auge des Mannes besser entwickelt ist als sein Verstand.

ZSA ZSA GABOR

Es gibt keine häßlichen Frauen, es gibt nur gleichgültige.

HELENA RUBINSTEIN

Kosmetik ist die Kunst, aus der Not eine Jugend zu machen.

HANNS-HERMANN KERSTEN

Kosmetik ist die Lehre vom Kosmos des Weibes.

KARL KRAUS

KPD »Schade, daß Sie nicht in der Partei sind – dann könnte man Sie jetzt ausschließen«.

KURT TUCHOLSKY

Kraft Ich würde mir Muhammad Alis Körper mal gern für 48 Stunden ausleihen. Da gibt's drei Typen, denen ich eine reinhauen und vier Frauen, mit denen ich schlafen möchte.

JIM MURRAY

Krankenhaus Bevor du dich auf den Operationstisch legst, solltest du deine persönlichen Angelegenheiten regeln. Du könntest überleben.

AMBROSE BIERCE

Krankenkasse »Arzt sein heißt: der Stärkere sein«, hat Schwenninger gesagt. Krankenkassen-Patient sein heißt: der Schwächere sein.

KURT TUCHOLSKY

Kreativität Es ist bekannt, daß kreative Gehirne jegliche Art von schlechter Erziehung überleben.

ANNA FREUD

Kreativität ist produktive Faulheit.

GERHARD UHLENBRUCK

Kredit Was an die Stelle des Credo getreten ist – der Kredit.

HELLMUT WALTERS

Krieg

Der Krieg der Geschlechter findet hauptsächlich in einigen Bestsellern statt, denn davon kann man heutzutage gut leben.

NINA PAOLUCCI

Kriege gibt es überall dort, wo für den Frieden gekämpft wird.

ELAZAR BENYOËTZ

Krieg besteht aus einer Serie von Katastrophen, die mit einem Sieg enden.

GEORGES CLEMENÇEAU

Die Gegner in der ersten Frontlinie stehen sich am nächsten.

STANISŁAW JERZY LEC

Durchaus denkbar, daß der Krieg der Vater aller Dinge ist, denn der Vater aller Menschen ist er garantiert nicht.

WERNER SCHNEYDER

»Der Krieg«, hat einmal ein sterbender französischer Offizier gesagt, »ist eine viel zu ernste Sache, als daß man ihn den Militärs anvertrauen könnte«.

KURT TUCHOLSKY

Der Krieg erschließt brachliegendes Heldentum.

HEINRICH WIESNER

Kritik

Eine schlechte Kritik kann einem das Frühstück verderben, aber man sollte nicht zulassen, daß sie einem auch das Mittagessen verdirbt.

KINGSLEY AMIS

Wenn ich irgendwo mal wieder lese, ich hätte nie wieder so etwas Gutes wie »Catch-22« geschrieben, bin ich versucht zu fragen: »Irgend jemand sonst?«

JOSEPH HELLER

Warum denn sachlich, wenn es auch persönlich geht?

ANTON KUH

Unter die größten Entdeckungen, auf die der menschliche Verstand in den neuesten Zeiten gefallen ist, gehört meiner Meinung nach wohl die Kunst, Bücher zu beurteilen, ohne sie gelesen zu haben.

GEORG CHRISTOPH LICHTENBERG

Ich sitze im kleinsten Raum des Hauses. Ich habe Ihre Kritik vor mir. Bald werde ich sie hinter mir haben.

MAX REGER

Kritik

Der einzige Grund, warum ich mich nicht umbrachte, als ich die ersten Kritiken meines Buches las, war der, daß wir zwei Flüsse in New York haben, und ich konnte mich nicht entschließen, in welchen ich springen sollte.

WILFRIED SHEED

Kritiker

Die Kritik ist ein Studium, durch das Leute bei sehr geringen Kosten einflußreich und bekannt werden.

SAMUEL JOHNSON

Kritiker sind wie die Eunuchen in einem Harem: Sie wissen, wie's gemacht wird, sie haben's jeden Tag gesehen, sie sind aber unfähig, es selbst zu machen.

BRENDAN BEHAN

Kritiker: Einer, der sich rühmt, er sei schwer zufriedenzustellen, während doch niemand ihn zufriedenstellen will.

AMBROSE BIERCE

Ein guter Autor ist nicht selbstverständlich auch ein guter Kritiker. Genausowenig wie ein guter Trinker ein guter Barkeeper ist.

JIRI BISHOP

Sie wissen, was Kritiker sind? Die Männer, die in Kunst und Literatur versagt haben.

BENJAMIN DISRAELI

Kritiker

Jeder ist überzeugt, er könne Bücher kritisieren – nur weil er lesen und schreiben gelernt hat.

WILLIAM SOMERSET MAUGHAM

Die meisten Kritiker bleiben nur durch das in Erinnerung, was sie nicht verstanden haben.

GEORGE MOORE

Im letzten Jahr habe ich einige Vorlesungen zum Thema »Verständnis und Anerkennung von Musik bei Tieren« gehalten. Heute spreche ich zum Thema »Verständnis und Anerkennung von Musik bei Kritikern«. Es geht um ein ganz ähnliches Problem.

ERIK SATIE

Geben Sie nie etwas auf die Äußerungen von Kritikern. Einem Kritiker zu Ehren ist noch nie ein Denkmal errichtet worden.

JEAN SIBELIUS

Ich lese nie ein Buch, bevor ich es rezensiere; das macht einen zu voreingenommen.

SYDNEY SMITH

Für Kritiker zu schreiben lohnt sich nicht, wie es sich nicht lohnt, denjenigen Blumen riechen zu lassen, der einen Schnupfen hat.

ANTON TSCHECHOW

Kritiker

Ein Kritiker ist jemand, der den Weg kennt, aber nicht Autofahren kann.

KENNETH TYRAN

Kritiker suchen Jahre und Jahre nach dem falschen Wort, das sie – um ihnen Gerechtigkeit widerfahren zu lassen – dann schließlich finden.

PETER USTINOV

Ein Kritiker, der Zorn und Abscheu über einen Roman äußert, ist lächerlich. Er oder sie wirkt wie jemand, der eine komplette Rüstung angelegt hat, um ein Cremetörtchen anzugreifen.

KURT VONNEGUT

Wenn die Kritiker uneins sind, ist der Künstler mit sich einig.

OSCAR WILDE

In den besten Zeiten der Kunst gab es keine Kunstkritiker.

OSCAR WILDE

Krone

Die Krone: eine Kopfbedeckung, die den Kopf überflüssig macht.

GABRIEL LAUB

Kühnheit

Eine kühne Behauptung ist der Hecht im Karpfenteich unserer trägen Gedanken und Meinungen.

CHARLES TSCHOPP

Kultur

Kultur ist das, was der Metzger hätte, wenn er Chirurg wäre.

MARY PETTIBONE POOLE

Die gesamte Welt wird eine einzige Kultur: Wir schauen das gleiche an, kleiden uns ähnlich, reden dieselben Phrasen – und langweilen uns gegenseitig zu Tode.

HERBERT A. ALLEN

Kultur ist bei uns gleichbedeutend mit Defizit.

WOLFRAM ENGELS

Ein Premierenabonnement ist noch kein Anzeichen von Kultur.

OLIVER HASSENKAMP

Unsere Kultur besteht aus drei Schubfächern, von denen zwei sich schließen, wenn eines offen ist: aus Arbeit, Unterhaltung und Belehrung.

KARL KRAUS

Dem Plebejer ist die Ansichtskarte wichtiger als die Landschaft.

ANTON KUH

Die versinkende Kultur der Gegenwart klammert sich an den Strohhalm, aus dem man den Cocktail schlürft.

ANTON KUH

Kultur

Das Fernsehen trägt die Botschaft der Kultur in die hintersten Täler und läßt sie dort liegen.

WERNER SCHNEYDER

Kultureller Standard

Den kulturellen Standard eines Landes mißt man nicht an seinen Opernhäusern, sondern an seinen Bahnhofstoiletten.

BERND WEINKAUF

Künstler

Künstler haben gewöhnlich die Meinung von uns, die wir von ihren Werken haben.

MARIE VON EBNER-ESCHENBACH

Der Künstler ist ein King, auch wenn er manchmal in seinem Weltschmerz ein armes Schwein ist.

DORIS DÖRRIE

Künstler sind Leute, die etwas tun, für das sich andere Leute schämen würden.

GEORG BASELITZ

Der perfekte Ästhet empfindet logischerweise einen Künstler wie einen Dauerbesucher eines Dampfbades.

FLANN O'BRIEN

Als Kind ist jeder ein Künstler. Die Schwierigkeit liegt darin, als Erwachsener einer zu bleiben.

PABLO PICASSO

Künstler

Es gibt wohl kaum einen gefährlicheren Menschen auf der Welt als einen Mann mit dem Empfindungsvermögen eines Künstlers, jedoch ohne dessen Talent, es auszudrücken. Im besten Fall werden solche Leute Conférenciers oder Innenarchitekten, im schlechtesten Massenmörder oder Kritiker.

BARRY HUMPHRIES

Es ist erstaunlich, wie viele Künstler erst tot sein müssen, bevor sie unsterblich sind.

BILL IRWIN

Künstler haben das Recht, bescheiden, und die Pflicht, eitel zu sein.

KARL KRAUS

Wenn ein Künstler Konzessionen macht, so erreicht er nicht mehr als der Reisende, der sich im Ausland durch gebrochenes Deutsch verständlich zu machen sucht.

KARL KRAUS

Würde ein Wissenschaftler sich ein Ohr abschneiden, würde niemand darin einen Beweis gesteigerter Empfindungsfähigkeit erblicken.

PETER MEDAWAR

Künstler

Es gibt für einen Künstler immer nur eine Haltung: aufrecht.

DYLAN THOMAS

Für den Künstler gibt es nur eine passende Regierungsform, nämlich gar keine Regierung. Es ist lächerlich, über ihn und seine Kunst Autorität auszuüben.

OSCAR WILDE

Einen Künstler morbide zu nennen, weil er sich die Krankhaftigkeit zum Thema nimmt, ist so albern, wie wenn man Shakespeare wahnsinnig nennen würde, weil er den König Lear geschrieben hat.

OSCAR WILDE

Manchmal denke ich, das Leben des Künstlers sei ein langer und süßer Selbstmord, und ich bedauere es nicht.

OSCAR WILDE

Kein großer Künstler sieht die Dinge, wie sie wirklich sind. Täte er es, so wäre er kein Künstler mehr.

OSCAR WILDE

Kunst

Kunst ist kein Abbild der realen Welt. Eine ist, bei Gott, mehr als genug.

VIRGINIA WOOLF

Kunst

Ich bin nicht sicher, ob ein schlechter Mensch ein gutes Buch schreiben kann. Wenn die Kunst uns nicht besser macht, wofür sollte sie dann gut sein?

ALICE WALKER

Kunst kommt von Können, wenn man es aber kann, ist es keine Kunst mehr.

ANONYM

Aufgabe von Kunst heute ist es, Chaos in die Ordnung zu bringen.

THEODOR W. ADORNO

Kunst ist Magie, befreit von der Lüge, Wahrheit zu sein.

THEODOR W. ADORNO

Wenn komponieren eine Kunst ist, so ist hinzuzufügen, daß Diskutieren über Kunst eine ganz besondere Kunst ist.

HANNS EISLER

Eine Idee gut zu klauen ist eine Kunst für sich.

JULES FEIFFER

Er war ein Maler, der zum ersten Mal unter die Oberfläche vordrang, als er unter der Erde verschwand.

OLIVER ST. JOHN GOGARTY

Kunst

Kunst ist subventionierte Opposition.

HANSGÜNTHER HEYME

Die Kunst ist zwar nicht das Brot, aber der Wein des Lebens.

JEAN PAUL

Die Kunst, Frau Circen gleich – bleibt lachend auch die Reine. Doch die sie unrein schauen, verwandeln sie in Schweine.

ANTON KUH

Gebt mir ein Museum, und ich werde es füllen.

PABLO PICASSO

Farbenblindheit ist selten; Kunstblindheit die Regel.

ARNO SCHMIDT

Die Frage nach der Kunst ist für die einen eine Preisfrage, für die anderen eine Frage des Preises.

WERNER SCHNEYDER

Die Kunst ist nicht als eine zweckmäßige Tätigkeit zu betrachten.

KARL WILHELM FERDINAND SOLGER

Die Kunst ist eine ansteckende Tätigkeit, je ansteckender sie ist, umso besser ist sie.

LEO N. TOLSTOI

Kunst Alles ändert sich – außer der Avantgarde.

PAUL VALÉRY

»Und die Kunst?« – »Ist eine Krankheit.«

OSCAR WILDE

In Wirklichkeit spiegelt die Kunst den Beschauer, nicht das Leben.

OSCAR WILDE

Kunstwerk Ein Kunstwerk, das mitten aus dem Leben gegriffen ist, fehlt dort.

WERNER SCHNEYDER

Kursbuch Festgefahren braucht man kein Kursbuch mehr.

ELAZAR BENYOËTZ

Kurve Die Kurve ist die lieblichste Entfernung zwischen zwei Punkten.

MAE WEST

Kuß Eine junge Frau, die sich küssen und streicheln läßt, macht auch den Rest noch mit.

ELIZABETH-CHARLOTTE,
HERZOGIN VON ORLÉANS

Ein Kuß ist ein liebenswerter Trick der Natur, ein Gespräch zu unterbrechen, wenn Worte überflüssig werden.

INGRID BERGMAN

Kuß

Der Kuß der Menschen ist so verschieden wie ihre Handschrift.

SHEILA SCOTT

Ein Kuß ist der Versuch, unter möglichst intensiver Benützung der Lippen gemeinsam zu schweigen.

SENTA BERGER

Der Mann stiehlt den ersten Kuß, bittet um den zweiten, verlangt den dritten, nimmt sich den vierten, akzeptiert den fünften und duldet alle folgenden.

HELEN ROWLAND

Ein Kuß kann ein Komma sein, ein Fragezeichen oder ein Ausrufezeichen. Diese grundlegenden Satzzeichen sollte jede Frau beherrschen.

LA MISTINGUETT

Küssen ist besser als geküßt zu werden.

WILLIAM SHAKESPEARE

Wenn Liebhabern (was Gott verhüte!) der Stoff ausgeht, so ist der schicklichste Behelf zu küssen.

WILLIAM SHAKESPEARE

Kuß

Am selben Tag habe ich zum erstenmal ein Mädchen geküßt und meine erste Zigarette geraucht. Seitdem hatte ich nie wieder Zeit zum Rauchen.

ARTURO TOSCANINI

L

Lachen

Lachen ist durchaus kein schlechter Beginn für eine Freundschaft und ihr bei weitem bestes Ende.

OSCAR WILDE

Ladies first

Die Parole »Ladies first« haben die Männer wahrscheinlich beim Treppensteigen erfunden.

JANE FONDA

In vermintem Gelände sind alle Männer Gentlemen nach dem Motto: Ladies first!

BARBRA STREISAND

Lady

Eine Lady ist eine Dame, die aus Männern Gentlemen macht.

ALEC GUINNESS

Lächeln

Mir tut schon alles weh vom ständigen Lächeln. Warum wird von den Frauen erwartet, daß sie immerzu strahlen? Das ist unfair. Wenn ein Mann feierlich aussieht, wird automatisch angenommen, daß er ein ernsthafter Mensch ist und nicht, daß es ihm dreckig geht.

ELIZABETH II. VON ENGLAND

Lächeln Ein Lächeln kostet weniger als Elektrizität und bringt mehr Licht.

ABBÉ PIERRE

Lächerlichkeit Man ahnt nicht, wieviel Geist erforderlich ist, um niemals lächerlich zu sein.

NICOLAS CHAMFORT

Vom Erhabenen zum Lächerlichen ist es oft nur ein Schritt.

NAPOLEON BONAPARTE

Lakonisch Lakonisch: Sprache, die nicht mehr gesprochen wird.

GUSTAVE FLAUBERT

Landwirtschaft Einen Acker kannste nicht düngen, indem du bloß durch'n Zaun furzt.

ABRAHAM LINCOLN

Langeweile Es ist schlimm, wenn zwei Eheleute einander langweilen. Viel schlimmer jedoch ist es, wenn nur einer von ihnen den anderen langweilt.

MARIE VON EBNER-ESCHENBACH

Männer sind gerne bereit, etwas zu achten, das sie langweilt.

MARILYN MONROE

Langeweile ist ein großer Motivator.

UMA THURMAN

Langeweile

Das Geheimnis zu langweilen besteht darin, alles zu sagen.

ANONYM

Die meisten meiner Schulkameraden landeten später in der Geschäftswelt, der logischen Bestimmung von Langweilern.

BARRY HUMPHRIES

Die Fähigkeit, einander zu langweilen, scheint bei den Menschen wesentlich ausgeprägter als bei allen anderen Tieren. Einige ihrer am höchsten geschätzten Erfindungen dienen offensichtlich keinem anderen Ziel: zum Beispiel die Dinner-Party mit mehr als zwei Teilnehmern, das Epos und die metaphysische Wissenschaft.

HENRY LOUIS MENCKEN

Wir verzeihen oft denen, die uns langweilen, aber niemals denen, die wir langweilen.

LA ROCHEFOUCAULD

Langeweile: Man vertreibt sich die Zeit mit Zeitvertreib.

GERHARD UHLENBRUCK

Nur auf eine einzige Art vermag eine Frau jemals einen Mann zu bessern, indem sie ihn nämlich so grenzenlos langweilt, daß er jedes nur erdenkliche Interesse am Leben verliert.

OSCAR WILDE

Langweiler

Langweiler: Einer der redet, wenn er dir zuhören sollte.

AMBROSE BIERCE

Der Langweiler langweilt sich mit den Clowns, der Fröhliche amüsiert sich auf Beerdigungen.

FELIX LECLERC

Er ist ein entsetzlicher Langweiler. Sogar das Grab tut sich bei ihm gähnend auf.

HERBERT BEERBOHM TREE

Laster

Ein Grund, warum ich nicht trinke, ist der, daß ich es mitbekommen möchte, wenn ich mich amüsiere.

LADY NANCY ASTOR

Enthaltsamkeit ist aller Laster Anfang.

ANONYM

Die Laster der Großen nennt man Allüren.

FRIEDL BEUTELROCK

Gewisse Fehler bewahren auch vor ansteckenden Lastern; in Zeiten der Pest sieht man, daß die Malariakranken der Ansteckung entgehen.

NICOLAS CHAMFORT

Laster sind die Vergnügungen, zu denen es uns an dem nötigen Mut fehlt.

GRAHAM GREENE

Laster

Die meisten Menschen geben ihre Laster erst auf, wenn sie ihnen Beschwerden machen.

WILLIAM SOMERSET MAUGHAM

Latein

Latein: Nur nützlich, um die Inschriften auf öffentlichen Brunnen zu verstehen.

GUSTAVE FLAUBERT

Latin Lover

Latinos sind sinnliche Enthusiasten. In Brasilien werfen sie Blumen auf dich, in Argentinien sich selbst.

MARLENE DIETRICH

Leben

Es stimmt nicht, daß im Leben eine verdammte Sache nach der anderen passiert. Es passiert immer wieder dieselbe verdammte Sache.

EDNA ST. VINCENT MILLAY

Das Leben ist das schönste Freßgelage.

JULIA CHILD

Ich will nicht, daß das Leben die Kunst imitiert. Ich will, daß das Leben Kunst ist.

CARRIE FISHER

Das Leben ist entweder ein Seil oder ein Federbett. Man gebe mir das Seil.

EDITH WHARTON

Bald werden wir die Rasierklinge des Lebens hinabgleiten.

TOM LEHRER

Leben

Wenn ich so über mein Leben nachdenke, glaube ich nicht, daß ich ein hohes Alter erreichen werde. Aber ich würde lieber einen Tag wie ein Löwe singen, als hundert Jahre wie ein Schaf.

CECILIA BARTOLI

Ich bin eine Frau, die ihr Leben genießt. Manchmal verliere ich, manchmal gewinne ich.

MATA HARI

Das Problematische am Leben ist nicht, daß es keine Antwort gibt, sondern daß es so viele Antworten gibt.

RUTH BENEDICT

Das Leben schrumpft oder dehnt sich aus, proportional zum eigenen Mut.

ANAÏS NIN

Was hatte ich doch für ein wundervolles Leben! Ich wünschte nur, ich hätte es früher bemerkt.

COLETTE

Das Beste aus seinem Leben zu machen, ist ein verdammt armseliger Weg, damit fertig zu werden.

ROSE WILDER LANE

Man braucht vor dem Leben keine Angst zu haben. Man muß es nur verstehen.

MARIE CURIE

Leben

Das Wichtigste, was es über das Leben zu lernen gibt, ist, erstens nichts zu tun, was man nicht tun möchte, und zweitens, zu tun, was man tun möchte.

MARGARET ANDERSON

Es gibt immer zwei Möglichkeiten. In jeder Lebenslage.

PAT CALIFA

Ich will mehr vom Leben: mehr Erfahrungen, mehr Freunde, mehr Falten.

RITA MAE BROWN

Unser Motto: Das Leben ist zu kurz, um Champignons zu füllen.

SHIRLEY CONRAN

Die wirklichen Menschen wollen, daß ihr Leben eine Fiktion ist, und die erfundenen, daß ihr Leben Realität wird.

WOODY ALLEN

Man steht im Leben, solange man abreisen kann.

ELAZAR BENYOËTZ

So manches Leben ist nur ein Gang um die Uhr.

ELAZAR BENYOËTZ

Letzten Endes ist alles Spaß.

CHARLIE CHAPLIN

Leben

Das Leben ist zu kurz, um klein zu sein.

BENJAMIN DISRAELI

Nehmen wir wichtig, was wir tun, und nehmen wir nicht wichtig, was wir sind.

CHRISTOPH VON DOHNÁNYI

Das Leben ist ein gottverdammtes, beschissenes, verlogenes Spiel – und neunhundertundneunundneunzig von tausend Leuten sind Arschlöcher.

THEODORE DREISER

Das Leben ist schwer – ein Grund mehr, es auf die leichte Schulter zu nehmen.

EMIL GÖTT

Mit dem Leben ist's wie mit dem Gelde: man muß beide ausgeben, um etwas davon zu haben.

EMIL GÖTT

Das Leben ist einfach ein verdammtes Ding nach dem anderen.

ELBERT HUBBARD

Im Leben gibt's ja auch keinen Text, da muß man so drauflosleben.

HANNS DIETER HÜSCH

Nur solange man ernstlichen Widerstand zu überwinden hat, ist es schön zu lieben.

SÖREN KIERKEGAARD

Leben

Bevor man das Leben über sich ergehen läßt, sollte man sich narkotisieren lassen.

KARL KRAUS

Das Leben ist das, was uns die Epoche, der Staat und die Ehepartner davon übrig lassen.

GABRIEL LAUB

Das Leben betrügt uns alle. Auch geborene Schurken landen ganz oben.

STANISŁAW JERZY LEC

Das Leben ist gefährlich. Wer lebt, stirbt.

STANISŁAW JERZY LEC

Das Leben zwingt den Menschen zu allerlei freiwilligen Handlungen.

STANISŁAW JERZY LEC

Leben ist das, was abläuft, während du andere Dinge im Kopf hast.

JOHN LENNON

Das Leben ist entweder aus Versehen oder zum Spaß geschaffen worden.

HOWARD PHILLIPS LOVECRAFT

Es ist ein Jammer, daß die Spanne so kurz ist zwischen der Zeit, wo man zu jung, und jener, wo man zu alt ist.

MONTESQUIEU

Leben

Das Leben ist ein Wettlauf gegen die Nachbarn, mit der eigenen Frau als Schrittmacher.

RICHARD ROGLER

Schon vor langer Zeit gelangte ich zu der Einsicht, daß die Lebenschancen 5:6 stehen.

DAMON RUNYON

Unser Leben heißt Liebe, und nicht mehr lieben heißt nicht mehr leben.

GEORGE SAND

Alles hat man herausgefunden, nur nicht, wie man lebt.

JEAN-PAUL SARTRE

Wer zuletzt lacht, bleibt verhallend mit sich allein.

RICHARD SCHAUKAL

Ein Leben, das jemand damit zubringt, Fehler zu begehen, ist nicht nur ehrenvoller, sondern auch nützlicher als ein Leben, das mit Nichtstun verbracht wird.

GEORGE BERNARD SHAW

Das Leben ist der Weg vom Nichts ins Nichts.

MIKIS THEODORAKIS

Leben

Das Leben ist wie ein Theaterstück mit Überlänge, in dem man sitzt und von dem Gedanken gepeinigt wird, man habe die Kritiken dazu längst gelesen.

JOHN UPDIKE

Das Leben ist ein Spiel, dessen Spielregel Nr. 1 lautet: Das Leben ist kein Spiel, das ist todernst.

ALAN WATTS

Wirklich zu leben ist das kostbarste auf der Welt. Die meisten Menschen existieren bloß, sonst nichts.

OSCAR WILDE

Lebensalter

Fast jeder Mann hat zwei Lebensalter: eines, in dem er treu sein will, es aber nicht kann, und ein anderes, indem er untreu werden möchte, es aber nicht fertigbringt.

NANCY BIRCH

Lebensangst

Er hatte seine Lebensangst so erfolgreich verdrängt, daß er sich gar nichts mehr vorstellen konnte.

RUDOLF HARTUNG

Lebensgeschichte

Ich war der Meinung, ich sei ein interessanter Mensch. Aber glauben Sie mir, es ist überaus erhellend, zu erkennen, daß die eigene Lebensgeschichte nicht mehr als 35 Seiten ausfüllt.

ROSEANNE ARNOLD

Lebenskunst

Lebenskunst ist die Kunst des richtigen Weglassens. Das fängt beim Reden an und endet beim Dekolleté.

COCO CHANEL

Lebenskünstler

Viele Lebenskünstler leben von der Zeit, die andere nicht haben.

MICHAEL DOUGLAS

Lebenskünstler sind Menschen, die schon vollkommen glücklich sind, wenn sie nicht vollkommen unglücklich sind.

ARSENIO HALL

Die wahren Lebenskünstler vergleichen sich grundsätzlich nur mit Leuten, denen es schlechter geht als ihnen.

ANDRÉ MAUROIS

Lebenslauf

Von der Geburt bis zum achtzehnten Lebensjahr braucht ein Mädchen gute Eltern, von achtzehn bis fünfunddreißig ein gutes Aussehen, von fünfunddreißig bis fünfundfünfzig einen guten Charakter und ab fünfundfünfzig aufwärts Bargeld.

SOPHIE TUCKER

Ich glaube, daß die zweite Lebenshälfte besser verläuft als die erste. In der ersten Hälfte lernt man, wie's geht. Und in der zweiten genießt man es.

FRANCES LEAR

Lebenslauf

Das Leben einer Frau bewegt sich in Gefühlskurven. Auf Linien des Verstandes verläuft das Leben eines Mannes.

OSCAR WILDE

Lebensphilosophie

Man sollte dafür sorgen, daß die Dinge so kommen, wie man sie nehmen möchte.

C. GOETZ

Lebensstandard

Lebensstandard ist der Versuch, sich heute das zu leisten, wofür man auch in zehn Jahren noch kein Geld haben wird.

WALTER MATTHAU

Lebensweisheit

Leben wir länger! Als die anderen.

STANISŁAW JERZY LEC

Lebensziel

Es kommt doch nur darauf an, daß man gut aussieht, genügend Geld hat und jeder einen kennt.

OTTO WAALKES

Legalität

Nichts ist illegal, wenn hundert Geschäftsleute beschließen, genau dies zu tun.

ANDREW YOUNG

Lehrer

Ein Lehrer ist als Kinderpädagoge sicher unterbezahlt, als Bildungsvermittler genauso sicher überbezahlt.

JOHN OSBORNE

Leichtsinn

Der Leichtsinn ist ein Schwimmgürtel für den Strom des Lebens.

LUDWIG BÖRNE

Leiden

Das einzige Mittel gegen seelisches Leiden ist psychischer Schmerz.

KARL MARX

Leidenschaft

Das Schlimme an den Männern ist, daß sie Angst vor Leidenschaft haben. Sie lieben mit dem Fuß auf dem Bremspedal – und deshalb wissen sie überhaupt nicht, was Leidenschaft ist.

BRIGITTE BARDOT

Kein Toter ist so gut begraben wie eine erloschene Leidenschaft.

MARIE VON EBNER-ESCHENBACH

Eine erloschene Leidenschaft ist kälter als Eis.

ZSA ZSA GABOR

Leidenschaft ist eine Eigenschaft, die Leiden schafft.

SPRICHWORT

Die Leidenschaft ist wie der Blitz: meistens schlägt sie daneben ein.

ANATOLE FRANCE

»Die Leidenschaft«, sagt Plato, »sind die Pferde am menschlichen Wagen« – oh! – und wie leicht schwingt sich ein Weib auf den Kutschbock, um spazierenzufahren.

JEAN PAUL

Leidenschaft

Wenn man noch die letzten Funken einer Leidenschaft im Herzen trägt, wird man sich eher einer neuen hingeben können, als wenn man gänzlich geheilt ist.

LA ROCHEFOUCAULD

Ein in Leidenschaft entflammter Mensch reitet ein Pferd, das mit ihm durchgeht.

CHARLES H. SPURGEON

Der einzige Unterschied zwischen einer Laune und einer lebenslänglichen Leidenschaft ist der, daß die Laune ein wenig länger verhält.

OSCAR WILDE

Leistung

Leistungsfähigkeit schließt Muse aus.

MILAN KUNDERA

Leistungsgesellschaft

Eine Gesellschaft, die sich mehr leistet, als sie sich leisten kann, nennt sich Leistungsgesellschaft.

WERNER MITSCH

Leitartikel

Alles, was die Verfasser von Leitartikeln jemals tun, ist, nach der Schlacht vom Feldherrnhügel herunterzukommen und die Verwundeten zu erschießen.

ANONYM

Lektor

Sie fragen nach dem Unterschied zwischen dem Lektor und dem Verleger? Der Lektor wählt Manuskripte aus, der Verleger wählt Lektoren aus.

MAX SCHUSTER

Lernen

Lernen ist wie Rudern gegen den Strom; sobald man aufhört, treibt man zurück.

LAO-TSE

Der Mensch lernt ein Leben lang, mit Ausnahme der Schuljahre.

GABRIEL LAUB

Ein Kind zum Lernen zu zwingen ist das gleiche, wie jemanden durch Gesetz zu zwingen, eine bestimmte Religion anzunehmen. Und es ist genauso blöd.

ALEXANDER SUTHERLAND NEILL

Lesben

Mein Lesbentum ist ein Akt christlicher Nächstenliebe. All diese Frauen da draußen beten um einen Mann, und ich überlasse ihnen meinen Anteil.

RITA MAE BROWN

Oh, Sie meinen, ich bin lesbisch! Natürlich bin ich das, und heterosexuell auch. Aber was hat das mit meinen Kopfschmerzen zu tun?

EDNA ST. VINCENT MILLAY

Lesben

Ich habe viele Feministinnen getroffen, die keine Lesbierinnen waren. Aber ich habe noch nie eine Lesbe getroffen, die keine Feministin war.

MARTHA SHELLEY

Alle Frauen sind Lesben, bis auf die, die es nicht wissen.

JILL JOHNSTON

Welche Frau verbringt nicht neunzig Prozent ihrer Zeit damit, sich immer mal wieder als Lesbe zu outen?

DONNA KARAN

Lesbisch

Frauen liebt Frauen, Millionen Männer können nicht irren.

ANONYM

Lesen

Manche behaupten, Leben wäre die Sache, aber ich ziehe Lesen vor.

RUTH RENDELL

Ich habe einen Kurs im Schnellesen mitgemacht und bin nun in der Lage, »Krieg und Frieden« in zwanzig Minuten durchzulesen. Es handelt von Rußland.

WOODY ALLEN

Lesen ist denken mit fremdem Gehirn.

JORGE LUIS BORGES

Lesen

Bücherlesen heißt in einer geistreichen Gesellschaft sein, wo man nur zuhört und nichts beiträgt zur Unterhaltung.

JEAN PAUL

Die meisten glauben, sie können eine Sache lesen, bloß weil sie einer geschrieben.

JEAN PAUL

Es gibt wirklich sehr viele Menschen, die bloß lesen, damit sie nicht denken brauchen.

GEORG CHRISTOPH LICHTENBERG

Lesen schwächt die Sehkraft und erweitert den Horizont.

MILOVAN VITEZOVIĆ

Eine strenge und unumstößliche Regel, was man lesen sollte und was nicht, ist albern. Man sollte alles lesen. Mehr als die Hälfte unserer heutigen Bildung verdanken wir dem, das man nicht lesen sollte.

OSCAR WILDE

Früher wurden Bücher von Literaten geschrieben und vom Publikum gelesen. Heute werden sie vom Publikum geschrieben und von niemandem gelesen.

OSCAR WILDE

Leser

Auch den Möbelpackern sind Leute, die Bücher lesen, zuwider. Die Möbelpacker haben aber einen gewichtigen Grund dafür.

GABRIEL LAUB

Wenn die Leser zu unseren Lesungen kommen, dann in der Hoffnung, daß es unterhaltsamer ist, uns zuzusehen als uns zu lesen.

SINCLAIR LEWIS

Ich kenne zwei Arten von Lesern: diejenigen, die lesen, um sich zu erinnern, und die, die lesen, um zu vergessen.

WILLIAM LYON PHELPS

Ein Leser hat's gut: er kann sich seine Schriftsteller aussuchen.

KURT TUCHOLSKY

Leserbrief

Der Schreibtischtäter unserer Jahre ist der Leserbrieftäter.

WERNER SCHNEYDER

Letzter Schrei

Der letzte Schrei ist nichts als die Ankündigung des nächsten.

WERNER SCHNEYDER

Letztes Wort

Nur ein Echo kann manchen Leuten das letzte Wort streitig machen.

ANONYM

Leuchtturm

Am Fuße des Leuchtturms herrscht Dunkelheit.

AUS JAPAN

Leugnen

Ich leugne nichts von dem, was ich nicht gesagt habe.

BRIAN MULRONEY

Leumund

Im Leben muß man meistens zwischen seinem guten Ruf und seinem Vergnügen wählen.

SEAN CONNERY

Liberale

Neben den Kirchen sind die Liberalen die einzige gesellschaftliche Kraft, die Erfahrung hat mit der Wiederauferstehung.

JÜRGEN MORLOK

Konservative sind mit bestehenden Übeln zufrieden; Liberale wollen sie durch neue Übel ersetzen.

ANONYM

Liebe

Ein Mann, der liebt, vergißt sich selbst. Eine Frau, die liebt, vergißt die anderen Frauen.

DAPHNE DU MAURIER

Liebe heißt, auch den Kummer zu teilen, den man noch nicht hat.

LISELOTTE PULVER

Liebe

Liebe ist, lieber mit ihm als ohne ihn unglücklich zu sein.

KIM GROVE

Die Liebe ist ein Versprechen, das andere halten werden.

SENTA BERGER

In der Liebe fühlt sich der Mann als Bogen, er ist aber nur der Pfeil.

JEANNE MOREAU

Liebe – eine der größten Banalitäten des Lebens.

COLETTE

Die Liebe verändert die Menschen. Männer werden verrückt, Frauen werden normal.

FELICITAS VON REZNICEK

Frisch erhält sich nur eine Liebe, der ein bißchen Kühle beigemischt ist.

MICHÈLE MORGAN

Lieben heißt – keine Wahl zu haben.

LIV ULLMANN

Wenn die Liebe mit dir fertig ist, bleibt noch reichlich Leben übrig.

COLETTE

Liebe

Es gibt Frauen, die ihre Männer mit einer ebenso blinden, schwärmerischen und rätselhaften Liebe lieben wie Nonnen ihr Kloster.

MARIE VON EBNER-ESCHENBACH

Liebe ist, wenn deine Neurosen zu den Neurosen deines Partners passen.

AMELIE FRIED

In der Liebe verbindet der moderne Mann die Gefühlswärme eines Computers mit der Behutsamkeit eines Jumbo-Jet.

ANNA MAGNANI

An Rheumatismen und an wahre Liebe glaubt man erst, wenn man davon befallen ist.

MARIE VON EBNER-ESCHENBACH

Liebe ist, zusammen unter einer Decke zu stecken.

KIM GROVE

Liebe ist etwas Komisches: Ein Mann beißt ein Mädchen in den Nacken, weil es schöne Beine hat.

LILLI PALMER

Ich habe eine merkwürdige Entdeckung gemacht: Männer, die in Selbstbedienungsrestaurants essen, machen auch in der Liebe nicht viele Umwege.

HELEN HUNTER

Liebe

In der Liebe sind die Vorspeisen die eigentlichen Leckerbissen.

FRANÇOISE PERTURIER

Mit der Liebe ist es wie mit einer Detektivgeschichte: Du siehst dir das Ende an und verlierst das Interesse.

DAGMAR HILAROVA

Wenn Liebe die Antwort ist, könnten Sie dann bitte die Frage noch einmal formulieren?

LILY TOMLIN

In Liebesdingen kann jede Frau schneller hören als der Mann zu sprechen vermag.

HELEN ROWLAND

In der Liebe sind alle Männer fortgeschrittene Anfänger.

MADAME DE PONTIGNY

Die Liebe ist wie das Schachspiel. Du mußt wissen, welcher Mann bewegt werden muß.

JACKIE MABLEY

Die Liebe ist um vieles schöner, wenn man nicht verheiratet ist.

MARIA CALLAS

Die Liebe ist genauso wunderbar, wie sie immer angepriesen wird. Darum gehen die Menschen auch so zynisch mit ihr um.

ERICA JONG

Liebe

Liebe ist auch ohne die Ehe moralisch. Aber eine Heirat ohne Liebe ist unmoralisch.

ELLEN KEY

Liebe ist die wunderbare Gabe, einen Menschen so zu sehen, wie er nicht ist.

HANNELORE SCHROTH

Liebe ist die Geschichte des Lebens einer Frau, aber die Episode im Leben eines Mannes.

GERMAINE DE STAËL

Liebe ist jener seltsame Zustand, den alle belächeln, bevor sie von ihm befallen sind.

VIRNA LISI

Liebe ist nicht ein, sondern das einzige Mittel, um glücklich zu werden.

FRANÇOISE SAGAN

Heutzutage ist Liebe Zuneigung on the rocks.

MICHÈLE MORGAN

Die Liebe gleicht einem photographischen Entwickler, der dem flauen Negativ deutliche Züge verleiht.

SIMONE DE BEAUVOIR

Liebe

Liebe ist im Grunde eine chemische Reaktion. Aber es macht Spaß, nach der Formel zu suchen.

HILDEGARD KNEF

Liebe ist ein Käfig mit Gitterstäben aus Glück.

CLAUDIA CARDINALE

Das Wesen der Liebe ist, miteinander lachen zu können.

FRANÇOISE SAGAN

Liebe ist eine Komposition, bei der die Pausen genauso wichtig sind wie die Musik.

SENTA BERGER

Eine Frau verabscheut einen Mann dafür, daß er sie liebt – es sei denn, sie liebt ihn auch.

ELIZABETH DREW STODDARD

Über die Liebe lächelt man nur so lange, bis sie einen selber erwischt.

ELEONORA DUSE

Liebe ist wie Grapefruit: Mit der Zeit lernt man ihren bitteren Beigeschmack schätzen.

JEANNE MOREAU

Liebe

Mancher heutige Mann liebt nach Fahrplan und wundert sich deshalb sehr, wenn er nicht ankommt.

HEIDELINDE WEIS

Zur Liebe gehört Geduld und die Erkenntnis, daß man selber dem anderen heftig auf die Nerven geht.

GABRIELE WOHMANN

Liebe auf den ersten Blick ist die Entschuldigung der Männer dafür, daß sie es eilig haben.

ELKE SOMMER

In der Liebe muß ein Mann nicht bis drei zählen können. Es ist sogar besser, wenn er nur bis zwei zählen kann.

LOUISE MARTINI

Eine große Liebe läßt sich durch die Wirklichkeit des Geliebten nicht stören.

HANNAH ARENDT

Platonische Liebe ist Sex oberhalb der Ohren.

THYRA WINSLOW

Liebe, sagt man, gehe durch den Magen. Ob das auch für die unglückliche Liebe gilt?

MARIANNE SÄGEBRECHT

Liebe

Liebe lebt, Liebe stirbt. Keiner weiß, woran.

MARIA SCHELL

Frauen möchten in der Liebe Romane erleben, Männer Kurzgeschichten.

DAPHNE DU MAURIER

Die Liebe wird nie ein Ideal sein, solange Männer an der Illusion festhalten, daß sie ein bißchen treu oder ein bißchen verheiratet sein können.

HELEN ROWLAND

Wenn man jemanden nicht mehr liebt, glaubt man, man habe ihn nicht wirklich geliebt.

ANNIE DE PÈNE

Die Liebe stirbt niemals an Hunger, aber oft an Übersättigung.

NINON DE LENCLOS

Einige Frauen und einige Männer scheinen einander zu brauchen.

GLORIA STEINEM

Liebe stirbt am ständig Baumwollenen.

GERTI SENGER

Ich habe die Männer, die ich liebte, nie gemocht, und diejenigen, die ich mochte, nie geliebt.

FANNY BRICE

Von wahrer Liebe zu einer Frau kann man erst dann sprechen, wenn man eine gute Beziehung zu ihrem Liebhaber hat.

ANONYM

Liebe ist nur ein Trick der Natur, um die Art zu erhalten.

ANONYM

Gegen Liebe auf den ersten Blick hilft nur der zweite.

ANONYM

All we need ist love! But what we get is homework.

ANONYM

Liebe ist die lustvollste Variante des Schwachsinns.

ANONYM

Liebe mag blind sein, aber Eifersucht sieht zuviel.

ANONYM

In der Liebe fängst du dann und wann wieder mal von vorne an.

ANONYM

Liebe

Jede hat ihre Schwächen, meine bist du.

ANONYM

Liebe ist mir zu philosophisch, ich bleibe beim Bier.

ANONYM

Liebe ist wie ein Negativ – sie entwickelt sich meist im Dunkeln.

ANONYM

Hast du Glück im Spiel, hast du Geld für die Liebe.

ANONYM

Nicht jung, nicht schön, nicht reich – so fängt jede tragische Liebe an.

ANONYM

Liebe halte ich für ein Gerücht.

ANONYM

Lieben ist schwierig. Geliebt werden ermüdend.

CLAUDE ANET

Man liebt, wo man kann.

CLAUDE ANET

Liebe: auch so ein Problem, das Marx nicht gelöst hat.

JEAN ANOUILH

Liebe

Liebe ist der einzige Weg, auf dem selbst die Dummen zu einer gewissen Größe gelangen.

HONORÉ DE BALZAC

Schönheit selbst da zu sehen, wo sie sich nicht befindet, sie erst durch die Macht des bezaubernden Blickes zu schaffen, das ist gewiß das sicherste Zeichen der Liebe.

HONORÉ DE BALZAC

Wenn es darum geht, unsere Liebe zu zeigen, sind wir ein unterentwickeltes Land.

JANE BELLOW

Liebe: Zeitweiliger Wahnsinn, heilbar durch Heirat oder dadurch, daß der Patient jenen Einflüssen entzogen wird, unter denen die Störung auftrat.

AMBROSE BIERCE

Platonische Liebe ist ein schwachsinniger Name für die Neigung zwischen einer Unfähigkeit und einem Frost.

AMBROSE BIERCE

Zu lieben mag wohl eine Lust sein, aber ein Vergnügen ist es nie: genauso wie das Leben.

FRANZ BLEI

Liebe

Männer wollen aus der Liebe keine große Geschichte machen. Sie machen lieber Anekdoten daraus, wollen aber die einzigen sein, die darüber lachen.

DOMINIQUE LE BOURG

Liebe, die ist doch an Zeit nicht gebunden.

BERTOLT BRECHT

Es ist viel leichter, für eine Frau, die man liebt, zu sterben, als mit ihr zu leben.

LORD BYRON

Seine Liebe war ewig. Als seine Frau starb, nahm er eine andere.

WILHELM BUSCH

Liebe ist wie eine epidemische Krankheit: je mehr man sie fürchtet, um so mehr setzt man sich ihr aus.

NICOLAS CHAMFORT

Die Liebe macht mehr Vergnügen als die Ehe, Romane sind auch unterhaltender als die Geschichte.

NICOLAS CHAMFORT

Die Liebe ist ein Versprechen, das nicht gehalten werden kann.

PAUL CLAUDEL

Liebe

Liebe ist jener seltsame Zustand, in dem man bereit ist, die Frau im Singular zu akzeptieren.

GEORGES COURTELINE

Liebe ist ein Ozean der Gefühle, der von Ausgaben umgeben ist.

LORD DEWAR

Wir alle sind zur Liebe geboren.

BENJAMIN DISRAELI

In der Liebe sind auch die größten Herzensbrecher nur Lehrlinge mit Vergangenheit.

ZSA ZSA GABOR

Die Liebe ist eine ewige Unbefriedigtkeit.

JOSÉ ORTEGA Y GASSET

Liebe ist die Anstrengung, die dazu gehört, sich mit einer einzigen Frau zu begnügen.

PAUL GERALDY

In der Liebe gibt es zwei Übel: Krieg und Frieden.

HORAZ

Liebe

Das erste Anzeichen wirklicher Liebe ist bei einem jungen Mann Schüchternheit, bei einem jungen Mädchen Kühnheit.

VICTOR HUGO

Solang ein Weib liebt, liebt es in einem fort – ein Mann hat dazwischen zu tun.

JEAN PAUL

Liebe ist wie Masern, da müssen wir alle durch.

JEROME K. JEROME

Liebe ist wie Masern – es wird schlimmer, wenn es einen spät im Leben erwischt.

DOUGLAS WILLIAM JERROLD

In der Liebe kommt es nur darauf an daß man nicht dümmer erscheint, als man gemacht wird.

KARL KRAUS

Liebe ist ein Vorbeugungsmittel gegen Lungenkrebs: Während des Liebesaktes raucht man nicht.

GABRIEL LAUB

Pech in der Liebe: sich unglücklich in die eigene Frau zu verlieben.

GABRIEL LAUB

Liebe

In einem Lande, wo den Leuten, wenn sie verliebt sind, die Augen im Dunkeln leuchteten, bräuchte man des Abends keine Laternen.

GEROG CHRISTOPH LICHTENBERG

Wer aus Liebe heiratet, krepiert aus Wut.

ITALO LOMBARDO

Wer allzu vorsichtig ist, der liebt nicht.

GIOVANNI LOREDAN

Liebe ist zeitweilige Blindheit für die Reize anderer Frauen.

MARCELLO MASTROIANNI

Liebe ist, was sich zwischen Männern und Frauen abspielt, die sich nicht wirklich kennen.

WILLIAM SOMERSET MAUGHAM

Liebe ist nichts anderes als ein Boogie-Woogie der Hormone.

HENRY MILLER

Der Mann, der geliebt wird, ist ein Gefangener.

HENRY DE MONTHERLANT

Liebe

Kein Kind ist jemals durch etwas anderes als Liebe vom Haß geheilt worden.

ALEXANDER SUTHERLAND NEILL

Die Lieb', das ist die Königin, die am meisten anrichtet in der Welt.

JOHANN NESTROY

Die Forderung, geliebt zu werden, ist die größte der Anmaßungen.

FRIEDRICH NIETZSCHE

Die Liebe ist eine Krise, die Abneigung hinterläßt.

CESARE PAVESE

Liebe auf den ersten Blick ist ein harmloser Herzinfarkt.

ZARKO PETAN

Liebe ist eine schwere Geisteskrankheit.

PLATON

Liebe: ein privates Weltereignis.

ALFRED POLGAR

In der Liebe kaum zu lieben ist ein sicheres Mittel, um geliebt zu werden.

LA ROCHEFOUCAULD

Liebe

Es gibt nur *eine* Liebe, aber tausend verschiedene Kopien von ihr.

LA ROCHEFOUCAULD

Mit der wahren Liebe ist es wie mit Gespenstererscheinungen: Alle Welt spricht davon, aber wenige haben sie gesehen.

LA ROCHEFOUCAULD

Das größte Wunder der Liebe ist, daß sie von der Koketterie heilt.

LA ROCHEFOUCAULD

Wir lieben stets die, die uns bewundern, aber nicht immer die, die wir bewundern.

LA ROCHEFOUCAULD

Gegen die Liebe gibt es mehrere Heilmitteil, aber keins ist unfehlbar.

LA ROCHEFOUCAULD

Es gibt wenig Leute, die sich nicht schämen, einander geliebt zu haben, sobald sie einander nicht mehr lieben.

LA ROCHEFOUCAULD

Liebespaare langweilen sich nicht miteinander, weil sie beständig von sich selber sprechen.

LA ROCHEFOUCAULD

Liebe

Die Liebe einer Frau kannst du dir durch mancherlei verscherzen: durch Vertrauen und Mißtrauen, durch Nachgiebigkeit und Tyrannei, durch zu viel und durch zu wenig Zärtlichkeit – durch alles und durch nichts.

ARTHUR SCHNITZLER

Liebe ist wie Radfahren – beides geht aufs Herz.

STEFFEN SCHÖNSTEDT

Liebe ist ein Kobold; Liebe ist ein Teufel; es gibt keinen böseren Engel als die Liebe.

WILLIAM SHAKESPEARE

Es gibt keine aufrichtigere Liebe als die zum Essen.

GEORGE BERNARD SHAW

Liebe ist die Geschichte der Verfolgung des Mannes durch die Frau.

GEORGE BERNARD SHAW

Liebe ist, wenn man Tag und Nacht singen möchte. Ohne Honorar und Manager.

FRANK SINATRA

Wenn es in der Ehe Liebe gibt, so ist sie ein erlöschendes Feuer, und zwar eins, das um so rascher verglimmt, je heller es gelodert hat.

HENRI BEYLE STENDHAL

Liebe

Liebe ist, was man für jemanden empfunden hat.

JAMES THURBER

Eine Frau lieben und gleichzeitig etwas Vernünftiges tun ist schwer.

LEO N. TOLSTOI

Liebe ist für mich etwas, das wie ein Gewitterregen vom Himmel fällt. Ach, ist das schön!

TERRY TORDAY

Liebe ist, wenn sie dir die Krümel aus dem Bett macht.

KURT TUCHOLSKY

Die Liebe ist die einzige Krankheit, welche durch Ansteckung des anderen geheilt werden kann.

GERHARD UHLENBRUCK

Die größte Liebe ist immer die, die unerfüllt bleibt.

PETER USTINOV

Die Liebe ist ein Stoff, den die Natur gewebt und die Phantasie bestickt hat.

VOLTAIRE

Liebe ist wie eine Zigarre. Wenn sie verlöscht, kannst du sie wieder entzünden, aber sie wird nie wieder so schmecken.

LORD WAVELL

Liebe	Liebe ist Mord. OTTO WEININGER
	Wenn ein Mann einmal eine Frau geliebt hat, wird er alles für sie tun, ausgenommen sie weiterzulieben. OSCAR WILDE
	Die Liebe des Kindes ist wie Wasser in einem Korb. AUS ARGENTINIEN
Liebesbrief	Die schönsten Liebesbriefe sind die geflüsterten. SENTA BERGER
	Um einen guten Liebesbrief zu schreiben, mußt du anfangen, ohne zu wissen, was du sagen willst, und endigen, ohne zu wissen, was du gesagt hast. JEAN-JACQUES ROUSSEAU
Liebesgeschichte	In einer wirklichen Liebesgeschichte bleibt Leidenschaft nur Episode. FRANÇOISE SAGAN
Liebesspiel	Beim Liebesspiel ist es wie beim Autofahren: Die Frauen bevorzugen die Umleitung, die Männer die Abkürzung. JEANNE MOREAU

Liebhaber

Junge Liebhaber sind wie der Camembert: Wenn sie reif werden, laufen sie einem davon.

FRANÇOISE ROSAY

Alle wirklich guten Liebhaber sind wortgewandt, und verbale Verführung ist der sicherste Weg zu echter Verführung.

MARYA MANNES

Bei der Liebe haben heuchlerische Liebhaber mehr Erfolg als aufrichtige Verehrer.

NINON DE LENCLOS

Wie grotesk und köstlich es ist, jemanden zu lieben, der jünger ist als man selbst! Jede sollte das mal probieren.

BARBARA PYM

Männer lieben intensiver mit zwanzig, aber sie lieben besser mit dreißig.

KATHARINA II. VON RUSSLAND

Kratz an 'nem Liebhaber und du findest einen Feind.

DOROTHY PARKER

Es ist leichter, Liebhaber zu sein als Ehegatte, denn es ist schwieriger, jeden Tag Geist zu besitzen, als von Zeit zu Zeit hübsche Dinge zu sagen.

HONORÉ DE BALZAC

Liebhaber

Ein Liebhaber, der Fortuna nicht beim Schopfe nimmt, ist verloren.

GIACOMO CASANOVA

Ein Liebhaber, der nicht indiskret ist, ist kein Liebhaber.

THOMAS HARDY

Eine Frau kann sich keinen festeren und reineren Liebhaber erwählen als den Liebhaber einer anderen.

JEAN PAUL

Liebling

Liebling ist der Rufname für alle Frauen, deren Vorname uns im Augenblick nicht einfällt.

OLIVER HERFORD

Liebschaft

Viele kleine Liebschaften sind fortschreitende Immunisierung gegen die große Liebe.

JEANNE MOREAU

Die glücklichsten Liebschaften basieren auf gegenseitigem Mißverständnis.

LA ROCHEFOUCAULD

Linkshänder

Linkshänder: Furchtbar gefährlich beim Fechten. Viel weniger linkisch als die, die ihre rechte Hand benutzen.

GUSTAVE FLAUBERT

Lippenbekenntnis

Und auf einmal verstand ich, was Lippenbekenntnisse sind: Ich küßte einen Mann.

GISELA WIDMER

Literatur

Und was die Frauen anbelangt, mein Gott, da muß man die Literatur nicht zu Hilfe nehmen, um ans Ziel zu kommen; ein kühner Griff im rechten Augenblick bringt einen weiter als das längste Gedicht.

CLAUDE ANET

Das Lesen der Programmzeitschriften droht unsere Literatur zu werden.

AUGUST EVERDING

Der Nachteil bei großer Literatur ist, daß jedes Arschloch sich damit identifizieren kann.

PETER HANDKE

Heute liest nur noch, wer es nicht lassen kann.

CHRISTOPH HEIN

Die literarische Unsterblichkeit hat das Schöne, daß wie bei Mumien der Mensch nicht bloß unverweset, sondern auch wohlriechend wird.

JEAN PAUL

Unsere Literatur wird von Kapaunen ausgebrütet.

JEAN PAUL

Literatur

Die Posaune des Lobs weckt verstorbne Bücher auf.

JEAN PAUL

Glänzende Schuhe sind eine Wohltat, glänzende Literatur nicht.

WAYNE KOESTENBAUM

In der Literatur geht es größtenteils um den Sex und nicht ums Kinderkriegen und Kinderhaben; im wirklichen Leben ist es genau umgekehrt.

DAVID LODGE

In der Literatur und in der Liebe erstaunt uns immer wieder die Wahl, die andere treffen.

ANDRÉ MAUROIS

Früher wurde Literatur verfilmt; heute gibt es das Buch zum Fernsehfilm.

HEINRICH OBERREUTHER

»Was ist der Unterschied zwischen Literatur und Journalismus?« – Der Journalismus ist das Lesen nicht wert, und die Literatur wird nicht gelesen. Das ist alles.

OSCAR WILDE

Literatur

Den Leuten zu sagen, was sie lesen sollen, ist in der Regel entweder nutzlos oder gar schädlich; denn das Verständnis für Literatur ist Sache des Temperaments, nicht der Unterweisung.

OSCAR WILDE

Die Literatur greift immer dem Leben vor. Sie ahmt das Leben nicht nach, sondern formt es nach ihrer Absicht. Das neunzehnte Jahrhundert, wie wir es kennen, ist zum großen Teil eine Erfindung Balzacs.

OSCAR WILDE

Literaturagent

Seinen literarischen Agenten zu wechseln ist, als ob man an Deck der Titanic den Liegestuhl wechselt.

ANONYM

Literaturkritik

Bei guten Werken muß man *vor* dem Druck alle Kleinigkeiten tadeln, und *nach* ihm alle übersehen.

JEAN PAUL

Man verachtet die Rezensionen über sich selber und doch glaubt man denen über andere.

JEAN PAUL

Der Rezensent ist in der Blüte seiner Jahre, was ich schon daraus sehe, daß er noch keine Früchte zeigt.

JEAN PAUL

Literaturkritik

Ich will lieber das dickste schlechte Buch schreiben als die dümmste gute Rezension davon.

JEAN PAUL

Wer mich als Autor liebt, erwartet ein Wort, um zu bewundern; wer haßt, eines um fortzuhassen; ich glaube Schweigen befriedigt beide.

JEAN PAUL

Lob

Lob: Tribut, den wir Leistungen zollen, die den unseren ähneln, wenn sie ihnen auch nicht gleichkommen.

AMBROSE BIERCE

Wer mit Lob geizt, beweist, daß er arm an Verdienst ist.

PLUTARCH

Gewöhnlich lobt man bloß, um gelobt zu werden.

LA ROCHEFOUCAULD

Loch

Manche Dinge werden durch ein einziges Löchlein entwertet; weil an einer Stelle von ihnen etwas nicht ist, gilt nun das ganze übrige nichts mehr. Beispiele: ein Fahrschein, eine Jungfrau, ein Luftballon.

KURT TUCHOLSKY

Ein Loch ist da, wo etwas nicht ist.

KURT TUCHOLSKY

Logik

Wenn es in der Welt logisch zuginge, würden die Männer im Damensitz reiten.

RITA MAE BROWN

Was Logik ist, liegt in der Betrachtung desjenigen, der sie vertritt.

GLORIA STEINEM

Logik: Die Kunst, in strikter Übereinstimmung mit den Beschränkungen und Unfähigkeiten der menschlichen Nichterkenntnis zu denken und zu argumentieren.

AMBROSE BIERCE

Die Logik der Frauen beruht auf der Überzeugung, daß nichts unmöglich ist.

MAURICE CHEVALIER

Logik ist Glaubenssache.

ERNST WILHELM ESCHMANN

Die Logik ist weder eine Wissenschaft noch eine Kunst, sondern eine Ausflucht.

BENJAMIN JOWETT

Los Angeles

Der Unterschied zwischen Los Angeles und Joghurt ist, daß Joghurt eine aktive lebende Kultur hat.

ANONYM

Lüge

Lügen ist bei einem Liebhaber eine Kunst, bei einem Junggesellen ein Talent und bei einer verheirateten Frau eine zweite Natur.

HELEN ROWLAND

Wer dir sagt, er hätte noch nie gelogen, dem traue nicht.

WILHELM BUSCH

Die Lüge, mit dem Stigma der kurzen Beine behaftet, ist aus Überlebensgründen zum Tausendfüßler geworden.

WERNER MITSCH

Lügner

Lügner: Überall zugelassener Anwalt, Journalist jeder Sparte oder Profession.

AMBROSE BIERCE

Verlogene Eltern haben verlogene Kinder.

ALEXANDER SUTHERLAND NEILL

Luftschlösser

Der Bau von Luftschlössern ist billiger als ihr Unterhalt.

MARKUS M. RONNER

Lust

Ich habe Lust auf eine Million Männer – aber nicht alle auf einmal.

MAE WEST

In dubio pro libido.

ANONYM

Lust

Ich war der beste, den ich jemals hatte.

WOODY ALLEN

Mein Gehirn ist mein zweitliebstes Organ.

WOODY ALLEN

Wen schert die ewige Verdammnis, dem in einer Sekunde unendliche Lust widerfuhr?

CHARLES BAUDELAIRE

Jeder Mann hat etwas verpaßt, der niemals bei Sonnenaufgang ein Bordell mit dem Gefühl verlassen hat, sich aus purem Ekel in den nächsten Fluß zu stürzen.

GUSTAVE FLAUBERT

Die eine Schwester ergriff den Schleier und die andere den Hosen-Schlitz.

GEORG CHRISTOPH LICHTENBERG

Schöne Tage lobt man am Abend, schöne Frauen am Morgen.

OVID

Lust ist der einzige Schwindel, dem ich Dauer wünsche.

WALTER SERNER

Luxus

Luxus ist das, was man haben muß, wenn man alles andere schon gehabt hat.

DINAH BLAKE

Ex oriente lux, ex occidente luxus!

STANISŁAW JERZY LEC

Steigerung des Luxus: eigenes Auto, eigene Villa, eigene Meinung.

STANISŁAW LEM

Lyrik

Das Schreiben von gereimter Lyrik ist wie Tennis mit Netz.

ROBERT FROST

M

Machbarkeit

Was gemacht werden kann, wird gemacht.

GÜNTER ANDERS

Macho

Die Männer werden ihre Macho-Mentalität erst dann aufgeben, wenn sie überzeugt sind, daß Macho etwas von vorgestern ist, nicht von übermorgen.

JANE FONDA

Machos sind Männer, die gegen das kleine Mädchen ankämpfen, das in ihnen steckt.

HERB GOLDBERG

Macht

Wo wäre die Macht der Frauen, wenn die Eitelkeit der Männer nicht wäre?

MARIE VON EBNER-ESCHENBACH

Der Mächtigere in einer Beziehung ist immer der, welcher weniger liebt.

ELEONORA DUSE

Das Gefühl der Macht ist für jeden Sterblichen das berauschendste Stimulans.

ELLEN SWALLOW RICHARDS

Macht

Dort, wo die Macht ist, muß man die Frauen wie Stecknadeln im Heuhaufen suchen.

ANNEMARIE RENGER

Es gibt zwei Sorten von Frauen: diejenigen, die in der Welt Macht ausüben wollen, und diejenigen, die im Bett Macht ausüben wollen.

JACQUELINE KENNEDY ONASSIS

Ich habe die Männer studiert und mich ihrer Welt angepaßt. Ich versuchte, ihnen nachzueifern. Schließlich stellte ich fest, daß ich nicht zu einem Mann werden muß, um mächtig zu werden.

TWYLA THARP

Geteiltes Leid ist halbes Leid. Geteilte Macht ist verlorene Macht.

ANONYM

Die Macht hat stets, wer zahlt.

BERTOLT BRECHT

Ein Weib ist das Mächtigste auf Erden. In seiner Hand liegt es, den Mann dahin zu leiten, wo Gott ihn haben will.

HENRIK IBSEN

Alle Macht geht vom Volke aus und kommt nie wieder zurück.

GABRIEL LAUB

Macht

Die Macht wechselt häufiger von Hand zu Hand als von Kopf zu Kopf.

STANISŁAW JERZY LEC

Macht ist biegsam wie ein Gummiknüppel.

MILOVAN VITEZOVĆ

Machtlosigkeit

Manchmal hat man das dumme Gefühl, auf der Bühne herumzustehen und nicht einmal Statist zu sein.

STANISŁAW JERZY LEC

Mächtige

Warum ertragen es die Mächtigen nicht, wenn man ihnen widerspricht? Für Mächtige ist es doch nicht gefährlich!

GABRIEL LAUB

Mädchen

Mädchen sind so komisch, daß man nie genau weiß, was sie wollen. Sie sagen ja, wenn sie nein meinen, und treiben einen Mann nur so zum Vergnügen in den Wahnsinn.

LOUISA MAY ALCOTT

Es gibt keine guten Mädchen, die vom rechten Weg abkommen, nur schlechte Mädchen, die erwischt werden.

MAE WEST

Die guten Mädchen sind es, die Tagebuch schreiben; die bösen haben keine Zeit dazu.

TALLULAH BANKHEAD

Mädchen

Gute Mädchen kommen in den Himmel, böse überall hin.

UTE EHRHARDT

Es gibt zweierlei Mädchen: die einen, die Pullover stricken, und die anderen, die sie ausfüllen.

DALIAH LAVI

Junge Mädchen, das sind jene Geschöpfe, die oft ihren besten Freund verlieren, weil sie ihn heiraten.

FRANÇOISE SAGAN

Einen Haufen kleiner Mädchen am Nachmittag bei der eigenen Tochter zu Besuch zu haben, ist ungefähr so wie die Atmosphäre in der Garderobe bei der Miss-World-Wahl.

LIBBY PURVES

Wenn ein junges Mädchen Besuch von einem jungen Mann bekommt, dann stört die Mutter des Mädchens nicht der Lärm, sondern die Stille.

VIVIAN COX

Ein wenig Schüchternheit schmeichelt der Eitelkeit der Mädchen, weil sie sich dann überlegen fühlen.

SÖREN KIERKEGAARD

Mädchen	Wie schön, wenn ein Mädchen seine gute Erziehung vergißt. KARL KRAUS
Männerherrschaft	Die These von der Männerherrschaft haben sich unterdrückte Männer ausgedacht, um sich als Herren zu fühlen. GABRIEL LAUB
Männermode	Es ist nicht ungefährlich, die Männer modebewußt zu machen, denn dann fehlt das Geld für die Frauen. CATHÉRINE DENEUVE
Männlichkeit	Niemand ist den Frauen gegenüber aggressiver oder herablassender als ein Mann, der seiner Männlichkeit nicht ganz sicher ist. SIMONE DE BEAUVOIR
	Es gibt niemanden, der sich einer Frau gegenüber arroganter, aggressiver oder verächtlicher verhält als ein Mann, der um seine Männlichkeit fürchtet. GEORGE ELIOT
Märchen	Früher fingen Märchen immer mit den Worten »Es war einmal« an. Heutzutage beginnen sie alle mit »Wenn ich gewählt werde«. CAROLYN WARNER

Märchen

Märchen gehören durchaus zur realistischen Literatur. Sie versprechen zwar Glück und Wonne – aber nur im Märchen.

GABRIEL LAUB

Können Sie sich eine Frau vorstellen, die ihren Liebhaber 1001 Nächte lang Märchen erzählen ließe.

STANISŁAW JERZY LEC

Manche Märchen sind so blutrünstig, daß sie dadurch schon wieder keine mehr sind.

STANISLAW JERZY LEC

Make-Up

Etliche Frauen kaufen genauso viele Perücken und diverse Make-ups wie ich. Sie tragen nur nicht alles auf einmal.

DOLLY PARTON

Ich bin nie geliftet worden. Aber morgens lege ich gern ein bißchen Glamour auf.

LOUISE NEVELSON

Es kommt mehr darauf an, was im Gesicht einer Frau ist, als auf das, was drauf ist.

CLAUDETTE COLBERT

Ein gutes Make-up ist ein Flirt zwischen Chemie und Malerei.

ESTHER MITCHELL

Make-up ist die Kunst, sich selber zu plakatieren.

OLGA TSCHECHOWA

Malen

Eines Tages sagte ich zu mir: Ich kann nicht leben, wo ich möchte. Ich kann nicht mal sagen, was ich sagen möchte. Mir wurde klar, daß ich eine absolute Närrin wäre, wenn ich nicht wenigstens malen würde, was ich möchte.

GEORGIA O'KEEFE

Management

Management by Jeans: An den wichtigsten Stellen sitzen die dicksten Nieten.

ANONYM

Mandoline

Mandoline: Unentbehrlich zum Verführen von Spanierinnen.

GUSTAVE FLAUBERT

Manieren

Ich habe mich selbst zur »Miss Gute Manieren« deklariert. Es war wie mit Napoleon: Du krönst dich selbst, weil es sonst keiner tun kann.

JUDITH MARTIN

Ein Gentlemen ißt niemals. Er frühstückt, er nimmt ein Mittagessen, er diniert – aber er ißt niemals.

ANONYM

Wer seine Manieren von Fall zu Fall ändert, hat keine.

SIGMUND GRAFF

Manieren sollten niemals beigebracht werden.

ALEXANDER SUTHERLAND NEIL

Manieren

Toleranz: Die Fehler der anderen entschuldigen. Takt: Sie gar nicht erst bemerken.

ARTHUR SCHNITZLER

Mann

Für den Mann ist jede Frau ein Rätsel, dessen Lösung er bei der nächsten sucht.

JEANNE MOREAU

Was ist denn der Mann noch? Ein Accessoire der Frauenmode.

PATRICIA WOOD

Es ist nicht so sehr die Frage, ob man sich für einen Mann entscheiden soll oder nicht – es ist die Frage, was man nun mit all den anderen tun soll.

PATRICIA HENLEY

Tief in seinem Inneren weiß jeder Mann, daß er ein wertloser Misthaufen ist. Er ist geil wie ein Vieh und schämt sich deswegen zutiefst.

VALERIE SOLANAS

Männer nehmen die Welt nicht wahr, weil sie selber glauben, sie seien die Welt.

VIRGINIA WOOLF

Komisch – jeder Mann möchte bei einer Frau der erste sein, aber keiner der letzte.

ZSA ZSA GABOR

Mann

Männer sind mit ihrem Beruf verheiratet, aber eine Frau sollte wenigstens erreichen können, daß der Mann seinen Beruf mit ihr betrügt.

DIANE PINKWOOD

Alle Männer haben nur zwei Dinge im Sinn. Geld und das andere.

JEANNE MOREAU

Die Männer sind zweifellos dümmer als die Frauen. Oder hat man jemals gehört, daß eine Frau einen Mann nur wegen seiner hübschen Beine geheiratet hat?

MICHELINE PRESLE

Für mich zählen nicht die Männer in meinem Leben, sondern das Leben in meinen Männern.

MAE WEST

Männer sind wie Schnee, kaum hat man sie aufgetaut, schmelzen sie und sind nicht mehr zu gebrauchen.

MARIA SCHELL

Männer haben einen sehr sicheren Geschmack – sie wünschen sich immer eine andere Frau, als sie gerade haben.

BARBRA STREISAND

Auch ich hatte Teflon-Zeiten, da blieb kein Mann an mir kleben.

DIANNE BRILL

Mann

Der Mann ist ein notwendiges Übel, wobei die Betonung mehr auf Übel als auf notwendig liegt.

YVETTE COLLINS

Männer sind wie Taschenlampen. Sie blenden, ohne viel Licht zu verbreiten.

LORE LORENTZ

Männer sind zu allem fähig, aber zu nichts zu gebrauchen.

IRMGARD KEUN

Männer sind die geborenen Sucher; am liebsten suchen sie das Weite.

URSULA HERKING

Die richtigen Männer sind entweder schon verheiratet oder sie arbeiten zuviel.

JULIETTE GRÉCO

Männer sind wie Autoreifen: immer aufgeblasen, ohne Profil und immer bereit, einen zu überfahren.

KARIN STRUCK

Der Mann ist ein Mensch, der arbeitet.

ESTHER VILAR

Männer sind wie Rosen: Unter den Händen einer Frau blühen sie auf, aber schließlich verduften sie.

HELEN VITA

Mann

Die Männer sind sexuelle Chauvinisten, die uns ins Wochenbett zwingen.

MAUD CONNOLLY

Ich mag Männer, die sich wie Männer benehmen – stark und kindisch.

FRANÇOISE SAGAN

Drei Dinge braucht der Mann: blendendes Aussehen, Brutalität und Beschränktheit.

DOROTHY PARKER

Männer haben Angst, schwul zu werden, wenn sie sich die Haare fönen.

ANONYM

Ich mag nur zwei Arten von Männern: einheimische und fremde.

MAE WEST

Ein Archäologe ist der beste Mann, den eine Frau haben kann; je älter sie wird, um so mehr interessiert er sich für sie.

AGATHA CHRISTIE

Männer sind zwar oft so jung, wie sie sich fühlen, aber niemals so bedeutend.

SIMONE DE BEAUVOIR

Der ideale Mann ist wie das legendäre Einhorn: alle reden davon, aber niemand hat ihn gesehen.

GERTI SENGER

Mann

Mancher Mann verdankt seinen Erfolg einer Frau, die ihm ständig zur Seite gestanden ist. Noch mehr Männer verdanken ihn aber einer Frau, die sie ständig in die Seite getreten hat.

HARRIET BOWLES

Männer sind Wesen mit zwei Beinen und acht Händen.

JAYNE MANSFIELD

Viele erfolgreiche Männer haben keinerlei sichtbare Qualifikationen außer der, keine Frau zu sein.

VIRGINIA WOOLF

Alle Männer sind gleich – bis auf den, den man gerade kennengelernt hat.

MAE WEST

Männer erkennt man daran, wie sie einen ansehen, wenn man sie nicht ansieht.

JOHANNA VON KOCZIAN

Ein Mann? Das ist doch nur ein paar Zentimeter Fleisch mehr!

KATE MILLETT

Männer sind wie Luft, zwar versaut, aber unentbehrlich.

MICHELLE PFEIFFER

Mann

Männer haben nie Schnupfen, sondern eine Virusgrippe, nie Kopfschmerzen, sondern einen Gehirntumor.

ANONYM

Nur im Scherz kann man einem Mann klarmachen, daß er es ernst meint.

ERIKA PLUHAR

Ein Mann ändert eher das Antlitz der Erde als seine Gewohnheiten.

ELEONORA DUSE

Gott schuf den Mann. Dann sagte er: Das kann ich noch besser. Und schuf die Frau.

ADELA ROGERS SAINT JOHNS

Männer gelangen zu ihren Überzeugungen wie Jungen das Buchstabieren lernen. In erster Linie durchs Wiederholen.

ELIZABETH BARRETT BROWNING

Ein Mann ist ein Accessoire, wie ein Paar Ohrringe. Sie vervollständigen das Outfit, aber man braucht sie nicht wirklich, um sich wohl zu fühlen.

ROSEMARY MITTLEMARK

Kein Mann hat es je zu etwas gebracht ohne Zustimmung und Mitwirkung seiner Frau.

ABIGAIL ADAMS

Mann

Ein Mann sagte mal zu mir: »Frauen haben doch noch nie etwas produziert, das für die Welt von Bedeutung ist.« Ich antwortete ihm: »Frauen bringen Männer auf die Welt.« Und überließ ihm die Entscheidung, ob das Produkt was taugt...

ANNA SHAW

Es kommt selten vor, daß ein Mann so zuvorkommend ist zu sterben, wenn alle Welt es sich wünscht.

MARIE DE SÉVIGNÉ

Ich bin die ideale Frau für einen Mann. Aber mir ist noch kein Mann begegnet, der es mit mir aufnehmen konnte.

BETTE DAVIS

Laßt euch nie von einem fremden Mann nach Hause bringen, und vergeßt nicht, daß alle Männer Fremde sind.

ROBIN MORGAN

Alle Männer in meinem Mitarbeiterstab können Schreibmaschine schreiben.

BELLA ABZUG

Wenn man erst mal weiß, wie Frauen beschaffen sind, werden Männer irgendwie langweilig. Ich will sie nicht niedermachen; manche mag ich als Menschen, aber in sexueller Hinsicht sind sie einfach langweilig.

RITA MAE BROWN

Mann

Eines hat die Politik mich gelehrt: Männer sind weder das gelungene noch das vernünftige Geschlecht.

MARGARET THATCHER

Mein Mann wird niemals anderen Frauen nachlaufen. Er ist zu vornehm, zu anständig und zu alt.

GRACIE ALLEN

Seien wir doch ehrlich: Wenn ein attraktiver, cooler Mann daherkommt, gibt's immer einige Frauen, die ihm anbieten, seine Schuhe mit ihren Unterhosen zu putzen.

LYNDA BARRY

In meiner Nachbarschaft leben neunzehn Männer. Achtzehn davon sind Narren. Und der neunzehnte ist verdammt noch mal auch kein großes Licht.

BESSIE SMITH

Natürlich muß man die Männer nehmen, wie sie sind. Aber man darf sie nicht so sein lassen.

ZSA ZSA GABOR

Wenn du weißt, daß die meisten Männer wie Kinder sind, weißt du alles.

COCO CHANEL

Mann

Für Männer gelten die Gesetze der Optik nicht: Wenn man sie unter die Lupe nimmt, werden sie plötzlich ganz klein.

GRETHE WEISER

Männer gefallen sich darin, boshafte Bonmots über die Frauen zu verbreiten; die Frauen rächen sich dadurch, daß sie solche Bonmots zu Wahrheiten machen.

ANNA MAGNANI

Es gibt Frauen, die Darwin völlig falsch verstanden haben: Sie machen aus jedem Mann einen Affen.

CAROLA HÖHN

Je mehr Männer ich kennenlerne, um so lieber mag ich Hunde.

GERMAINE DE STAËL

Männer bringen alles mögliche fertig wegen eines Fußballs oder einer Fahne – aber kaum wegen einer Frau.

LEONA SIEBENSCHÖN

Männer, die einer Frau zuerst auf die Brüste sehen, sind Angeber, auf die man sich nicht verlassen kann, wenn man sie braucht.

NANCY HIRSCHBERG

Mann

Männer, die sich das Rauchen abgewöhnt haben, sind mir unheimlich. Vielleicht gewöhnen sie sich eines Tages auch die Liebe ab.

JEANNE MOREAU

Männer sind die schönste Nebensache der Welt.

CHRISTIE HEFNER

Die Männer geben unter Umständen zu, daß sie unrecht haben, aber sie werden niemals zugeben, daß ihre Frau recht hat.

FITA BENKHOFF

Wenn man das erotische Verhalten der Männer heute betrachtet, ist es durchaus denkbar, daß Frauen eines Tages auch einen Computer lieben könnten. Der Unterschied wäre nicht groß.

ANNA MAGNANI

Männer, die absolut nicht treu sein können, bleiben wenigstens darin sich selber treu.

VIVIEN LEIGH

Die Männer haben nur deshalb ihre führende Position erreichen können, weil sie durch keine Schwangerschaft behindert worden sind.

ANNA MAGNANI

Mann

Wenn die Frauen nicht wären, würden die Männer noch in den Bäumen leben.

MARILYN PETERSON

Eines Tages kommt man darauf, daß es wenige Männer gibt, die so stark sind, wie man selber ist. Vor solchen Männern haben die Frauen Angst.

ROMY SCHNEIDER

Wie sähe die Welt ohne Männer aus: keine Verbrechen und lauter glückliche, dicke Frauen!

MARION SMITH

Mir tun die Männer leid. Sie haben mehr Probleme als die Frauen. Vor allem müssen sie mit Frauen konkurrieren.

FRANÇOISE SAGAN

Jeder Mann wünscht sich eine Frau, die an sein besseres Ich, an seine idealen Instinkte und an die höheren Werte in ihm appelliert – und eine andere, die ihm hilft, all das zu vergessen.

HELEN ROWLAND

Selten ist ein Mann so gut in Stimmung wie dann, wenn er von sich selbst erzählt.

MARLENE DIETRICH

Mann

Die Männer sagen immer wieder dasselbe, aber Gott sei Dank immer wieder zu einer anderen Frau.

JEANNE MOREAU

Alle Männer möchten zwei Frauen haben – eine schlanke, mit der sie angeben, und eine mollige, mit der sie sich abgeben.

HELEN VITA

Der Mann ist dann eine starke Persönlichkeit, wenn er eine Sekunde zögert, bevor er seiner Frau immer recht gibt.

GLORIA THOMPSON

Das Herz eines Mannes mag vielleicht eine verborgene Kammer haben, in die nur eine Frau eintreten darf, aber es ist voll mit kleinen Nebenzimmern, die selten leerstehen.

HELEN ROWLAND

Häßliche Frauen wissen mehr über Männer als hübsche.

KATHARINE HEPBURN

Es gibt nichts Eitleres als Männer, wenn sie sich nicht mehr verstellen.

MICHÈLE MORGAN

Mann

Männer wollen immer nur ihr Ding reinstecken. Das ist alles, was sie wollen.

MARLENE DIETRICH

In dem Moment, wo du einen Mann anlügst, hörst du auf, ihm zu vertrauen.

MICHELINE PRESLE

Das Interessanteste an der Biographie eines Mannes sind die Frauen, die darin vorkommen.

GERMAINE DE STAËL

Frauen lassen einen Mann nur deshalb warten, weil sie damit seine Vorfreude vergrößern wollen.

HANNELORE ELSNER

Heute haben die Männer gar keine Zeit, männliche Qualitäten zu entwickeln. Sie sind Arbeitsmaschinen, aber keine Männer.

ESTHER VILAR

Wenn ein Mann sich für unwiderstehlich hält, liegt es oft daran, daß er nur dort verkehrt, wo kein Widerstand zu erwarten ist.

FRANÇOISE SAGAN

Ein Mann fühlt sich erst dann von einer Frau verstanden, wenn sie ihn bewundert.

KIM NOVAK

Mann

Am amüsantesten ist es, wenn ein Mann sich etwas in den Kopf gesetzt hat, den er gar nicht hat.

KIM NOVAK

Viele Männer wären gern verheiratet – nur nicht vierundzwanzig Stunden täglich.

URSULA HERKING

Wer behauptet, die Männer könnten nicht mehr küssen, der hat noch kein Tor auf einem Fußballplatz erlebt.

VIRNA LISI

Solange die Männer nicht verheiratet sind, sprechen sie nur von ihrem Herzen. Später reden sie dann von der Galle und von der Leber.

TRUDE HESTERBERG

Perfektion an einem Mann kann man bewundern, lieben kann man sie nicht.

JEANNE MOREAU

Was den Sex betrifft, ist der Mann von Natur aus ein Tier. Ich hatte immer meine besonderen Haustierchen.

MAE WEST

Mann

Ich liebe Männer, so wie andere Leute gutes Essen oder guten Wein.

GERMAINE GREER

Zwei Dinge wird ein Mann niemals verstehen: das Geheimnis der Schöpfung und den Hut einer Frau.

COCO CHANEL

Die Männer sind im Grunde faul. Wenn alle Frauen Jobs hätten, würden die Männer zu Hause bleiben, Bier trinken und fernsehen.

GRACIA PATRICIA VON MONACO

Ich will einen Mann, der nett und verständnisvoll ist. Ist das zuviel verlangt von einem Millionär?

ZSA ZSA GABOR

In den Augen eines jungen Mädchens gleicht ein verheirateter Mann einem Lotterielos nach der Ziehung.

ROMY SCHNEIDER

Ein Mann im Haus ist besser als zwei auf der Straße.

MAE WEST

Nette Männer sind nie gut darin, ein Taxi zu erwischen.

KATHARINE WHITEHORN

Mann

Der Mann braucht die Frau, um über sich selbst hinauszugelangen.

SIMONE DE BEAUVOIR

Um mit einem Mann glücklich zu sein, muß man sehr viel Verständnis für ihn aufbringen und ihn außerdem ein wenig gern haben.

HELEN ROWLAND

Für ein kluges Mädchen sind Männer kein Problem – sondern die Lösung.

ZSA ZSA GABOR

Manchmal denke ich, wenn es noch ein drittes Geschlecht gäbe, würde ich keinen Mann ein zweites Mal anschauen.

AMANDA VAIL

Der Mann wird zum Menschen erst durch die Frau.

OSWALD BUMKE

Ein Mann von 55 Jahren macht keine Dummheiten mehr – denkt er.

MAURICE CHEVALIER

Zeig mir einen gesunden Mann, und ich werde ihn heilen.

CARL GUSTAV JUNG

Mann

Man glaubt mit einem Mann zu sprechen und plötzlich fühlt man, daß sein Urteil aus dem Uterus kommt.

KARL KRAUS

Je älter ein Mann wird, um so mehr Verständnis hat er für jene Feministinnen, die Sex ohne Penetration propagieren.

GABRIEL LAUB

Ein Mann ist in den besten Jahren, wenn er kaum noch gute zu erwarten hat.

JACK LEMMON

Ein Mann am Steuer ist ein Pfau, der sein Rad in der Hand hält.

ANNA MAGNANI

Der Mann steht im Mittelpunkt und somit auch im Wege.

PABLO NERUDA

Der Mann ist ein Hosenträger.

JOHANN NESTROY

Im Leben eines Mannes gibt es zwei Perioden, in denen er eine Frau nicht versteht: die eine vor der Ehe, die andere in der Ehe.

MARK TWAIN

Mann

Viele Männer haben zu Hause noch die Hosen an, darüber allerdings die Schürze.

OTTO WAALKES

Der große Mann ist ein öffentliches Unglück.

AUS CHINA

Jeder Mann ist ein Löwe – in eigener Sache.

AUS ENGLAND

Jeder Mann ist der Sohn einer Frau.

AUS RUSSLAND

Es sind nicht alles Männer, die Hosen tragen.

AUS SCHWEDEN

Männer sind immer für ihre Kinder da, es sei denn, die Kleinen sind wach.

ANONYM

Männer kennen Probleme für jede Lösung.

ANONYM

Frauen, seid lieber schön als klug – Männer können besser gucken als denken.

ANONYM

Mann

Manche Männer sind so falsch, daß sie nicht einmal mehr das Gegenteil dessen denken, was sie sagen.

MARCEL AYMÉ

Viele Männer verdanken ihren Erfolg ihrer ersten Frau und ihre zweite Frau ihrem Erfolg.

JIM BACKUS

Überdurchschnittliche Männer brauchen orientalische Frauen, die an nichts anderes denken als an die Bedürfnisse der Männer.

HONORÉ DE BALZAC

Manche Männer sind wie Uhren: Sobald man sie repariert hat, gehen sie.

INGRID VAN BERGEN

Männer sind Ausländer im Land der Emotionen.

CHERYL BENARD

Das schöne daran, vierzig zu sein, ist, daß man fünfundzwanzigjährige Männer viel mehr zu schätzen weiß.

COLLEEN McCULLOUGH

Die Männer ahnen nicht, wieviel Verstand man braucht, sich dumm zu stellen.

JAN CZARNY

Mann

Männer wünschen sich eine Jungfrau, die eine Hure ist.

EDWARD DAHLBERG

Männer sind auch nur Menschen wie du und ich, nur leider wissen sie es nicht.

HELGA FEDDERSEN

Der Mann wird zum ersten Male von der Mutter, zum zweiten Male von der Geliebten geboren.

LUDWIG GOLDSCHEIDER

Jeder Mann besitzt zwei Charaktere: den wirklichen – und jenen, den er nach Meinung seiner Frau hat.

PAUL GUTH

Es gibt nur zwei gute Männer auf der Welt: der eine ist tot, der andere nicht zu finden.

HUGO VON HOFMANNSTHAL

Männer sind einfach besser als Frauen. Vor allem im einarmigen Reißen, beim Knödelwettessen und als Heldentenor.

MONIKA HOHLMEIER

Männer, die da sind, sind gegenüber Männern, die nicht da sind, immer im Vorteil

WOLFGANG KÖRNER

Mann

Auch große Männer waren im Leben oft klein. Sie wachsen posthum.

GABRIEL LAUB

Männer müssen reaktionär sein – sie müssen auf Frauen reagieren.

GABRIEL LAUB

Die besten Jahre eines Mannes erkennt er nur rückblickend.

ROBERT LEMBKE

Männer sind wie Computer, vor allem müssen sie richtig gefüttert werden.

JOHANNA MATZ

Männer gehorchen gern, wenn sie andere dafür malträtieren können.

ROBERT MUSIL

Alle Männer sind Diebe, ausgenommen unser Vater und der Mann, mit dem wir gerade reden.

PITTIGRILLI

Nur der hat Glück bei den Frauen, den diese nicht beachten.

MARCEL PRÉVOST

Mann

Weißt du nicht, daß, wenn ein Mann heiratet, stirbt oder sich zum Hinduismus bekennt, sein bester Freund nie wieder von ihm hört.

PERCY BYSSHE SHELLEY

Das einzige, was Männer gern mit Frauen teilen, ist das Bett.

REINHARD G. STECHER

Männer beherrschen die Welt, und das ist der Grund, weshalb es so ein beschissenes Durcheinander gibt.

STING

Ein Langweiler ist ein Typ, der auf die Frage, wie es ihm geht, es dich wissen läßt.

BERT LESTON TAYLOR

Das Schlimmste ist, daß ein Mann bereits als Mann geboren wird. Damit, meint er, sei das wichtigste schon erledigt. Mehr müsse er nicht tun.

TINA TURNER

Ein Mann steht gewöhnlich sehr lange unter dem Eindruck, den er auf eine Frau gemacht hat.

JULIAN TUWIM

Mann

Männer, die behaupten, sie seien die uneingeschränkten Herren im Haus, lügen auch bei anderen Gelegenheiten.

MARK TWAIN

Wenn ein Mann ein Mann ist, kann man es nicht aus ihm herausprügeln.

MARK TWAIN

Für das Kind im Manne gibt es leider kein Kindergeld.

GERHARD UHLENBRUCK

Männer werden im Liebesleben gewöhnlich dann raffiniert, wenn es keinen Zweck mehr hat.

A. O. WEBER

Männer machen immer ein so dummes Gesicht, wenn sie ertappt werden. Und sie werden stets ertappt.

OSCAR WILDE

Von allen Erfindungen, die der Frau die Arbeit erleichtern oder ersparen, ist der Mann die beliebteste.

OSCAR WILDE

Drei Arten von Männern sind unfähig, Frauen zu verstehen: die jungen, die alten und die mittleren Alters.

AUS IRLAND

Mann Die Herren, auf denen Gras wächst, sind die besten.

AUS IRLAND

Mannequin Kein Mann würde sich jemals so verblöden lassen, wie die Frau es als Mannequin tut.

ALICE SCHWARZER

Unter einem Mannequin verstehen viele Leute ein anständiges Mädchen, das unanständige Kleider trägt.

HELLA BROCK

Manuskript Viele junge Autoren machen den Fehler, einen frankierten, adressierten Freiumschlag beizulegen, groß genug für ihr Manuskript. Diese Versuchung ist zu groß für den Lektor.

RING LARDNER

Marionetten Marionetten enden an den Stricken, an denen sie hängen.

ANDRÉ BRIE

Marxismus »Proletarier aller Länder vereinigt euch!« Ich bitte gehorsamst fragen zu dürfen – wozu?

STANISŁAW JERZY LEC

Kaum sind die Priester mit ihren Märchen vom Paradies am Ende, schon fangen die Marxisten damit wieder von vorn an.

STANISŁAW JERZY LEC

Marxismus

Die Tragik des 20. Jahrhunderts liegt darin, daß es nicht möglich war, die Theorien von Karl Marx zuerst an Mäusen auszuprobieren.

STANISŁAW LEM

Maske

Die Maske ist unsere Ausgehuniform.

HELLMUT WALTERS

Masochisten

Auch Masochisten bekennen bei der Folter alles. Aus Dankbarkeit.

STANISŁAW JERZY LEC

Maßregeln

Immer wird es Eskimos geben, die den Eingeborenen von Belgisch-Kongo Verhaltensmaßregeln für die Zeit der großen Hitze geben werden.

STANISŁAW JERZY LEC

Masturbation

Masturbation? Aber klar – wer hat das nicht schon mal gemacht? Wir sind schließlich Amerikaner.

HOLLY HUNTER

Das Gute an der Masturbation ist, daß man sich dafür nicht extra fein anziehen muß.

TRUMAN CAPOTE

Masturbation: die erste sexuelle Aktivität des Menschen. Im 19. Jahrhundert war sie eine Krankheit, im 20. trägt sie zur Heilung bei.

THOMAS SZASZ

Matratze

Matratze: Je härter, desto hygienischer.

GUSTAVE FLAUBERT

Maxi

Maxi ist nur schön mit einem möglichst großen Schlitz, sonst vergessen die Männer am Ende, wie ein Frauenbein aussieht.

SOPHIA LOREN

Medizin

Die Fortschritte der Medizin sind ungeheuer. Man ist sich seines Tods nicht mehr sicher.

HANNS-HERMANN KESTEN

Die Medizin: Geld her und Leben!

KARL KRAUS

Medizinstudent

Medizinstudent: Ißt und schläft neben Leichen. Der eine oder andere ißt sogar davon.

GUSTAVE FLAUBERT

Mehrheit

Eine Mehrheit ist immer die schlagfertigste Antwort.

BENJAMIN DISRAELI

Nichts ist widerwärtiger als die Majorität.

JOHANN WOLFGANG VON GOETHE

Die Mehrheit schweigt, weil sie nicht existiert. Sie ist nur eine Summe von Minderheiten.

GABRIEL LAUB

Meineid

Manche treiben die Selbstverleugnung bis zum Meineid.

BERT BERKENSTRÄTER

Meinung

Wenn ein Mann seine Meinung sagt, ist er ein Mann. Wenn eine Frau ihre Meinung sagt, ist sie ein Miststück.

BETTE DAVIS

Eine eigene Meinung ist viel billiger zu haben als eine eigene Villa. Und trotzdem gibt es viel mehr Villen als eigene Meinungen.

GABRIEL LAUB

Man kann überhaupt nichts mehr sagen, ohne Gefahr zu laufen, daß irgendein Idiot der gleichen Meinung ist.

GABRIEL LAUB

Nichts kann mehr zu einer Seelenruhe beitragen, als wenn man gar keine Meinung hat.

GEORG CHRISTOPH LICHTENBERG

Einen Roman zu schreiben ist deswegen vorzüglich angenehm, weil man zu allen Meinungen, die man gerne einmal in die Welt laufen lassen will, allemal einen Mann finden kann, der sie als die seinigen vorträgt.

GEORG CHRISTOPH LICHTENBERG

Meinung — Man soll die Meinung wechseln wie das Hemd. Das ist eine Frage der Sauberkeit.

JULES RENARD

Ins geistige Abenteuer nimmt man den Regenschirm der Meinung mit.

RICHARD SCHAUKAL

Melancholie — Melancholie ist das Vergnügen, traurig zu sein.

VICTOR HUGO

Was ist Melancholie? Heimweh nach sich selbst.

ANTON KUH

Melodie — Melodie ist das, was immer vermißt wird.

HANNS EISLER

Melodramen — Melodramen: Weniger unmoralisch als Dramen.

GUSTAVE FLAUBERT

Memoiren — Memoiren sind die Zeitbomben der Pensionisten.

HENRY KISSINGER

Mensch — Der Mensch ist das Maß aller Schneider.

HANS ARP

Der Mensch ist das einzige Tier, das lacht und eine Staatsverfassung hat.

SAMUEL BUTLER

Mensch

Der Mensch ist das einzige Tier, das so lange freundlich mit seinen Opfern sein kann, bis es sie frißt.

SAMUEL BUTLER

Was ist der Mensch – bedenkt man es recht – anderes als eine präzise, grandios arbeitende Maschine, um mit unbegrenzter Kunstfertigkeit einen Jahrhundert-Bordeaux in Urin zu verwandeln?

ISAK DINESEN

Die Menschen sind, wenn überhaupt etwas, dann von Geburt an ungleich.

MAGNUS HIRSCHFELD

Man soll im Menschen immer das Gute sehen und erst mal da ansetzen: Hitler war Nichtraucher.

TOBIAS INDERBITZIN

Der Mensch ist gut und will nicht, daß man vor einem anderen als ihm selber krieche.

JEAN PAUL

Man kann die Menschen nicht bessern, man kann ihnen nur immer mehr verbieten.

GEORG KAISER

Ein Mensch: Ein durch die Zensur gerutschter Affe.

GABRIEL LAUB

Mensch

Wir fressen einander nicht, wir schlachten uns bloß.

GEORG CHRISTOPH LICHTENBERG

Daß der Mensch das edelste Geschöpf sei, läßt sich auch schon daraus ableiten, daß ihm noch kein anderes Geschöpf widersprochen hat.

GEORG CHRISTOPH LICHTENBERG

Der Mensch kommt unter allen Tieren der Welt dem Affen am nächsten.

GEORG CHRISTOPH LICHTENBERG

Die Neigung der Menschen, kleine Dinge für wichtig zu halten, hat sehr viel Großes hervorgebracht.

GEORG CHRISTOPH LICHTENBERG

Der Mensch ist das einzige Wesen, das im Fliegen eine warme Mahlzeit zu sich nehmen kann.

LORIOT

Der Mensch hat einen Intelligenzquotienten, der Käse einen Reifegrad.

WERNER MITSCH

Mensch

Ich glaube von jedem Menschen das Schlechteste, selbst von mir, und ich hab' mich noch selten getäuscht.

JOHANN NESTROY

Wenn der Mensch vor Lachen wiehert, übertrifft er alle Tiere durch seine Gemeinheit.

FRIEDRICH NIETZSCHE

Der Hund bellt, wenn ihn etwas erregt. Der Mensch spricht immer.

RICHARD SCHAUKAL

Die Menschen sind wesentlich böse, wesentlich unglücklich, wesentlich dumm.

ARTHUR SCHOPENHAUER

Gott schuf den Menschen, weil er vom Affen enttäuscht war; dann hat er auf weitere Experimente verzichtet, zumal er bereits müde war.

MARK TWAIN

Je mehr ich über die Würde der Gorillas lerne, um so mehr möchte ich den Menschen aus dem Weg gehen.

DIAN FOSSEY

Gesunde Menschen sind uninteressant.

MARY GALLAGHER

Mensch

Früher standen sich die Menschen näher. Es blieb ihnen nichts anders übrig. Die Schußwaffen trugen nicht weit.

STANISŁAW JERZY LEC

Das ganze Unglück der Menschen rührt allein daher, daß sie nicht ruhig in einem Zimmer zu bleiben vermögen.

BLAISE PASCAL

Menschen, die nicht groß sind, machen sich gerne breit.

FRIEDL BEUTELROCK

Ich habe Schweine gern. Hunde sehen zu uns auf. Katzen blicken auf uns herab. Schweine behandeln uns als gleichberechtigt.

WINSTON CHURCHILL

Spiegel und Geschlechtsverkehr gehören abgeschafft, da sie die Anzahl der Menschen erhöhen.

JORGE LUIS BORGES

Ich habe an den Menschen nicht viel Gutes feststellen können. Meiner Erfahrung nach ist das meiste Abfall.

SIGMUND FREUD

Mensch

Wir sind alle Kinder Adams – aber die Anzüge aus Seide unterscheiden uns doch voneinander.

THOMAS FULLER

Nicht selten begegnet man Kopien bedeutender Menschen; und den meisten gefallen, wie bei Gemälden so auch hier, die Kopien besser als die Originale.

FRIEDRICH NIETZSCHE

Vier Beine gut, zwei Beine schlecht.

GEORGE ORWELL

Die Menschen sind noch widerwärtiger als sie sind.

JONATHAN SWIFT

Menschheit

Die Menschheit kam immer noch einmal davon. Die Opfer nicht eingerechnet.

HEINRICH WIESNER

Die Menschheit läßt sich in zwei große Klassen einteilen: Gastgeber und Gäste.

MAX BEERBOHM

Menschheitsprobleme

Es ist ein großer Irrtum, zu glauben, daß Menschheits-Probleme »gelöst« werden. Sie werden von einer gelangweilten Menschheit liegengelassen.

KURT TUCHOLSKY

Menschliche Schwächen

Es ist erstaunlich, wie viele Menschen an der Vorfahrt erkranken.

RALPH BOLLER

Menschlichkeit

Die Ideologen der Menschlichkeit zeichnen sich selten durch feiner entwickelte Menschlichkeit aus.

JOACHIM GÜNTHER

Menü

Frage: Was hält ein Mann für ein siebengängiges Menü? Antwort: Ein Hot-Dog und ein Six-Pack Bier.

ANONYM

Methode

Methode: Nutzt gar nichts.

GUSTAVE FLAUBERT

Micky Maus

Ich liebe Micky Maus mehr als jede Frau, die ich jemals gekannt habe.

WALT DISNEY

Midlife-Crisis

Ein Mann in der Midlife Crisis gleicht einem Kind, das zu Ostern noch Weihnachtsgeschenke erwartet.

HEDDA HOPPER

Die Krise in der Lebensmitte beginnt bei Ahnungsvollen schon bei der Geburt.

WERNER SCHNEYDER

Midlife-Crisis nannte man die Pubertät des Greisenalters.

WERNER SCHNEYDER

Militär

Ein Wort über Generäle: So mit vier sind wir alle Generäle, mit Holzschwertern und Papiermützen. Nur ein paar von uns kommen da nie drüber hinaus.

PETER USTINOV

Millionär

Ein Millionär trat einst ein Pekinesen-Hündchen. Und entschuldigte sich beim Besitzer. Da rief der Mann: »Was! Sie wollen ein Millionär sein und rufen nicht ›Bringen Sie mir noch ein Hündchen‹!«

KURT TUCHOLSKY

Minderwertigkeitsgefühl

Niemand kann dich ohne dein Einverständnis dazu bringen, dich minderwertig zu fühlen.

ELEANOR ROOSEVELT

Minister

Ein Minister ist ein Staatsdiener mit eintägiger Kündigungsfrist.

HANS KOSCHNICK

Mißerfolg

Mißerfolg ist die Chance, es beim nächsten Mal besser zu machen.

HENRY FORD

Mißstimmung

Manche Mißstimmung von Frauen, der auch beste Psychiater nicht beizukommen vermögen, kann schon ein mittelmäßiger Friseur beseitigen.

MARY McCARTHY

Mißtrauen

Mißtrauen ist der Abgrund, in den man seine Freunde stürzt, nicht seine Feinde.

KURT TACHMANN

Misthaufen

Wenn die Sonne auf den Misthaufen scheint, so antwortet er mit Gestank.

ANONYM

Miststück

Wir sollten das »innere Miststück« in uns nicht länger verleugnen. Hört auf, euch dafür zu entschuldigen. Laßt es heraus.

ELIZABETH HILTS

Ich bin zäh und ehrgeizig, und ich weiß genau, was ich will. Wenn ich deshalb ein Miststück bin – okay!

MADONNA

Mitleid

Mitleid ist das tödlichste Gefühl, das man einer Frau anbieten kann.

VICKI BAUM

Das Mitleid des Heulers liegt im sicheren Hieb.

ERNST JÜNGER

Es ist immer schwierig, jemanden zu bemitleiden, der einige Millionen Dollar auf dem Konto hat.

JERRY LEWIS

Mitmenschen

Ich habe mich immer für meine Mitmenschen interessiert, nur gemocht habe ich sie nie.

WILLIAM SOMERSET MAUGHAM

Mitte

Wer die Mitte sucht, muß wissen, daß jede Mitte zwei Seiten hat.

WERNER SCHNEYDER

Mittelalt

Du bist mittelalt, wenn du so viele Leute getroffen hast, daß jede neue Bekanntschaft dich an jemanden erinnert.

OGDEN NASH

Mittelalter

Dem Mittelalter verdanken wir die beiden schlechtesten menschlichen Erfindungen: romantische Liebe und Schießpulver.

ANDRÉ MAUROIS

Mittelmaß

Die einzige Sünde ist Mittelmäßigkeit.

MARTHA GRAHAM

Die übliche Ballungszone des menschlichen Geistes.

JULIO CORTÁZAR

Mittelmäßigkeit

Ich habe nie einsehen mögen, warum mittelmäßige Menschen deshalb aufhören sollten, mittelmäßig zu sein, weil sie schreiben können.

CHRISTIAN MORGENSTERN

Mittelmeer

Das einzige, was meine Frau vom Mittelmeer mitgenommen hat – aus dieser ganzen weitgehend spontanen Kultur –, sind vier Chianti-Flaschen, aus denen man Lampen machen kann.

PETER SHAFFER

Mittelpunkt

Im Mittelpunkt einer Party steht man erst, wenn man gegangen ist.

HANS DIETER SCHÜTT

Mittelstand

Dem Mittelstand ersetzt Vorurteil das Urteil.

ANTON KUH

Mobiltelefone

Das einzige Mal, wo es drauf ankommt, den Kleinsten zu haben.

NEIL KINNOCK

Mode

Mode ist die bereitwillige Bejahung der rätselhaften Tatsache, daß heute etwas schön ist, was gestern häßlich war und morgen unerträglich sein wird.

SENTA BERGER

Mode

Die Mode ist eine seltsame Sache: Die Modeschöpfer können Fehler machen, soviel sie wollen. Es finden sich immer Millionen Frauen, die dafür zahlen.

BARBRA STREISAND

Mode ist ein Diktat, das wie eine Empfehlung aussieht.

SENTA BERGER

Mode

Design kennt nur eine Richtung – die ungewohnte.

DONNA KARAN

Mode ist Ansteckung mit etwas Neuem.

JULIA ROBERTS

Die Mode ist ein Muß, das wie ein Soll aussieht.

JIL SANDER

Die Mode ist eine angenehme Vergewaltigung.

MARIA PERSCHY

Die Mode ist eine Vergnügungssteuer, die mindestens zweimal jährlich fällig wird.

FRANÇOISE SAGAN

Die Mode erlaubt den Frauen, immer dieselben und niemals die gleichen zu sein.

SENTA BERGER

Mode ist käufliche Schönheit für sechs Monate.

CATHERINE SPAAK

Mode ist die Kunst, sich vorschriftsmäßig zu verstellen.

ANONYM

Von allen Stoffwechselkrankheiten ist die Mode die charmanteste.

RALPH BOLLER

Mode

Kein guter Gitarrist kann etwas dafür, wenn sein Saal leer ist, während es den Boom der Volksmusik gibt.

THOMAS EBERMANN

Mit Kleidung kann man sich keine Persönlichkeit zusammenbauen. Das geht immer nur bis zum Hals.

HELMUT LANG

Die englischen Genies gehen vor der Mode her und die deutschen hintendrein.

GEORG CHRISTOPH LICHTENBERG

Niemand raubt in beige eine Bank aus.

MICKEY ROSE

Mode nutzt mehr Kleider ab als ein Mensch.

WILLIAM SHAKESPEARE

Mode ist eine bewußt ausgelöste Emidemie.

GEORGE BERNARD SHAW

Sie trägt ihre Kleider, als hätte sie sie mit einer Stimmgabel übergeworfen.

JONATHAN SWIFT

Mißtraue jedem Vorhaben, das neue Kleidung erfordert.

HENRY DAVID THOREAU

Mode

Mode ist eine so unverträgliche Form der Häßlichkeit, daß wir sie alle sechs Monate ändern müssen.

OSCAR WILDE

Model

Ich wäre gern das erste Model, das eine erwachsene Frau wird.

LAUREN HUTTON

Moderner Mann

Zur Beschreibung des modernen Mannes genügt ein einziger Satz: Er treibt Inzucht und liest die Zeitung.

ALBERT CAMUS

In der Liebe verbindet der moderne Mann die Gefühlswärme eines Computers mit der Behutsamkeit eines Jumbo-Jets.

ANNA MAGNANI

Monogamie

Wir Frauen verlieben uns immer in den gleichen Typ von Mann. Das ist unsere Form der Monogamie.

LAUREN BACALL

Er war von Natur aus monogam. Aber er bemerkte das erst bei seiner 38. Liebschaft.

GABRIEL LAUB

Moral

Ich finde, Moral ist nur ein Wort, das das Verhalten beschreibt, das gerade modern ist.

SALLY STANFORD

Moral

Die Moral, die gut genug war für unsere Väter, ist nicht gut genug für unsere Kinder.

MARIE VON EBNER-ESCHENBACH

Moral ist, wenn man so lebt, daß es gar keinen Spaß macht, so zu leben.

EDITH PIAF

Wer die Moral hat, hat die Qual.

ANONYM

Das Gute – dieser Satz steht fest – ist stets das Böse, was man läßt.

WILHELM BUSCH

Je höher die Häuser, um so niederer die Moral.

NOËL COWARD

Moral ist gut, Erbschaft ist besser.

THEODOR FONTANE

Man traue keinem erhabenen Motiv für eine Handlung, wenn sich auch ein niedriges finden läßt.

EDWARD GIBBON

Ich stelle eigentlich nur *eine* moralische Forderung an die Menschheit, aber eine ziemlich strenge: daß sie mich lieben soll.

LARS GUSTAFFSON

Moral

Es gibt nichts Gutes, außer man tut es.

ERICH KÄSTNER

Die Moral sinkt mit der Sonne.

HANS KASPER

Die Moral ist ein Einbruchswerkzeug, welches den Vorzug hat, daß es nie am Tatort zurückgelassen wird.

KARL KRAUS

Um die Moral zu haben, muß man die Ansprüche senken.

STANISŁAW JERZY LEC

Moral ist eine Sache der Konvention – oder der sofortigen Bezahlung.

STANISŁAW JERZY LEC

Salto *morale* ist viel gefährlicher als der salto mortale.

STANISŁAW JERZY LEC

Jeder Mensch hat auch seine moralische backside, die er nicht ohne Not zeigt, und die er so lange als möglich mit den Hosen des guten Anstands zudeckt.

GEORG CHRISTOPH LICHTENBERG

Man rühmt die Unschuld der anderen, um an seine eigene glauben zu können.

ARTHUR MILLER

Moral

Doppelt hält besser. Vor allem bei der Moral.

WOLFGANG MOCHER

Es gibt zwei Arten von Moral: eine, die man predigt, und eine, die man anwendet.

BERTRAND RUSSEL

Es ist besser, zitierbar zu sein als ehrbar.

TOM STOPPARD

Der Zustand der gesamten menschlichen Moral läßt sich in zwei Sätzen zusammenfassen: We ought to. But we don't.

KURT TUCHOLSKY

Moral ist einfach die Haltung, die wir gegen Leute einnehmen, von denen wir persönlich nicht erbaut sind.

OSCAR WILDE

Moralisten

Moralisten sind Menschen, die es dort kratzt, wo es andere juckt.

SAMUEL BECKETT

Es gibt Moralisten vorgerückten Alters, denen fallen die Haare aus, die sie auf den Zähnen haben.

ANTON KUH

Mord

Ein Mörder ist jemand, der so lange für unschuldig gehalten wird, bis man ihn für unzurechnungsfähig erklärt.

ANONYM

Mord

Überraschend viele Frauen denken an Mord. Das befähigt sie, so gute Krimis zu schreiben.

LINDA SEMPLE

Wenn du einen Mord begehst, bist du ein Verbrecher. Begehst du Millionen, bist du ein Held.

BEILBY PORTEUS

Motte

Die Motte ist ein bescheidenes Tier, denn sie frißt nur Löcher.

KINDERAUFSATZ

Mr. Right

Eine Frau muß sich ein- oder zweimal im Leben in den Falschen verliebt haben, um für den richtigen dankbar zu sein.

MARJORIE KINNAN RAWLINGS

Manche Frau weint, weil sie den Mann ihrer Träume nicht bekommen hat, und manche weint, weil sie ihn bekommen hat.

ANNETTE KOLB

Müll

Ich war mit einem Marxisten und einem Faschisten verheiratet. Keiner von beiden hat den Müll rausgebracht.

LEE GRANT

Mündigkeit

Fernsehprogramm: Die Mündigkeit des Bürgers hat einen freien Abend.

WERNER SCHNEYDER

Mund Der Deutsche hat den Mund zuerst zum Trinken, der Franzose zum Schwatzen und der Spanier zum Gähnen gebraucht.

FRIEDRICH HEBBEL

Musik Klänge haben ebensowenig mit Musik zu tun wie Töne.

SERGIU CELIBIDACHE

Für den überwiegenden Teil der Menschen ist die Musik ein angenehmes Mittel, ihre eigene Plattheit zu pathetisieren.

HEIMITO VON DODERER

Das Wichtigste, was das Publikum von einem Komponisten verlangt, ist, daß er tot ist.

ARTHUR HONEGGER

Ich verstehe nichts von Musik. In meinem Fach ist das nicht nötig.

ELVIS PRESLEY

Die Hölle ist bevölkert von Amateurmusikern.

GEORGE BERNARD SHAW

Zu viele Musikstücke enden zu lange nach ihrem Ende.

IGOR STRAWINSKY

Musik

Kinder und Tiere verstehen meine Musik am besten.

IGOR STRAWINSKY

Musik verursacht einem so romantische Gefühle – zumindest geht sie einem immer auf die Nerven.

OSCAR WILDE

Mut

Frauen sind mutiger als Männer. Wenn die Männer Kinder zur Welt bringen müßten, wäre die Menschheit schon ausgestorben.

THÉRÈSE LAFARGUE

Wo 99 den Chef loben, kann der Schweigende der Mutigste sein.

ANONYM

Zu lieben ist der größte Beweis von Mut, den die Frau geben kann.

IMMANUEL KANT

Manchmal braucht man viel Mut, kein Held zu werden.

GABRIEL LAUB

Traurig, wenn sich die Wirbelsäule erst am Kreuz aufrichtet.

STANISŁAW JERZY LEC

Mut ist nichts anderes als die Angst, die man nicht zeigt.

SERGIO LEONE

Mutter

Mütter erwarten von ihren Töchtern das Beste und Schlimmste zugleich, so behalten sie immer recht.

VICKI BAUM

Hätte seine Mutter ihn nur weggeworfen und statt dessen den Storch behalten.

MAE WEST

Es ist ganz und gar unnatürlich für eine Mutter, mit ihren Kindern allein fertigzuwerden.

KATHARINE WHITEHORN

Der Übergang vom gesunden Egoismus einer normalen erwachsenen Person zum Status eines mütterlichen Engels kann schmerzlich sein.

LIBBY PURVES

Frauen, die nicht rechnen können, nennt man Mutter.

ABIGAIL VAN BUREN

Mütter vergessen gerne, daß die Nabelschnur schon mit der Geburt getrennt wird.

VERA CASPAR

Es hängt alles vom Glanz in den Augen der Mutter ab.

ANONYM

Mutter

Da Gott nicht alles alleine machen wollte, schuf er Mütter.

ANONYM

Mütter sind stolzer auf ihre Kinder als Väter, da sie sicherer sein können, daß es ihre eigenen sind.

ARISTOTELES

Ich habe nie in meinem Leben ein Frau geschlagen, nicht mal meine Mutter.

W. C. FIELDS

Wenn es keine Schulen gäbe, in denen die Kinder für ein paar Stunden am Tag untergebracht sind, wären die Irrenhäuser voll mit Müttern.

EDGAR W. HOWE

Das Heil der Erziehung können den verzogenen und verziehenden Staaten und den beschäftigten Vätern nur die Mütter bringen.

JEAN PAUL

Es gibt nur wenige Unglücksfälle, die einem Jungen schlimmere Folgen bescheren können, als eine zärtliche Mutter zu haben.

WILLIAM SOMERSET MAUGHAM

Die beste Erziehungsmethode für ein Kind ist, ihm eine gute Mutter zu verschaffen.

CHRISTIAN MORGENSTERN

Mutter

Irgendwann müssen unsere Kinder lernen, daß auch ihre Mütter Gefühle haben.

LIBBY PURVES

Meine Mutter hatte einen Haufen Ärger mit mir, aber ich glaube, sie hat es genossen.

MARK TWAIN

»Frauen werden stets wie ihre Mutter. Das ist ihre Tragödie.« – »Und kein Mann wird so. Das ist seine.«

OSCAR WILDE

Solange eine Frau zehn Jahre jünger aussehen kann als ihre eigene Tochter, ist sie völlig zufrieden.

OSCAR WILDE

Glücklich die Mutter, die eine Tochter geboren hat; ein Junge ist der Sohn der Schwiegermutter.

AUS AFRIKA

Kleine Kinder treten der Mutter auf die Kleider, große auf das Herz.

AUS BULGARIEN

Was der Mutter ans Herz geht, das geht dem Vater nur an die Knie.

AUS DEUTSCHLAND

Die Hand, die die Wiege schaukelt, regiert die Welt.

AUS ENGLAND

Mutter	Drei Töchter und eine Mutter, vier Teufel für den Vater. AUS SPANIEN
	Ein Gramm Mutter ist soviel wert wie eine Tonne Priester. AUS SPANIEN
	Wer wissen will, was die Tochter kann, der sehe sich die Mutter an. AUS UNGARN
Mutterliebe	Die Liebe einer Mutter ist natürlich sehr rührend, aber oft merkwürdig egoistisch. OSCAR WILDE
Mutterschaft	Mutterschaft ist eher eine Arbeitsplatzbeschreibung als eine Sache des Geschlechts. LIBBY PURVES
	Alle reden von Flugzeugentführern, Kidnappern, Grippe, Arbeitslosigkeit, Alkoholismus und Drogenmißbrauch. Aber niemand spricht von Mutterschaft. LORIOT
	Das Beste, was der Mutterschaft widerfahren konnte, ist bereits geschehen. Immer weniger Frauen entscheiden sich dafür. VICTORIA BILLINGS
Muttersöhnchen	Vom Muttersöhnchen führt ein schnurgerader Weg zum Pantoffelhelden. ERICH KÄSTNER

Muttertag

Nichts ist so verlogen wie der Muttertag. Die Blumen halten noch länger als die Väter ihre Versprechen.

FEMINISTISCHE PARTEI »DIE FRAUEN«

Mystik

Die Lektüre von 20 Bänden christlicher Mystiker hat mich nicht davon überzeugt, daß der mystische Zustand von höherer Ordnung ist als Schwindel und Seekrankheit.

HENRY DE MONTHERLANT

N

Nabel Der Nabel der Welt liegt etwas tiefer.

WOLFGANG ESCHER

Nachahmen Grade das Gegenteil tun heißt auch nachahmen, es heißt nämlich das Gegenteil nachahmen.

GEORG CHRISTOPH LICHTENBERG

Nachhilfe Nachhilfeunterricht für erotisch Unbegabte ist so sinnvoll wie ein Flugblatt für Analphabeten.

MARY WENDELL

Nachrede Anderen am Zeug zu flicken geht oft schneller als sich selber einen Knopf anzunähen.

REINHARD GUNDELACH

Nachsicht Nachsicht ist das Wissen, wann auf einen Vorteil zu verzichten ist.

BENJAMIN DISRAELI

Nachthemd Die meisten Frauen wählen ihr Nachthemd mit mehr Verstand als ihren Mann.

COCO CHANEL

Nachtgeschirr

Ich habe mit ihm zwei Jahre in einerlei Nachtgeschirr gepisset und kann also schon wissen, was an ihm ist.

GEORG CHRISTOPH LICHTENBERG

Nachwelt

Was hat die Nachwelt für mich getan, daß ich etwas für die Nachwelt tun sollte?

GEORGE BERNARD SHAW

Nachwuchs

Was sich zweiet, das dreiet sich gern.

AUS DEUTSCHLAND

Nacktheit

Ich war nicht wirklich nackt. Ich hatte nur keine Kleider an.

JOSEPHINE BAKER

Wer nackt schläft, beweist größte Selbstsicherheit; das gilt für Frauen wie für Männer. Unbekleidet im Bett – das heißt, daß man nichts zu verbergen hat.

SUSAN FRIDAY

Es stimmt nicht, daß ich nackt war. Ich hatte das Radio an.

MARILYN MONROE

Ich würde eher total nackt tanzen, als so aufreizend halb angezogen durch die Straßen zu stolzieren, wie viele Amerikanerinnen es heutzutage tun.

ISADORA DUNCAN

Nacktheit

Ich wundere mich, daß man mit einem nackten Busen überhaupt noch jemanden hinter dem Ofen hervorlocken kann.

DESIRÉE NOSBUSCH

Die Nacktheit einer Frau ist weiser als die Lehre der Philosophen.

MAX ERNST

Nächstenliebe

Unter Nächstenliebe verstehen manche Männer die Liebe zur nächsten Frau.

ERIKA PLUHAR

Liebe deinen Nächsten wie dich selbst – aber was tun, wenn man sich selbst nicht ausstehen kann?

ACHIM BALLERT

Die den Freudenbecher gewährt haben, sterben an dem alkoholischen Gifttrunk, den ihnen die christliche Nächstenliebe reicht.

KARL KRAUS

Man will ja gern seinen Nächsten lieben, aber doch nicht den Nächstbesten.

KARL HEINRICH WAGGERL

Napoleon

Napoleon ist groß und uninteressant.

HANNS EISLER

Narr

Eine Mutter braucht zwanzig Jahre, um aus ihrem Sohn einen Mann zu machen, worauf eine andere Frau ihn in zwanzig Minuten zum Narren macht.

ROBERT FROST

Von zwei Narren hält der größere den kleinen für den größeren.

EMIL GÖTT

Immer schon hatten die Narren am Sockel des Throns gesessen. Deshalb sahen sie auch als erste, wenn er zu wackeln anfing.

STANISŁAW JERZY LEC

Wer kein Narr ist, ist deshalb noch lange nicht so weise, wie er glaubt.

LA ROCHEFOUCAULD

Es gibt viel mehr Narren als Höfe.

WERNER SCHNEYDER

Die Welt ist von Narren gemacht, damit Weise darin leben.

OSCAR WILDE

Er ist zu dumm, um ein Narr zu werden.

AUS ENGLAND

Alte Narren sind dümmer als junge.

AUS RUSSLAND

Nasenträger	Es gibt Menschen, die sind bei sich als Nasenträger angestellt. Das füllt ihre Zeit aus. ANTON KUH
Nationale Eigenschaften	Nationale Eigenschaften sind verbindliche Vorurteile eines Volkes über sich selbst. GABRIEL LAUB
Nationalismus	Kannibalismus – Militarismus – Nationalismus. GEORG KAISER
	Paßt auf, nicht nur ein Druckfehler kann Rationalismus in Nationalismus verwandeln. STANISŁAW JERZY LEC
	Der Nationalismus kann gewaltig sein. Niemals groß. STANISŁAW JERZY LEC
Nationalökonomie	Nationalökonomie ist, wenn die Leute sich wundern, warum sie kein Geld haben. Das hat mehrere Gründe: die gemeinsten sind die wissenschaftlichen. KURT TUCHOLSKY
Natur	Wir meinen die Natur zu beherrschen, aber wahrscheinlich hat sie sich nur an uns gewöhnt. KARL HEINRICH WAGGERL

Naturgewalten

Gegen die Obrigkeit und den Winter kommt keiner an.

AUS SLOWENIEN

Neid

Kollektiven Neid in aktivster Form nennt man Krieg.

JACK THOMMEN

Der Neid ist meistens eine Nummer größer als der Fleiß.

PETER WECK

Nein

Nein ist ein orales Verhütungsmittel.

JOAN VICHERS

Ich kann in zwölf Sprachen Nein sagen – das genügt für eine Frau.

SOPHIA LOREN

Nervensägen

Über das Kommen mancher Leute tröstet uns nichts als – die Hoffnung auf ihr Gehen.

MARIE VON EBNER-ESCHENBACH

Nervenzusammenbruch

Eines der Symptome eines sich ankündigenden Nervenzusammenbruchs ist die Empfindung, daß die eigene Arbeit etwas ganz schrecklich Wichtiges sei.

BERTRAND RUSSELL

Nervosität

Ich beiße keine Fingernägel. Ich beiße meine Handgelenke. Mit den Nägeln war ich schon vor Monaten durch.

JOSEPH L. MANKIEWICZ

Nervosität

Er ist zu nervös, um sich selbst umbringen zu können. Er bleibt selbst im Autokino angeschnallt.

NEIL SIMON

Nerz

Hinter jeder Frau im Nerz steht eine andere, die darüber witzelt, wo sie ihn her hat.

INGE MEYSEL

Nett

Ich will nicht, daß die Leute nett sind. Dann brauche ich sie auch nicht zu mögen.

JANE AUSTEN

Neugier

Frauen müssen lernen, die Männer wieder auf das neugierig zu machen, was sie schon kennen.

COCO CHANEL

Neugier ist die gespannte Angst, daß es Wunder geben könnte.

ANTON KUH

Neugier ist, wenn Klatschmäuler nach Futter schnappen.

WOLFRAM WEIDNER

Nichteinmischung

Nichteinmischung ist Einmischung auf der Seite des Stärkeren.

GABRIEL LAUB

Nichtstun

Es ist viel besser, nichts zu tun, als nichtiges zu tun.

LEO N. TOLSTOI

Niedrigkeit

Niedrigkeit kann man nicht zertreten, sie ist zu platt.

HONORÉ DE BALZAC

Nikotin

Eine Welt von Lärm und Nikotin ist Schall und Rauch.

WERNER SCHNEYDER

Niveau

Was gibt es Schöneres, als mit einem jungen Mann und einem alten Rotwein gemeinsam die Schwelle des gehobenen Niveaus zu verlassen?

STEPHANIE WERGER

Nonkonformismus

Nonkonformismus ist die maulende Abhängigkeit von den herrschenden Thesen.

HANS KASPER

Nonnen

Ja, die Nonnen haben nicht allein ein strenges Gelübde der Keuschheit getan, sondern haben auch noch starke Gitter vor ihren Fenstern.

GEORG CHRISTOPH LICHTENBERG

Nonsens

Nonsens ist in der Tat etwas sehr Betrübliches, und ein Professor, der welchen schreibt, sollte freundlich auf Pension gesetzt werden.

GEORG CHRISTOPH LICHTENBERG

Normal

Einen völlig normalen Menschen gibt es in unserer Gesellschaft kaum.

KAREN HORNEY

Nostalgie

Nostalgie: Heimweh nach der Zeit, als die Computer noch Röhren hatten.

RALF BÜLOW

Nostalgie ist, wenn auf der Speisekarte »Rheinlachs« steht.

WERNER SCHNEYDER

Not

Fremde Not erledige ich mit leichter Hand, zur eigenen fällt mir nichts Gescheites ein.

AUS RUSSLAND

Nüchternheit

Die Nüchternheit des Morgens ist nur eine negative Trunkenheit.

JEAN PAUL

Nullen

Aus einer Reihe von Nullen macht man leicht eine Kette.

STANISŁAW JERZY LEC

Ich stimme mit der Mathematik nicht überein. Ich meine, daß die Summe von Nullen eine gefährliche Zahl ist.

STANISŁAW JERZY LEC

O

Oase — Oase: Wirtshaus in der Wüste.

GUSTAVE FLAUBERT

Oben ohne — Frauen »oben ohne« sind wie Geheimdienstleute, die ihren Code plakatieren.

JEANNE MOREAU

Obrigkeit — Die Obrigkeit verlangt von uns viel Einsicht in die Notwendigkeit, weil sie alle Freiheiten für sich beansprucht.

JUPP MÜLLER

Öffentliche Meinung — In manchen Jahrhunderten ist die öffentliche Meinung die schlechteste von allen Meinungen.

NICOLAS CHAMFORT

Die öffentliche Meinung gleicht einem Schloßgespenst: Niemand hat es je gesehen, aber alle lassen sich von ihm terrorisieren.

SIGMUND GRAFF

Öffentlichkeit — Die Öffentlichkeit ist der Gestank einer Senkgrube und die Politik das Gebiet von Reduzierten.

GOTTFRIED BENN

Ökonomie

Ökonomie ist die Kunst, aus seinem Leben das Beste zu machen.

GARY BECKER

Österreich

Österreich: eine Schweiz der Komfortlosigkeit.

ANTON KUH

Offenheit

Unter Offenheit verstehen die Männer die Kunst, nur so viel zu gestehen, wie die Frau bereits weiß.

TATJANA SAIS

Oper

Eine Oper ist Familiendrama mit Gesang.

ANONYM

Operation

Vor der Operation: In wenigen Stunden weiß ich mehr oder alles.

GOTTFRIED EDEL

Operette

Die Operette besiegelt die Verklärung der Dummheit durch die Musik.

WALTER BENJAMIN

Opfer

In alten Zeiten wurden Opfer am Altar dargebracht. Das ist heutzutage noch genauso.

HELEN ROWLAND

Opportunismus

Im Schatten der Macht wachsen die Opportunisten.

ALFRED GROSSER

Opportunismus

Es ist schwer erkennbar, wer freiwillig mit dem Strom schwimmt.

STANISŁAW JERZY LEC

Opportunismus ist die Kunst, mit dem Wind zu segeln, den andere machen.

CARLO MANZONI

Opportunismus ist der Sieg der Heuchelei auf ganzer Schlangenlinie.

RUDOLF ROLFS

Mit den Wölfen zu heulen ist keine Garantie dafür, nicht auch von ihnen gefressen zu werden.

THOMAS TRAUTMANN

Opposition

In der Politik jene Partei, die die Regierung daran hindert, Amok zu laufen, indem sie ihr die Kniekehlen durchschneidet.

AMBROSE BIERCE

Opposition ist die Kunst, etwas zu versprechen, was die Regierung nicht halten kann.

HAROLD NICOLSON

Optimismus

Eine Optimistin ist eine Frau, die Fettpölsterchen für Kurven hält.

FRANÇOISE HARDY

Optimismus

Optimismus: Doktrin oder Glaube, alles sei schön, einschließlich des Häßlichen; alles gut, vor allem das Schlechte, und alles richtig, wie das Falsche.

AMBROSE BIERCE

»Kopf hoch«, sagte der Henker, und warf ihm die Schlinge um den Hals.

STANISŁAW JERZY LEC

Wie sollte ich kein Optimist sein. Meine Gegner erwiesen sich – bis jetzt – als genau die Schweine, die ich in ihnen vermutet habe.

STANISŁAW JERZY LEC

Wo die Fähigkeiten enden, beginnt der Optimismus.

KURT TACHMANN

Optimist

Optimist: ein Anhänger der Lehre, daß Schwarz gleich weiß ist.

AMBROSE BIERCE

Optimist: Gleichbedeutend mit Trottel.

GUSTAVE FLAUBERT

Er ist ein Optimist. Er glaubt, daß es von ihm abhängt, wann er Selbstmord begeht.

GABRIEL LAUB

Optimist

Die Tatsache, daß jemand Satiren schreibt, genügt, um ihn als einen Optimisten zu entlarven.

STANISŁAW JERZY LEC

Orchester

Orchester: Sinnbild der Gesellschaft. Jeder tut seinen Teil, und einer dirigiert.

GUSTAVE FLAUBERT

Orden

Orden sind ein kostensparender Gegenstand, der es ermöglicht, mit wenig Blech viel Eitelkeit zu befriedigen.

ARISTIDE BRIAND

Ordnung

Die Seele jeder Ordnung ist ein großer Papierkorb.

KURT TUCHOLSKY

Orgasmus

Ein Orgasmus ist ein Reflex – wie Niesen.

RUTH WESTHEIMER

Originalität

Originalität ist etwas, was man nie mit Absicht erreicht.

WILLIAM SOMERSET MAUGHAM

Originalität ist meistens nichts anderes als ein noch nicht entdecktes Plagiat.

VOLTAIRE

P

Paarung

Die Fortpflanzung durch Paarung zweier Individuen ist unter den Vermehrungsarten, die wir in der Biologie kennen, sicher die störungsanfälligste und komplizierteste.

NORBERT BISCHOF

Pantomime

Ein Pantomime, der eine falsche Geste macht, hat einen Sprachfehler an der Hand.

MARCEL MARCEAU

Papierkorb

Der Papierkorb ist der beste Freund des Schriftstellers.

ISAAC B. SINGER

Paradies

Was ist das Paradies? Eine Landschaft, in der nicht gebaut wird.

PAUL BOCKELMANN

Schade, daß man ins Paradies mit einem Leichenwagen fährt!

STANISŁAW JERZY LEC

»Wo der Baum der Erkenntnis steht, ist immer das Paradies«: so reden die ältesten und die jüngsten Schlangen.

FRIEDRICH NIETZSCHE

Paranoia

Ich bin aus gesundheitlichen Gründen nach New York gezogen. Ich bin paranoid, und das ist der einzige Ort, an dem meine Ängste bestätigt werden.

ANITA WEISS

Parfüm

Frauen benützen Parfüms, weil die Nase des Mannes leichter zu verführen ist als das Auge.

JEANNE MOREAU

Wenn ein Mann eine Frau nicht mehr riechen kann, hilft auch das beste Parfüm nichts mehr.

HELEN VITA

Parlament

Nun, wir wollen nicht klagen. Dafür, daß es noch 1918 geheißen hat: »Frauen, Kinder und Schwachsinnige haben keinen Zutritt zum Parlament«, sind wir ganz schön weit. Inzwischen haben immerhin schon Schwachsinnige Zutritt.

LISA FITZ

Nehmen wir an, Sie wären ein Idiot, und nehmen wir weiter an, Sie säßen im Parlament ... Aber ich wiederhole mich.

MARK TWAIN

Parlamentarismus

Der Parlamentarismus ist die Kasernierung der politischen Prostitution.

KARL KRAUS

Parteien

Wie kann man in einem Land, in dem es über 200 Käsesorten gibt, ein Einparteiensystem für möglich halten?

CHARLES DE GAULLE

Die Republikaner sind die Partei, die erklärt, die Regierung funktioniere nicht – und die dann gewählt wird und es beweist.

P. J. O'ROURKE

Eine Partei kann nicht nur aus Flügeln bestehen, sie muß auch einen Rumpf haben.

MARIO SEGNI

Wer viel denkt, eignet sich nicht zum Parteimann: er denkt sich zu bald durch die Partei hindurch.

FRIEDRICH NIETZSCHE

Partnerschaft

In einer Partnerschaft muß jede Frau einige Dinge lernen, die sie schon kann.

ELKE SOMMER

Party

Wenn Sie über niemanden etwas Nettes sagen können, dann setzen Sie sich neben mich.

ALICE ROOSEVELT LONGWORTH

Eine Party ist eine Zusammenkunft, bei der am Ende die Gäste aufgeräumter sind als die Wohnung.

SENTA BERGER

Party Niemand trägt auf einer Party so viel zur Unterhaltung bei wie die, die gar nicht da sind.

AUDREY HEPBURN

Meistens steht man erst, wenn man gegangen ist, im Mittelpunkt einer Party.

ZSA ZSA GABOR

Party: Eine Zusammenkunft von Leuten, die einander nichts zu sagen haben – und das sehr ausgiebig tun.

BOB HOPE

Patrioten Patrioten sind Nationalisten, die gute Laune haben.

WOLFRAM WEIDNER

Patriotismus Entflammbarer Müll, bereit für die Fackel eines jeden, der ehrgeizig ist und seinen Namen beleuchtet sehen möchte.

AMBROSE BIERCE

Patriotismus setzt den Willen voraus, aus unbedeutendem Grund zu töten und sich umbringen zu lassen.

BERTRAND RUSSEL

Am Sonntag das Vaterland preisen, am Werktag den Fiskus bescheißen.

RUDOLF SCHÖFBERGER

Patriotismus

Patriotismus ist eine gefährliche, psychopathische Form des Schwachsinns.

GEORGE BERNARD SHAW

Patriotismus ist die Erinnerung an in der Kindheit gegessene Speisen.

LIN YUTANG

Es ist mir immer merkwürdig vorgekommen, daß man gerade das Land besonders lieben soll, wo man seine Steuern zahlt.

ZIFFEL

Penis

Ich frage mich, wie Männer überhaupt ernst bleiben können. Sie haben dieses empfindliche Ding an ihrem Körper hängen, das rauf- und runtergeht, wie es will. Wenn ich ein Mann wäre, würde ich ständig über mich selbst lachen.

YOKO ONO

Nach dem Ficken ist er nutzloser als eine Kunststofftapete in einer Hundehütte.

ERIKA JENNINGER

Der Schöpfer blickt auf Adam und spricht: »Ich habe eine gute und eine schlechte Nachricht für dich, mein Sohn. Die gute ist, daß ich dir ein Hirn und einen Penis gegeben habe.« »Und die schlechte?« fragt Adam. »Du wirst immer nur eines von beiden benutzen können.«

ANONYM

Penis — Der Penis ist die Inthronisierung des Mittels als Zweck.

THEODOR W. ADORNO

Perfektion — In meinem ganzen Leben habe ich nur vier perfekte Menschen getroffen, und ich mochte keinen von ihnen.

ANONYM

Nobody is perfect.

BILLY WILDER

Persönlichkeit — Persönlichkeiten zeichnet aus, daß sie sich zusammenreißen können.

BERTI VOGTS

Perspektive — Um klar zu sehen, genügt oft genug ein Wechsel der Blickrichtung.

ANTOINE DE SAINT-EXUPÉRY

Perversionen — Die Sadisten und die Masochisten sollten miteinander Selbstbedienungsgeschäfte, Trusts und Staaten bilden.

STANISŁAW JERZY LEC

Perversität — Perversität ist entweder eine Schuld der Zeugung oder ein Recht der Überzeugung.

KARL KRAUS

Ein narzißtischer Sodomit: liebt seinen inneren Schweinehund.

STANISŁAW JERZY LEC

Pessimismus	Philosophie; dem Beobachter aufgezwungen durch die entmutigende Übermacht des Optimisten mit seiner gräßlichen Hoffnung und seinem abstoßenden Lächeln. AMBROSE BIERCE
	Pessimismus wird nur von den Optimisten verbreitet. Die Pessimisten sparen ihn für schlechtere Zeiten auf. GABRIEL LAUB
Pessimist	Pessimisten sind auch nur Menschen, die enttäuscht werden wollen. FRANK FELDMAN
	Der vorsichtige Pessimist begeht Selbstmord, indem er sich vor einen Krankenwagen wirft. GABRIEL LAUB
	Wahre Pessimisten sind nicht einmal dann glücklich, wenn sie unglücklich sind. JOHNNIE RAY
	Ein Pessimist ist ein Mensch, der sich über schlechte Nachrichten freut, weil sie ihm recht geben. HEINZ RÜHMANN

Pessimist Pessimist ist jemand, der unter mehreren Übeln keines missen möchte.

MAXIMILIAN SCHELL

Pessimisten sind Menschen, die nur ein einziges Instrument blasen: Trübsal.

WIM THOELKE

Der Pessimist: »Ich werde also eines Tages sterben. Natürlich – das kann auch nur mir passieren.«

KURT TUCHOLSKY

Pfaffe Ein katholischer Pfaffe wandelt einher, als wenn ihm der Himmel gehöre; ein protestantischer Pfaffe hingegen geht herum, als wenn er den Himmel gepachtet habe.

HEINRICH HEINE

Pflicht Pflicht: Das, was uns auf dem Weg der Begehrlichkeit unaufhaltsam zum Prosit vorantreibt.

AMBROSE BIERCE

Das Flüstern einer schönen Frau hört man weiter als den lautesten Ruf der Pflicht.

PABLO PICASSO

Phantasie Die Phantasie der Männer reicht bei weitem nicht aus, um die Realität Frau zu begreifen.

ANNA MAGNANI

Phantasie

Die Phantasie des Mannes ist die beste Waffe der Frau.

SOPHIA LOREN

Phantasie sollte auch so weit reichen, sich so zu sehen, wie man ist.

REINHARD GUNDELACH

Phantasie ist nur in der Gesellschaft des Verstandes erträglich.

FRIEDRICH HEBBEL

Phantasie ist etwas, was sich manche Leute gar nicht vorstellen können.

GABRIEL LAUB

Es gibt kein größeres Unheil für die Liebe als den Tod der Phantasie.

GEORGE MEREDITH

Phantasie haben doch nur die Geschäftsleute, wenn sie nicht zahlen können.

KURT TUCHOLSKY

Philantrop

Philantropen verlieren jedes Gefühl für Menschlichkeit. Das ist ihr hervorstechender Charakterzug.

OSCAR WILDE

Philosemit

Philosemit: Ein Antisemit, der die Juden mag.

GABRIEL LAUB

Philosoph

Philosophen sind wie Zahnärzte, die Löcher aufbohren, ohne sie füllen zu können.

GIOVANNI GUARESCHI

Er handelte mit anderer Leute Meinungen. Er war Professor der Philosophie.

GEORG CHRISTOPH LICHTENBERG

Allesamt Advokaten, welche es nicht heißen wollen, und zwar zumeist verschmitzte Fürsprecher ihrer Vorurteile, die sie »Wahrheiten« taufen.

FRIEDRICH NIETZSCHE

Heirate nur. Bekommst du eine gute Frau, wirst du sehr glücklich werden; bekommst du eine schlechte, wirst du Philosoph werden.

SOKRATES

Der erste Schritt zur Philosophie ist der Unglaube.

DENIS DIDEROT

Philosophie

Ich habe eine einfache Philosophie: Mach voll, was leer ist. Mach leer, was voll ist. Kratze dich, wo es juckt.

ALICE ROOSEVELT LONGWORTH

Meine Lebensphilosophie ist: Einatmen – Ausatmen.

DORIS DÖRRIE

Philosophie

Kommt Zeit, kommt Unrat.

JEAN PAUL

Den Versuch, seine Handlungen theoretisch zu rechtfertigen, nennt man Philosophie.

GABRIEL LAUB

Meine Herren, wie komme ich nach Kleckersdorf, wo alle Wege nach Rom führen?

STANISŁAW JERZY LEC

Philosophie verhält sich zur realen Welt wie die Masturbation zum Geschlechtsverkehr.

KARL MARX

Erklärt die blöde Trivialität der Welt nur auf einem reichhaltigeren Niveau.

ZENODOT

Phrase

Im Anfang war das Wort – am Ende die Phrase.

STANISŁAW JERZY LEC

Piraterie

Piraterie: Handel ohne Schonbezug, wie Gott ihn schuf.

AMBROSE BIERCE

Plagiat

Plagiat – üble Nachschreibe.

ELAZAR BENYOËTZ

Plagiat	Plagiat: Zufälliges literarisches Zusammentreffen; besteht aus schandhafter Priorität und ehrenvoller Nachfolge. AMBROSE BIERCE
	Wenn etwas gut gesagt wurde, haben Sie keine Skrupel: Schreiben Sie ab. Den Urheber benennen? Warum sollten Sie? Entweder wissen Ihre Leser, wo Sie den Satz her haben, und die Vorsicht ist sinnlos. Oder sie wissen es nicht, und Sie demütigen sie. ANATOLE FRANCE
Planung	Planung ist der Ersatz des Zufalls durch den Irrtum. ANONYM
Platitüde	Schnarchender Gedanke in rauchenden Worten. AMBROSE BIERCE
Platz an der Sonne	Es gibt für jeden einen Platz an der Sonne – besonders wenn alle den Schatten suchen. JULES RENARD
Platz im Leben	Es kommt nicht darauf an, wo man hingestellt wird, sondern wie man dasteht. ULF ANNEL
Plausibilität	Am feinsten lügt das Plausible. EMIL GÖTT

Playboy

Auch die schönste Definition ändert nichts an der Tatsache, daß ein Playboy meistens weder das eine noch das andere ist.

ZSA ZSA GABOR

Ein Playboy ist ein Mann, der nie einen Roman, sondern immer nur Kurzgeschichten erlebt.

ERIKA PLUHAR

Ein Playboy ist einer, der mit den Frauen nur spielen möchte und der niemals erwachsen wird.

LIV ULLMAN

Einen Playboy erkennt man vor allem daran, daß er kein Boy mehr ist.

FRANK SINATRA

Poesie

Mit der Poesie ist kein Geld zu machen, aber es liegt auch keine Poesie im Geld.

ROBERT GRAVES

Die Poesie ist die Aussicht aus dem Krankenzimmer des Lebens.

JEAN PAUL

Sich durch Poesie ruiniert zu haben ist eine Ehre.

OSCAR WILDE

Polemik

Polemik ist, was die Gegenseite vorbringt.

WOLFRAM WEIDNER

Politik

Eines der Dinge, die mich die Politik gelehrt haben, ist, daß Männer keine vernunftbegabte oder vernünftigen Wesen sind.

MARGARET THATCHER

Wenn in der Politik etwas gesagt werden soll, fragt man einen Mann. Wenn etwas getan werden soll, fragt man eine Frau.

MARGARET THATCHER

Wenn Frauen die Welt regieren würden und wir alle Massagen bekämen, gäbe es keinen Krieg.

CARRIE SHAW

Wenn über meine politischen Aktivitäten berichtet wird, ist es sehr ärgerlich zu lesen, wie ich aussah, ob ich gelächelt habe oder ob einem bestimmten Reporter meine Frisur gefallen hat.

VIJAYA LAKSHMI PANDIT

Mir ist gleichgültig, wieviel meine Minister reden – so lange sie tun, was ich sage.

MARGARET THATCHER

Politik: Vom verkommenen Teil unserer kriminellen Schichten bevorzugter Lebensunterhalt. – Interessenkonflikt, maskiert als Prinzipienstreit. – Die Leitung öffentlicher Angelegenheiten zu privatem Vorteil.

AMBROSE BIERCE

Politik

In der Politik müßte gelten, was in der Medizin gilt: Wer nicht aufklärt, haftet.

JÜRGEN BORCHERT

Die Grünen sind nicht der Gutmenschteil der Gesellschaft.

DANIEL COHN-BENDIT

Man erkennt den guten Politiker daran, daß er mit den Tatsachen im Bunde ist.

JACQUES DELORS

Der Ignorant weiß nichts, der Parteimann will nichts wissen.

MARIE VON EBNER-ESCHENBACH

Wer viel entscheiden kann, muß weniger reden.

PETER GLOTZ

Politik – Sinn für das Zumutbare.

SIGMUND GRAFF

Politik besteht nicht selten darin, einen einfachen Tatbestand so zu komplizieren, daß alle nach einem neuen Vereinfacher rufen.

GIOVANNI GUARESCHI

Politik ist so beschaffen, daß faule Früchte nur vom Baum fallen, wenn darunter ein Korb steht, um sie aufzufangen.

HANS HABE

Politik

Politik ist der Spielraum, den die Wirtschaft ihr läßt.

DIETER HILDEBRANDT

Nächste Woche darf es keine Krise geben – mein Terminplan ist bereits voll.

HENRY KISSINGER

Je kleiner die Bürger, desto größer das Imperium.

STANISŁAW JERZY LEC

Wenn ein Volk keine Stimme hat, merkt man es sogar beim Singen der Nationalhymne.

STANISŁAW JERZY LEC

Wie beurteilt man einen Staat am gerechtesten? Einfach – auf Grund seiner Gerichtsbarkeit.

STANISŁAW JERZY LEC

Jedes Regime wird schließlich zum ancien régime.

STANISŁAW JERZY LEC

Auch mit einer Umarmung kann man einen politischen Gegner handlungsunfähig machen.

NELSON MANDELA

Politik

Politik ist wie Skat: erst richtig reizen, dann richtig stechen.

WOLFGANG MISCHNIK

Ein Gipfeltreffen ist eine Show für alle, die im Flachland bleiben müssen.

ALFRED ODER

Was immer es sein mag, was die Regierung tut, vernünftige Amerikaner ziehen es vor, daß sie es für jemand anderen tut. Das ist die Philosophie, die hinter Außenpolitik steckt.

P. J. O'ROURKE

Alle Bewegungen führen zu weit.

BERTRAND RUSSELL

Koalition: eine Partei wäscht die andere, und dabei werden beide immer dreckiger.

BLOOR SCHLEPPEY

Politik ist die Gesamtheit der Theaterreden, die ein paar Gaukler halten, welche uns glauben machen wollen, daß sie klar sehen.

MICHEL SERRES

Wenn nach Goethe die Politik »eine Hure« ist, was ist dann ein ganzes Parlament?

HANS-HORST SKUPY

Politik

Politik ist die Sphäre, in der sich die Menschen aus Konkurrenz um Entbehrlichkeiten gegenseitig die Köpfe einschlagen.

PETER SLOTERDIJK

Politik ist die Kunst, die Leute daran zu hindern, sich um das zu kümmern, was sie angeht.

PAUL VALÉRY

Politik ist, wenn man trotzdem nicht lacht.

FRIEDRICH ZIMMERMANN

Wahrhaftigkeit und Politik wohnen selten unter einem Dach.

STEFAN ZWEIG

Politiker

Jeder Politiker sollte als Waisenkind zur Welt kommen und Junggeselle bleiben.

LADY BIRD JOHNSON

Es gibt eine sichere Methode herauszufinden, wann Politiker nicht die Wahrheit sagen: wenn sich ihre Lippen bewegen.

FELICITY KENDALL

Mir ist ein Präsident lieber, der's mit Frauen treibt, als einer, der's mit seinem Land treibt.

SHIRLEY MACLAINE

Politiker

Man sollte Politiker danach beurteilen, welche Dichter sie gelesen haben.

JOSEPH BRODSKY

Ich zweifle nicht daran, daß die Erde weniger trostlos wäre, wenn wir unsere politischen Führer nach ihrer Lektüre und nicht nach ihren Programmen wählen würden.

JOSEPH BRODSKY

Politiker sind überall gleich. Sie versprechen, Brücken zu bauen, auch wenn gar keine Flüsse vorhanden sind.

NIKITA CHRUSCHTSCHOW

Weil Politiker nie glauben, was sie sagen, sind sie überrascht, wenn andere ihnen glauben.

CHARLES DE GAULLE

Die meisten Politiker sind wie Marshmallows – wackelweich.

PETER GAUWEILER

Ein Politiker ist jemand, mit dessen politischer Meinung du n icht übereinstimmst. Tust du es, dann ist er ein Staatsmann.

DAVID LLOYD GEORGE

Politiker leben von der Vernachlässigung ihres Berufs.

SIGMUND GRAFF

Politiker

Manche Politiker sind wie Akkordeons: Zunächst machen sie viel Wind, aber dann fügen sie sich dem Druck.

WOLFGANG GRUNER

Ronald Reagan ist kein typischer Politiker, weil er nicht lügen, nicht betrügen und nicht klauen kann. Sogar dafür hatte er schon immer einen Agenten.

BOB HOPE

Alle Politiker haben einen elenden Job: Sie bauen an den Abgründen zwischen den Menschen.

JEWGENI JEWTUSCHENKO

Vollblutpolitiker sind Leute, deren Fingerspitzengefühl sich in die Ellenbogen zurückgezogen hat.

ALBERT MATHIAS KEUELS

Es liegt an neunzig Prozent der Politiker, daß die anderen zehn Prozent einen schlechten Ruf haben.

HENRY KISSINGER

Was dieses Land braucht, sind mehr arbeitslose Politiker.

EDWARD LANGLEY

Ein weiser Politiker sorgt dafür, daß die Bäuche der Menschen voll sein sollen und ihre Köpfe leer.

LAO-TSE

Politiker

Gib acht, daß die Politiker die Konferenztische nicht hungrig verlassen.

STANISŁAW JERZY LEC

Autovertreter verkaufen Autos, Versicherungsvertreter Versicherungen. Und Volksvertreter?

STANISŁAW JERZY LEC

Alle wollen unser Bestes. Laßt es euch nicht nehmen.

STANISŁAW JERZY LEC

Es ist sehr unfair, von einem Politiker zu erwarten, daß er sich in seinem Privatleben an seine Reden hält.

WILLIAM SOMERSET MAUGHAM

Diejenigen, die zu klug sind, um in der Politik tätig zu sein, werden dadurch bestraft, daß sie von Leuten regiert werden, die dümmer sind als sie selbst.

PLATON

Ich habe die Anweisung gegeben, mich jederzeit aufzuwecken, wenn eine nationale Notlage eintritt, selbst wenn ich in einer Kabinettssitzung sein sollte.

RONALD REAGAN

Politiker sparen, indem sie den Gürtel der Bürger enger schnallen.

LOTHAR SCHMIDT

Politiker

Wenn sie in die Politik gehen, gehen Politiker zum letzten Mal. Ab dann begeben sie sich nur noch.

WERNER SCHNEYDER

Politiker rechnen so sehr mit der Stimme des Wählers, daß sie nicht dazu kommen, sie zu hören.

WERNER SCHNEYDER

Manche Politiker sind besonders moralisch – sie haben sogar eine doppelte Moral.

ALBERTO SORDI

Ein Politiker ist ein Staatsmann, der allen Fragen mit offenem Mund gegenübersteht.

ADLAI STEVENSON

Politiker sind nicht bestechlicher als andere Leute, aber bei denen lohnt es sich nicht.

WOLFRAM WEIDNER

Gegen Politiker keinen Argwohn bitte. Sie spielen ihre gezinkten Karten doch offen aus.

HEINRICH WIESNER

Politiker werden nach ihrer Standfestigkeit beurteilt; leider beharren sie deshalb auf ihren Irrtümern.

OSCAR WILDE

Polizei

Ich bin Polizist geworden, weil ich einen Beruf haben wollte, bei dem der Kunde immer unrecht hat.

ANONYM

Der Scharfsinn der Polizei ist die Gabe, alle Menschen eines Diebstahls für fähig zu halten, und das Glück, daß sich die Unschuld mancher nicht erweisen läßt.

KARL KRAUS

Der Skandal fängt an, wenn die Polizei ihm ein Ende macht.

KARL KRAUS

Polygamie

Männer sind polygam; deshalb sollte sich die Frau bemühen, auch alle jene Frauen zu sein, die ihr Mann nicht bekommen soll.

VERUSCHKA

Polygamie: Zuviel des Guten.

AMBROSE BIERCE

Polyphonie

Polyphonie erklärt man am besten so: Vier Leute schreien mit-(durch-)einander, um den Hörer davon zu überzeugen, daß sie absolut nichts zu sagen haben.

HANNS EISLER

Popularität

Der Klatsch ist die Mehrwertsteuer der Popularität.

BEN KINGSLEY

Popularität

Auf dem Gipfel der Popularität bekommt man Publicity, indem man auf sie pfeifft.

LIZ TAYLOR

Allzuviel Popularität macht unbeliebt.

HANS-JOACHIM KUHLENKAMPFF

Porno

Meine Reaktion auf Pornofilme ist folgende: Nach den ersten zehn Minuten möchte ich am liebsten nach Hause gehen und vögeln. Nach weiteren zehn Minuten will ich nie wieder im Leben vögeln.

ERICA JONG

Porträt

Die einzig glaubwürdigen Porträts sind Bilder, in denen sehr wenig von dem Modell und sehr viel vom Künstler enthalten ist.

OSCAR WILDE

Post

Die Post ist eine Institution zur verteuerten Verlangsamung der Briefzustellung mit dem Ziel der Selbstabholung gegen zehnfache Gebühr.

CYRIL NORTHCOTE PARKINSON

Potenz

Zur Potenz des Mannes muß man heutzutage die PS-Zahl seines Wagens hinzurechnen.

MARY SAUNDERS

Potenz

Wenn ein Mann weiß, daß die Epoche seiner stärksten Potenz nicht die ausschlaggebendste der Weltgeschichte ist – das ist schon sehr viel.

KURT TUCHOLSKY

Power

Es gibt Nächte, da habe ich solch eine Power, daß ich etwas Scharfes anziehen und irgendwo reinspazieren möchte. Und wenn sich ein Mann dann nicht nach mir umdreht, liegt's daran, daß er schwul ist.

KATHLEEN TURNER

Präsident

Es gibt zwei Arten von Präsidenten: Der eine steht über allem, der andere übersteht alles.

WERNER SCHNEYDER

Präsident zu sein ist, wie wenn man einen Tiger reitet. Ein Mann muß in den Steigbügeln bleiben, oder er wird verschlungen.

HARRY S. TRUMAN

Predigt

Die meisten Predigten hören sich für mich wie Werbespots an. Aber ich habe noch nicht durchschaut, ob Gott der Sponsor oder das Produkt ist.

MIGNON McLAUGHLIN

Pressefreiheit

Pressefreiheit ist nur jenen garantiert, die eine (Drucker-)Presse besitzen.

A. J. LIEBLING

Preuße Ein Preuße wäscht sich noch vor dem Hängen den Hals.

ANONYM

Priester Manche Priester leben gern über ihre geistlichen Verhältnisse.

JERZY PACZKOWSKI

Prinzipien Mir sind Menschen lieber als Prinzipien, und Menschen ohne Prinzipien sind mir lieber als sonst etwas auf der Welt.

OSCAR WILDE

Privat Nicht die historischen Ereignisse sind es, die unser Leben lebenswert machen, sondern die privaten.

MICHÈLE MORGAN

Probe Man darf einen Mann überallhin stellen, bloß nicht auf die Probe.

HELEN VITA

Problem Es gibt kein Problem, das die Menschheit nicht lösen könnte, wenn sie doch nur noch auf meinen Rat hörte.

GORE VIDAL

Jedes Problem hat zwei Seiten: die falsche und die unsrige.

AUS ENGLAND

Problemlösung

Er scheiterte nie dabei, eine friedliche Lösung für ein Problem zu suchen, nachdem alle andren Möglichkeiten gescheitert waren.

ANONYM

Professor

Ein Professor ist jemand, der im Schlaf anderer Leute redet.

WYNSTAN HUGH AUDEN

Profit

Der Profit gilt nichts im eigenen Vaterland.

HANS-HORST SKUPY

Prolet

Der Prolet gilt viel im eigenen Lande.

SIEGFRIED UND INGE STARK

Prominenz

Prominent ist man, wenn man erst aus den Klatschspalten erfährt, was man in nächster Zeit vorhat.

ANNA MOFFO

Ein Prominenter ist ein Mann, der es sich nicht leisten kann, sich nichts zu leisten.

LISELOTTE PULVER

Der Gipfel der Prominenz ist die geheime Telefonnummer.

MARLON BRANDO

Ob sie im Hades auch eine VIP-Lounge haben?

NIKOLAUS CYBINSKI

Prominenz

Prominent ist man dann, wenn einen die Fans besser kennen als man sich selbst.

ERIK ODE

Propheten

Es ist heute leicht, Prophet zu sein, denn es trifft alles ein, was man befürchtet.

DIETER HILDEBRANDT

Falsche Propheten erfüllen ihre Prophezeiungen selbst.

STANISŁAW JERZY LEC

Moderne Propheten sind Rufer in der Wüste, unter der man Öl vermutet.

NORMAN MAILER

Der Ruhm vieler Propheten beruht auf dem schlechten Gedächtnis ihrer Zuhörer.

IGNAZIO SILONE

Prostitution

Um die Prostitution abzuschaffen, müßte man die Männer abschaffen.

KAISERIN MARIA THERESIA

Es ist dumm, eine Prostituierte zu fragen, warum sie es tut – es sind die höchstbezahlten aller berufstätigen Frauen.

GAIL SHEEHY

Prostitution

Ich war schon drei Monate lang eine Prostituierte, bevor ich es gemerkt habe. Der Job hat mir so viel Spaß gemacht, daß ich mir gar nicht vorstellen konnte, daß es Prostitution war.

ANNIE SPRINKLE

Ein Gentleman ist stets bereit, einen angemessenen Preis für Erholung und Unterhaltung zu bezahlen.

WILLIAM SOMERSET MAUGHAM

Protektion

Protektion hat einen Geruch, an den man sich gewöhnen kann.

FRANZ HANNEMANN

Prozession

Prozession: Auflauf chronisch Irrer, die es versäumt haben, einen Sinn für Lächerlichkeit zu entwickeln.

AMBROSE BIERCE

Prüderie

Prüderie: Neigung einer Obszönität, sich hinter dem Rücken ihres gesitteten Betragens zu verbergen.

AMBROSE BIERCE

Die Prüderie ist eine Art von Geiz, und zwar die schlimmste von allen.

HERNRI BEYLE STENDHAL

Prüfung

Im Verlauf von Prüfungen befragen Leute, die nichts wissen wollen, solche, die nichts sagen können.

WALTER RALEIGH

Psychiater

Psychiater sind Leute, die sich selbst nicht konsultieren, weil sie zu teuer sind.

ARSENIO HALL

Der Unterschied zwischen den Psychiatern und den anderen Geistesgestörten, das ist etwa das Verhältnis von konvexer und konkaver Narrheit.

KARL KRAUS

Der Unterschied zwischen Psychiater und Patient: der eine hat die Schlüssel.

BLOOR SCHLEPPEY

Psychoanalyse

Zum Glück ist die Psychoanalyse nicht die einzige Möglichkeit, innere Konflikte zu lösen. Das Leben ist immer noch ein sehr effektiver Therapeut.

KAREN HORNEY

Psychoanalyse ist die Geisteskrankheit, für deren Therapie sie sich hält.

KARL KRAUS

Wie könnte ich einen völlig Fremden auf der Bettkante meiner Seele ertragen?

VLADIMIR NABOKOV

Psychologie

Müßiggang ist aller Psychologie Anfang.

FRIEDRICH NIETZSCHE

Publizisten

Manche Publizisten sollten in die Transportarbeitergewerkschaft aufgenommen werden. Sie befördern nur fremdes Gedankengut.

GABRIEL LAUB

Pünktlichkeit

Wenn eine Frau pünktlich ist, hat sie sich in der Zeit geirrt.

ILONA BODDEN

Pünktlichkeit stiehlt uns die beste Zeit.

OSCAR WILDE

Puritaner

Puritaner sollten zwei Feigenblätter vor den Augen tragen.

STANISŁAW JERZY LEC

Puritaner handeln nach dem Motto: Keinmal und nicht wieder.

HAROLD PINTER

Puritanerin

Es macht mir nichts aus, wenn häßliche Frauen Puritanerinnen sind. Es ist die einzige Entschuldigung, die sie für ihr Häßlichsein haben.

OSCAR WILDE

Puritanismus

Puritanismus ist die quälende Furcht, daß irgendwer irgendwo glücklich sein könnte.

HARRY LOUIS MENCKEN

R

Rache Jeder Mann rächt sich an der einen, die ihn liebt, für alle, die ihn verschmähten.

MARIA HERBERG

Die beste Rache ist, so lange zu leben, daß man für seine Kinder zum Problem wird.

ANONYM

Keine Rache auszuüben, schmeichelt uns nur zur Hälfte, denn wir werden nie wissen, ob unser Verhalten auf Edelmut oder auf Feigheit beruht.

EMILE M. CIORAN

Zeit seines Lebens träumt man von Rache.

PAUL GAUGUIN

Die Rache des Journalisten an den Politikern ist das Archiv.

ROBERT HOCHNER

Räuber Räuber von Geld werden hingerichtet, die Räuber von Ländern werden zu Königen gemacht.

AUS JAPAN

Rat

Eine Frau, die so klug ist, den Rat eines Mannes einzuholen, wird bestimmt nicht so dumm sein, ihn auch zu befolgen.

ELSA MAXWELL

Der beste Rat, den ich allen jungen Frauen gebe, ist: Vögelt nicht herum und raucht nicht.

EDWINA CURRIE

Wenn Sie wollen, daß etwas gut gemacht wird, lassen Sie es von ein paar gestandenen Weibsbildern erledigen.

BETTE DAVIS

Die Leute haben mir tausend Ratschläge gegeben, was ich als First Lady alles tun müßte. Und ich habe nicht einen davon befolgt.

JACQUELINE KENNEDY ONASSIS

Ein guter Rat gehört zu den Beleidigungen, die man verzeihen sollte.

ANONYM

Auch Ratschläge sind Schläge.

ANONYM

Gib einem Menschen zehn gute Ratschläge, und er befolgt einen elften.

ANONYM

Rat

Wer seiner Eltern Rat nicht will han, der muß am End mit dem Henker gan.

AUS DEUTSCHLAND

Rauchen

Raucherbein: Er steht mit einem Fuß im Grabe.

GERHARD UHLENBRUCK

Reaktionär

In seinen persönlichen Lebensumständen ist der Mann der geborene Reaktionär, den jede Veränderung erschreckt, sogar eine neue Zahnbürste.

MIRANDA CORTI

Reaktor

Diese Reaktoren sind oft ganz schön gerissen.

WINFRIED THOMSEN

Realismus

Sei Realist: sprich nicht die Wahrheit.

STANISŁAW JERZY LEC

Wenn man Geld, das man nicht hat, ausgibt, ist das Realismus.

MANFRED ROMMEL

Realist

Wer seinen besten Wein für eine bessere Gelegenheit aufbewahrt, ist ein Optimist – ein Pessimist trinkt ihn sicherheitshalber gleich. Ein Realist dagegen trinkt seinen besten Wein überhaupt nicht – er schenkt ihn seinem Chef.

GABRIEL LAUB

Realität

Was wir Realität nennen, ist eine Abmachung, die die Menschen getroffen haben, um das Leben lebenswerter zu machen.

LOUISE NEVELSON

Irgendwann war die Freiheit eine Utopie. Heute ist sie nicht einmal Wirklichkeit.

STANISŁAW JERZY LEC

Realität ist etwas, wovon man sich erhebt.

LIZA MINELLI

Keine meiner Übertreibungen war so maßlos wie die Wirklichkeit.

PETER TURRINI

Rechnen

Sei tapfer und weigere dich, Algebra bei klarem Bewußtsein zu erlernen. Ich versichere dir, im wirklichen Leben gibt es nirgendwo so etwas wie Algebra.

FRAN LEBOWITZ

Rechnung

Rechnung: Immer zu hoch.

GUSTAVE FLAUBERT

Mein Vater hat mir zwei Dinge über Rechnungen beigebracht: immer beanstanden und immer erst bezahlen, wenn's keine andere Möglichkeit mehr gibt.

MILES KINGTON

Recht

Das älteste aller Frauenrechte ist das Recht, sich zurückgesetzt zu fühlen.

SUSANNE VON PACZENSKY

Den Männern ihre Rechte, und nicht mehr. Den Frauen ihre Rechte, und nicht weniger.

SUSAN B. ANTHONY

Wenn du weißt, daß du im Recht bist, ist es dir egal, was die anderen denken. Du weißt, daß früher oder später alles rauskommen wird.

BARBARA McCLINTOCK

Wenn Frauen mehr Rechte wollen, warum nehmen sie sie sich nicht einfach, statt ständig nur darüber zu reden?

SOJOURNER TRUTH

Wo ein grausames Recht regiert, sehnt sich das Volk nach der Rechtlosigkeit.

STANISŁAW JERZY LEC

Wer das Recht mit Füßen tritt, steht selten fest auf den Beinen.

STANISŁAW JERZY LEC

Recht behalten

Die Männer haben oft recht, aber die Frauen behalten recht – das ist viel wichtiger.

JEANNE MOREAU

Recht haben	Wer immer recht haben will, muß oft seine Meinung wechseln. DUŠAN RADOVIĆ
Rechtsanwalt	Es ist besser, eine Maus im Maul einer Katze zu sein als ein Mensch in der Hand eines Rechtsanwalts. AUS SPANIEN
Rechtschreibreform	Die Rechtschreibreform ist vollkommen in Ordnung… wenn man weder lesen noch schreiben kann. LORIOT
Rechtschreibung	Rechtschreibung: Überflüssig, wenn man Stil besitzt. An sie glauben wie an die Mathematik. GUSTAVE FLAUBERT
Redakteur	Es gibt Leute, die in öffentlichen Lokalen nur deshalb geduldet werden, weil sie nicht bezahlen. Man nennt sie Redakteure. KARL KRAUS
Rede	Gemessen an mancher Feierrede wirkt das Alphabet wie eine Ode. HANS-HORST SKUPY
	Um eine gut improvisierte Rede halten zu können, braucht man mindestens drei Wochen. MARK TWAIN

Reden

Das Gegenteil von Reden ist nicht etwa Zuhören. Das Gegenteil von Reden ist Warten.

FRAN LEBOWITZ

Als mein Mann noch lebte, durfte ich nicht reden. Seit er tot ist, schafft es keiner mehr, mich zum Schweigen zu bringen.

HEDDA HOPPER

Reden ist billig, weil das Angebot die Nachfrage übersteigt.

ANONYM

Der Narr sagt, was er weiß. Der Kluge weiß, was er sagt.

MAGGID

Reform

Reform: Es tut sich was. Ohne daß etwas passiert.

WOLFGANG MOCHER

Regen

Wer den Regen als sein Verdienst ausgibt, darf sich nicht wundern, wenn seine Gegner ihn für die Trockenheit verantwortlich machen.

DWIGHT WHITNEY MORROW

Gegen Regen hilft keine Wettervorhersage, sondern nur ein Regenschirm.

AUS ENGLAND

Regenmantel

Regenmantel: Sehr vorteilhaftes Kleidungsstück. Sehr schädlich, da es die Transpiration verhindert.

GUSTAVE FLAUBERT

Regierung

Die schlechteste Regierung ist oft die moralischste. Eine, die aus Zynikern besteht, ist häufig sehr tolerant und menschlich. Wenn jedoch Fanatiker an der Spitze stehen, kennt die Unterdrückung keine Grenzen.

HENRY LOUIS MENCKEN

Regierung ist die Kunst, Probleme zu schaffen, mit deren Lösung man dann das Volk in Atem hält.

EZRA POUND

Ich mache keine Witze. Ich berichte lediglich über die Arbeit der Regierung.

WILL ROGERS

Blinde Führer von Blinden.

ARNO SCHMIDT

Die Kunst des Regierens ist das Organisieren des Götzendienstes.

GEORGE BERNARD SHAW

Regierungsform

Es wäre nicht übel, wenn in manchen Staaten die Regierungsform ein Staatsgeheimnis bliebe.

STANISŁAW JERZY LEC

Regierungswechsel

Die Scheiße ist dieselbe geblieben, nur die Fliegen haben gewechselt.

ANONYM

Reichtum

Leute, die Geld haben, werden von der Polizei entweder geschützt oder gesucht.

FRITZ DE CRIGNIS

Die Reichen wohnen meist beengt, besonders die Kinderreichen.

WINFRIED THOMSEN

Die Reichen haben eine ebenso lebhafte wie unbegreifliche Leidenschaft für Sonderangebote.

FRANÇOISE SAGAN

Wenn eine Frau die Wahl zwischen Liebe und Reichtum hat, versucht sie immer, beides zu wählen.

MARCEL ACHARD

Reichtum ist genau wie Sex: Du denkst an nichts anderes, wenn du ihn nicht hast, und denkst an was anderes, wenn du ihn hast.

JAMES BALDWIN

Jeder kann reich sterben, wenn er sich entschließt, arm zu leben.

MICHAEL BROADBENT

Reichtum

Reichtum: Sein Prestige ersetzt alles, sogar das Ansehen.

GUSTAVE FLAUBERT

Mein Problem liegt darin, meinen aufwendigen Lebensstil mit meinem Nettoeinkommen in Einklang zu bringen.

ERROL FLYNN

Wenn man reich ist, kann man sich den Luxus leisten, anderen zu mißfallen.

ALDOUS HUXLEY

Er hat sich dumm und dämlich verdient. Seine ganze Intelligenz steckt in seinem Vermögen.

WOLFGANG MOCHER

Daß man Liebe mit Geld nicht kaufen kann, glaubt man erst dann, wenn man genug Geld hat.

JACK NICHOLSON

Ein reicher Mann ist häufig bloß ein armer Mann mit sehr viel Geld.

ARISTOTELES ONASSIS

Viele verachten den Reichtum, aber wenige sind bereit, ihn hinzugeben.

LA ROCHEFOUCAULD

Reichtum

Reiche Leute haben eine ebenso lebhafte wie unbegreifliche Leidenschaft für Sonderangebote.

FRANÇOISE SAGAN

Es muß doch mehr im Leben geben, als alles zu besitzen.

MAURICE SENDAK

Menschen, die hart, habgierig und stets bereits sind, ihre Nachbarn auszunutzen, werden sehr reich.

GEORG BERNARD SHAW

Reich ist man dann, wenn man nicht mehr weiß, wozu man sein Geld verdient.

FRANK SINATRA

Reife

Reif ist, wer auf sich selbst nicht mehr hereinfällt.

HEIMITO VON DODERER

Reinheit

O Gott, hilf mir, rein zu sein – aber nicht umgehend.

AURELIUS AUGUSTINUS

Reise

Eine Reise über tausend Meilen beginnt mit einem Schritt.

AUS CHINA

Reisefertig: Erschöpfungszustand nach Urlaubsreise.

RON KRITZFELD

Reise

Auch glücklich landende Reisegesellschaften kann man Flugkatastrophen nennen.

WERNER SCHNEYDER

Es gibt bei uns zwei Arten zu reisen: erster Klasse oder mit Kindern.

ANONYM

Reisen heißt erkennen, daß alle falsche Vorstellungen von anderen Ländern haben.

ALDOUS HUXLEY

Reisen war früher ein Vergnügen; heute ist es ein Gewerbe.

LIN YUTANG

Schicke den Sohn, den du am liebsten hast, auf Reisen.

AUS INDIEN

Reißaus

Wenn du einen Mann nie mehr wiedersehen willst, sage: Ich liebe dich. Ich möchte dich heiraten. Ich möchte Kinder haben. – Dann nehmen sie mit quietschenden Reifen Reißaus.

RITA RUDNER

Reitkunst

Reitkunst: Gutes Mittel zum Abnehmen. Beweis: »Alle Soldaten der Kavallerie sind mager.« Gutes Mittel zum Ansetzen. Beweis: »Alle Offiziere der Kavallerie haben einen Bauch.«

GUSTAVE FLAUBERT

Religion

Falls ich je einer Religion beitreten sollte, würde ich wahrscheinlich den Katholizismus wählen. Da gibt's wenigstens weibliche Heilige und die Jungfrau Maria.

MARGARET ATWOOD

Wie alt eine Religion ist, sieht man daran, wie weit sie sich von den Ursprüngen entfernt hat.

ANONYM

Der Beichtstuhl ist das Gerät, in dem der Priester sitzt, um die großen Sünden zu vergeben, damit er die kleinen lustvoll anhören darf.

AMBROSE BIERCE

Die christliche Religion ist eine intentionierte politische Revolution, die, verfehlt, nachher moralisch geworden ist.

JOHANN WOLFGANG VON GOETHE

Ein anständiger Mensch braucht keine Religion – und bei den anderen ist sie wirkungslos.

GEORG KAISER

In einem Saustall das Evangelium predigen, hat noch nie den Schweinen das Grunzen abgewöhnt.

GEORG KAISER

Religion

Wenn Gott aus dem Nebenzimmer Bettknarren gehört hätte, hätte er den Menschen nicht erschaffen.

ANTON KUH

Wende dich stets an fremde Götter. Sie hören dich außer der Reihe an.

STANISŁAW JERZY LEC

Wenn Religion der Menge schmecken soll, so muß sie notwendig etwas vom Haut goût des Aberglaubens haben.

GEORG CHRISTOPH LICHTENBERG

Daß in den Kirchen gepredigt wird, macht deswegen die Blitzableiter auf ihnen nicht unnötig.

GEORG CHRISTOPH LICHTENBERG

Ich glaube daran, daß jemand die Welt diktiert, aber nicht unterschrieben hat.

CHRISTOPHER MORLEY

Religion ist das, was die Armen davon abhält, die Reichen umzubringen.

NAPOLEON BONAPARTE

Die Religion ist eine Kirche für schlechte Staatsverfassungen.

ARTHUR SCHOPENHAUER

Der Himmel hat uns die Erde verdorben.

JOHANN GOTTFRIED SEUME

Religion

Ich habe zehn Gebote: Die ersten neun heißen: Du sollst nicht langweilen! Das zehnte lautet: Du sollst das Recht auf den Endschnitt haben.

BILLY WILDER

Remake

Remake ist die Kunst, aus einem alten Hut ein neues Kaninchen zu ziehen.

GEORG THOMALLA

Rendezvous

Eine Frau, die pünktlich zum Rendezvous kommt, ist auch sonst nicht sehr zuverlässig.

JULIETTE GRÉCO

Rente

Eine Rente hat noch keinen jungen Mann reicher gemacht.

GEORGE HERBERT

Rentenalter

Rentenalter – Lebensabschnitt, in dem nur noch Politiker voll bezahlt werden.

RICHARD SCHIFF

Reporter

Reportern sage ich nie die Wahrheit.

WILLIAM FAULKNER

Resignation

Nicht jede Nacht endet mit einem Sonnenaufgang.

STANISŁAW JERZY LEC

Einmal werden die Tage kürzer, dann wieder die Nächte. Immer wieder diese Resignation.

WERNER SCHNEYDER

Respekt

Wenige Eltern nehmen heutzutage Rücksicht auf das, was ihnen ihre Kinder sagen. Der altmodische Respekt vor der Jugend stirbt fast aus.

OSCAR WILDE

Restaurant

Es gibt Restaurants, die sind so überfüllt, daß niemand mehr hingeht.

NACH YOGI BERRA

Reue

Reue ist eine nachträglich entrichtete Vergnügungssteuer.

SENTA BERGER

Reue ist der feste Vorsatz, beim nächsten Mal keine Fingerabdrücke zu hinterlassen.

MARCEL ACHARD

Reue ist Verstand, der zu spät kommt.

ERNST VON FEUCHTERSLEBEN

Revolution

Revolution: Abrupter Wechsel der Mißregierungsform.

AMBROSE BIERCE

Bevor man die Welt verändert, wäre es vielleicht doch wichtiger, sie nicht zugrunde zu richten.

PAUL CLAUDEL

Die Sauberkeit der Revolution dauert höchstens vierzehn Tage.

JEAN COCTEAU

Revolution

Die Revolution frißt ihre Kinder nicht, aber die Erwachsenen sollten aufpassen.

BRANA CRNĆVIĆ

Jede Revolution ist viel weniger Bauplatz der Zukunft als Auktion der Vergangenheit.

HEIMITO VON DODERER

Revolution? Der Besitz wechselt die Taschen.

GEORG KAISER

Die deutsche Form der Revolution ist die Denunziation.

GOTTFRIED BENN

Revolutionen sind jene skandalösen Zeitabschnitte, in denen die Wahrheit nackt durch die Straßen geht, und die Polizei wagt nicht einzuschreiten.

GABRIEL LAUB

Revolutionen sind eine Krankheit, bei der die Inkubationszeit kurz und die Konvaleszenz endlos zu sein pflegt.

ANDRÉ MAUROIS

Revolution: Die hysterische Rauferei organisch zu kurz Gekommener.

WALTER SERNER

Es gibt schwerlich idiotischere Optimisten als Ri-Ra-Revolutionäre.

WALTER SERNER

Revolution

Wegen ungünstiger Witterung fand die deutsche Revolution in der Musik statt.

KURT TUCHOLSKY

Neinsagen ist die knappste Form, wie man Revolution macht.

PETER ZADEK

Revolutionär

Es ist bekannt, daß der radikalste Revolutionär am Tag nach der Revolution ein Konservativer wird.

HANNAH ARENDT

Die Revolutionäre der Gegenwart sind die Reaktionäre der Zukunft.

ROBERT MICHELS

Dubiose Tugend aller Revolutionäre: So viel Gefühle für die Menschheit, daß keins mehr bleibt für den Menschen.

HANS KASPER

Revolutionäre schneiden Reifen durch, damit man sie ans Steuer läßt.

WOLFRAM WEIDNER

Der Revolutionär emigriert in die Zukunft.

HEINRICH WIESNER

Rezensent

Nullen – man mag sich mit ihnen abfinden, es gibt so viele. Aber eine Null und frech dazu, das ist der Rezensent.

ARTHUR SCHNITZLER

Rezession	Rezession ist, wenn ein Nachbar seinen Job verliert. Depression ist, wenn man den eigenen verliert. RONALD REAGAN
Rhetorik	Rhetorik – Sprachgewalttätigkeit. ELAZAR BENYOËTZ
Rheuma	Sein Rheuma ermöglichte ihm, sich in jedes Gespräch an der unpassendsten Stelle einzuschalten. DANIEL TEXTOR
Richter	Selbst dem Gerechtesten ist es nicht erlaubt, Richter in eigener Sache zu sein. BLAISE PASCAL
	Richterstand: Gute Laufbahn, wenn man eine Ehe anstrebt. Alle Richter sind Knabenschänder. GUSTAVE FLAUBERT
Risiko	Risiko ist die Bugwelle des Erfolgs. JEAN AMÉRY
Rivalin	Eine Frau ist verloren, wenn sie Angst vor ihrer Rivalin hat. MADAME DUBARRY
Rockmusik	In der Rockmusik geht's nur um Schwänze und Testosteron. Ich höre mir eine Band an, ich will mit den Typen vögeln – so ist es doch. Ist schon immer so gewesen. COURTNEY LOVE

Röhren

Daß die wichtigsten Dinge durch Röhren getan werden. Beweise: erstlich die Zeugungsglieder, die Schreibfeder und unser Schießgewehr.

GEORG CHRISTOPH LICHTENBERG

Rolle

Es spielt für mich keine Rolle, daß ich eine Frau bin. Ich betrachte mich selbst als Premierminister.

MARGARET THATCHER

Roman

Ich kann nicht verstehen, wie jemand ein Jahr vergeudet, um einen Roman zu schreiben, wenn er an jeder Ecke einen für einige Dollar kaufen kann.

FRED ALLEN

Romane haben der Prostitution die größte Zahl ihrer Opfer beschert.

DR. BELOUINO

Ich begann erst dann Romane zu schreiben, als ich alles vergessen hatte, was ich in der Schule gelernt hatte.

JOHN GALSWORTHY

Es gibt drei Regeln, wie man einen Roman schreibt. Unglücklicherweise weiß niemand, wie sie lauten.

WILLIAM SOMERSET MAUGHAM

Jeder Roman ist ein bloßes Kapitel aus der Pathologie des Geistes.

ARTHUR SCHOPENHAUER

Roman

Vielleicht ist von allen Dingen, die den Frauen geschadet haben, dasjenige das ärgste, nämlich die ungezügelte Verbreitung von Romanen seit hundert Jahren.

JAMES J. J. TISSOT

Jedermann kann einen dreibändigen Roman schreiben. Dazu bedarf es nur völliger Unkenntnis des Lebens und der Literatur.

OSCAR WILDE

Romantik

Ein romantischer Mann fühlt sich mit zwei Frauen oft besser als mit einer; seine Liebe scheint irgendwo zwischen den beiden das ideale Maß zu erreichen.

ELIZABETH BOWEN

Romantik ohne Geld ist ein Ärgernis.

SALLY STANFORD

Die Kunst zu lieben ist stets romantisch gewesen.

NOVALIS

Rote Haare

Mein Mann sagte, er wünsche sich eine Beziehung mit einer Rothaarigen. Also färbte ich mir die Haare rot.

JANE FONDA

Rotwein

Rotwein ist für alte Knaben eine von den besten Gaben.

WILHELM BUSCH

Rousseau

Die Menschheit wird Rousseau immer dafür lieben, daß er seine Sünden nicht den Priestern, sondern der Welt gebeichtet hat.

OSCAR WILDE

Rückgrat

Fahre nicht aus der Haut, wenn du kein Rückgrat hast.

STANISŁAW JERZY LEC

Ruf

Erst wenn man seinen guten Ruf verloren hat, merkt man, was für eine Bürde er war und was Freiheit wirklich bedeutet.

MARGARET MITCHELL

So unterschiedlich wie die Frauen selbst sind, ist auch ihr Ruf.

SALLY STANFORD

Ich bin das Mädchen, das seinen guten Ruf verloren und nie vermißt hat.

MAE WEST

Wer hat nicht für seinen guten Ruf schon einmal – sich selbst geopfert?

FRIEDRICH NIETZSCHE

Je mehr einer seinen Ruf vorauseilen läßt, desto größer die Chancen der Rufmörder.

WERNER SCHNEYDER

Rufmord

Totschweigen ist die passive Form von Rufmord.

WERNER MITSCH

Ruhestand

Häufig wird man in den Ruhestand getreten.

GERHARD UHLENBRUCK

Ruhm

Zur Kehrseite des Ruhms gehören vor allem die Interviewer mit ihren indiskreten Fragen.

MICHELLE PFEIFFER

Ruhm: Nichts als Schall und Rauch.

GUSTAVE FLAUBERT

Das Angenehme am Berühmtsein ist, daß die Leute glauben, es sei ihre Schuld, wenn du sie langweilst.

HENRY KISSINGER

Der angenehmste Ruhm ist der des Schriftstellers: er reicht aus, um in einem guten Restaurant problemlos einen Tisch zu kriegen, aber nicht so weit, um beim Essen unterbrochen zu werden.

FRAN LEBOWITZ

Ein sehr stiller und geschmackvoller Weg, berühmt zu werden, ist, eine berühmte Beziehung zu haben. In diesem Fall muß man nicht bloß nichts sein, man muß auch nichts tun.

P. J. O'ROURKE

S

Sachlichkeit

Frauen sind unsachlich. Mit einer einzigen Ausnahme: in der Liebe.

CARL HAGEMANN

Sachverständige

Die Zehn Gebote sind deshalb so kurz und verständlich, weil sie ohne Mitwirkung einer Sachverständigenkommission entstanden sind.

CHARLES DE GAULLE

Sadismus

Ein Sadist ist jemand, der lieb zu einem Masochisten ist.

ANONYM

Salongespräch

Salongespräch – Plüschplausch.

ELAZAR BENYOËTZ

Samen

Die Aufgabe der Männer ist es, Samen zu produzieren. Und jetzt gibt es Samenbanken.

VALERIE SOLANIS

Sarg

Man achte immer auf Qualität. Ein Sarg zum Beispiel muß fürs Leben halten.

KURT TUCHOLSKY

Sarkasmus

Sarkasmus ist die stärkste Waffe des schwächsten Verstandes.

ALAN AYCKBOURN

Satiriker

Ein Satiriker ist jemand, der den Elefanten Mausefallen stellt.

EPHRAIM KISHON

Der Satiriker endet für gewöhnlich als Archivar seiner Resignation.

WERNER SCHNEYDER

Sauberkeit

Zu oft messen Eltern der Sauberkeit zuviel Bedeutung bei: Sie ist eine der sieben Todtugenden.

ALEXANDER SUTHERLAND NEILL

Schaden

Durch fremden Schaden ist billig klug werden.

AUS ARABIEN

Schafott

Schafott: Beim Besteigen richtet man es so ein, daß man vor dem Sterben noch ein paar bedeutende Worte spricht.

GUSTAVE FLAUBERT

Schallmauer

Schallmauer: Etwas, das zwischen Nachbarn errichtet werden sollte.

ALFREDO LA MONT

Scham

Die Menschen schämen sich nicht, etwas Schmutziges zu denken, aber wohl, wenn sie sich vorstellen, daß man ihnen diese schmutzigen Gedanken zutraue.

FRIEDRICH NIETZSCHE

Schamhaftigkeit ist nur eine List, die der Hingabe mehr Wert verleiht.

HENRI DE RÉGNIER

Sie hatte so viel Schamgefühl, daß sie erröetete, wenn man sie bei keiner Sünde ertappte.

KARL KRAUS

Schaulustige

Schaulustige leisten Erste Hilfe in Mitleid.

WOLFRAM WEIDNER

Schauspiel

Die Gegenwartsstücke werden mit jeder Aufführung älter.

STANISŁAW JERZY LEC

Es gibt Stücke, die so schwach sind, daß sie aus eigner Kraft nicht vom Spielplan herunter können.

STANISŁAW JERZY LEC

Schauspieler

Der Haken in der Ehe mit einem Schauspieler ist, daß er dich zärtlich in die Arme nimmt und dir dann erzählt, was für ein Prachtkerl er ist.

SHELLEY WINTERS

Schauspieler

Sie beherrschen die ganze Skala der Gefühle. Von A bis B.

DOROTHY PARKER

Shakespeare ist für Schauspieler wirklich anstrengend. Man erhält nie die Gelegenheit, sich zu setzen – es sei denn, man ist der König.

JOSEPHINE HALL

In Hollywood werden Filme gemacht, die länger dauern als manche Schauspielerehe.

BARBRA STREISAND

Das einzige, was ich beim Theater bedaure, ist, daß ich nicht vorn sitzen und mir beim Auftritt zuschauen kann.

JOHN BARRYMORE

Ein Schauspieler ist ein Zeitgenosse, der dir nicht zuhört, solange du nicht über ihn sprichst.

GEORGE GLASS

Sobald er aus dem Theater kommt, beginnt der Schauspieler wieder seine Rolle als Schauspieler zu sprechen.

RENÉ MAGRITTE

Schauspielern ist lediglich die Kunst, eine große Gruppe von Leuten vom Husten abzuhalten.

RALPH RICHARDSON

Schauspieler

Es ist vor allem das Verdienst von Mrs. Patrick Campbell, daß ihr Spiel noch schlechter war als das Stück.

GEORGE BERNARD SHAW

Schauspielerin

Jede Schauspielerin empfindet eine natürliche Animosität gegenüber allen anderen Schauspielerinnen – ob anwesend oder nicht, ob tot oder lebendig.

LOUISE BROOKS

Bei der Schauspielerei ist es wichtig, daß man lachen und weinen kann. Wenn ich weinen soll, denke ich an mein Sexleben. Wenn ich lachen soll, denke ich an mein Sexleben.

GLENDA JACKSON

Es war mir von Anfang an bestimmt, Schauspielerin zu werden. Als ich auf die Welt kam, brauchten die Ärzte mir keinen Klaps zu geben, um mich in Gang zu bringen. Es war wie: »Danke, danke! Hier bin ich!« Die Party konnte beginnen.

WHOOPI GOLDBERG

Scheidung

In unserer Familie lassen wir uns nicht von den Männern scheiden – wir begraben sie.

RUTH GORDON

Sich scheiden zu lassen, nur weil man einen Mann nicht liebt, ist beinahe genauso dumm wie zu heiraten, weil man es tut.

ZSA ZSA GABOR

Scheidung

Wiederaufnahme diplomatischer Beziehungen und Begradigung von Grenzen.

AMBROSE BIERCE

Was mich an einer Scheidung am meisten schreckt, ist, daß meine Kinder mich in ein Heim für unverheiratete Mütter stecken könnten.

TERESA SKELTON

Ich habe nichts gegen die Scheidung. Das muß jeder mit sich selbst abmachen. Mit einem neuen Partner ändert sich jedoch nur wenig, also bleibt man lieber gleich beim alten.

GIULETTA MASINA

Einen Mann lernt man erst richtig kennen, wenn man sich von ihm scheiden läßt.

ZSA ZSA GABOR

Eine Heirat geht ja furchtbar schnell, aber die Scheidung ist immer so zeitraubend.

BRIGITTE BARDOT

Die Scheidung ist so natürlich, daß sie in vielen Häusern alle Nächte zwischen den Gatten schläft.

NICOLAS CHAMFORT

Scheidung ist ein Spiel unter Rechtsanwälten.

CARY GRANT

Scheidung

Scheiden tut weh. Aber: geteilter Schmerz ist halber Schmerz.

JO SCHULZ

Sie ließ sich beizeiten von ihm scheiden, weil er Witze um die entscheidende Nuance zu langsam erzählte.

KURT TUCHOLSKY

Scheidungen werden im Himmel beschlossen.

OSCAR WILDE

Schein

In einem Lande, wo alle Welt scheinen will, müssen viele Leute annehmen, und glauben es auch in der Tat, daß es doch besser ist, bankrott zu sein als überhaupt nichts.

NICOLAS CHAMFORT

Scheitern

Viele Eroberungen scheitern mehr an der Ungeschicklichkeit der Männer als an der Tugend der Frauen.

NINON DE LENCLOS

Schicksal

Ich kann nicht begreifen, daß eine Frau das Haus verlassen kann, ohne sich hübsch gemacht zu haben. Sie könnte gerade an diesem Tag ihrem Schicksal begegnen.

COCO CHANEL

Das Schicksal von Frauen ist, getötet oder geheiratet zu werden.

ADELE M. FIELD

Schicksal

Das Schicksal kommt in Schuhgröße 41 bis 45 und tritt alles platt.

MARIA SCHELL

Was die Leute gemeiniglich als Schicksal nennen, sind meistens nur ihre eigenen dummen Streiche.

ARTHUR SCHOPENHAUER

Schizophrenie

Rosen sind rot, Veilchen sind blau, ich bin schizophren und ich auch.

FRANK CROW

Schlaf

Kein Tag kann so schlimm verlaufen, daß nicht mit einem Nickerchen alles wieder in Ordnung zu bringen wäre.

CARRIE SNOW

Sieh zu, daß du genug Schlaf bekommst und genug Sex. Wenn du von beiden nicht genug bekommst, wird man dir das bald am Gesicht ansehen.

KIM HUME

Wenn ich nicht schlafen kann, zähle ich nicht Schäfchen, sondern meine Liebhaber. Und wenn ich bei 38 oder 39 bin, bin ich eingeschlafen.

GLORIA SWANSON

Was erwartet ihr von mir? Daß ich allein schlafe?

ELIZABETH TAYLOR

Schlaflosigkeit

Das beste Mittel gegen Schlaflosigkeit ist, ein Opernlibretto zu lesen. Das langweilt einen zu Tode.

MARILYN HORNE

Schlaflosigkeit ist die einzige Form des Heldentums im Bett.

EMILE C. CIORAN

Schlafzimmer

Meine Mutter meinte, es sei ganz einfach, einen Mann zu halten: Du mußt im Wohnzimmer Zimmermädchen sein, Köchin in der Küche und eine Hure im Schlafzimmer. Ich habe ihr geantwortet, ich würde für die ersten beiden Jobs jemanden einstellen und mich nur um die Sache mit dem Schlafzimmer kümmern.

JERRY HALL

Schlagfertigkeit

In der Ehe sind schlagfertige Antworten eine todsichere Rettung – vor allem dann, wenn man darauf verzichtet.

SONJA ZIEMANN

Schlagwort

Wenn man nicht weiß, was zu tun ist, muß ein Schlagwort her.

RUDOLF AUGSTEIN

Schlankheit

Der beste Ansporn für das Schlankbleiben ist das Photo einer dick gewordenen Rivalin.

DEBBIE REYNOLDS

Schlauheit	Die Fliege, die nicht geklappt sein will, setzt sich am sichersten auf die Klappe selbst. GEORG CHRISTOPH LICHTENBERG
Schlechtes Gewissen	Ein schlechtes Gewissen ist besser zu kurieren als ein schlechter Ruf. ANONYM
Schlips	Bei einigen Leuten sind Schlipse nur dazu da, die Sauerstoffzufuhr zum Gehirn zu unterbinden. ANONYM
Schlüsselloch	Ein Schlüsselloch ist mitunter Aussicht genug. ELAZAR BENYOËTZ
Schlüssel zum Erfolg	Den Schlüssel zum Erfolg kenne ich nicht, aber der Schlüssel zum Mißerfolg ist das Bestreben, jedem zu gefallen. BILL COSBY
Schluß	Der Mann weiß nicht, wie er Schluß machen soll. Die Frau weiß nicht, wann sie Schluß machen soll. HELEN ROWLAND
Schlußfolgerung	Sage mir, mit wem du schläfst, und ich sage dir, von wem du träumst. STANISŁAW JERZY LEC

Schlußverkauf

Ein Schlußverkauf ist ein Damenringkampf, bei dem man sein Kleid ruiniert, um ein anderes zu erringen.

LAURA MINDT

Schmeichelei

Wie Wölfe Hunden ähnlich sehen, so sehen Schmeichler Freunden ähnlich.

ANONYM

Schmeichelei ist Aggression auf Knien.

GERHARD BRANSTNER

Schmeicheleien sind wie Falschgeld: Sie machen denjenigen ärmer, der sie empfängt.

HERBERT GEORG WELLS

Schmerz

Der Schmerz hat eine Vorliebe für Selbstlaute.

HEINRICH WIESNER

Schmiergeld

Eine große Rutschgefahr – Schmiergelder.

HORST FRIEDRICH

Schminke

Letzten Endes gibt es nur zwei Arten von Frauen, die ungeschminkten und die geschminkten.

OSCAR WILDE

Schönheit

Wenn zwei schöne Frauen nebeneinander sitzen, zieht es.

MARLENE DIETRICH

Schönheit

Es ist gut, daß Schönheit nur oberflächlich ist, sonst wäre ich durch und durch abscheulich.

PHYLLIS DILLER

Das Schönste an männlichen Männern ist etwas Feminines. Das Schönste an weiblichen Frauen ist etwas Männliches.

SUSAN SONTAG

Die Männer beteuern immer, sie lieben die innere Schönheit der Frau. Komischerweise gucken sie aber ganz woanders hin.

MARLENE DIETRICH

Jede Frau kann so schön sein wie vor zehn Jahren, nur dauert es ein bißchen länger.

OLGA TSCHECHOWA

Schönheit ohne Grazie ist wie ein Angelhaken ohne Wurm.

NINON DE LENCLOS

Ich bin diesen Unsinn leid, daß Schönheit nur äußerer Schein ist. Ein schöner Schein reicht doch! Was wollen Sie? Einen anbetungswürdigen Pankreas?

JEAN KERR

Was schön ist, ist gut. Und wer gut ist, wird bald schön sein.

SAPPHO

Schönheit

Es gibt ein Alter, in dem eine Frau schön sein muß, um geliebt zu werden. Und dann kommt das Alter, in dem sie geliebt werden muß, um schön zu sein.

FRANÇOISE SAGAN

Die Schönheit brauchen wir Frauen, damit die Männer uns lieben, die Dummheit, damit wir die Männer lieben.

COCO CHANEL

Gesichter können lügen, Hintern nicht.

YOKO ONO

Frauen machen sich nicht schön, um Männern zu gefallen. Sie tun es, um andere Frauen zu ärgern.

MARCEL AYMÉ

Er hatte ein Gesicht, das einem wieder einmal daran erinnerte, daß Gott Humor besitzt.

BILL BRYSON

Alles Schöne ist schief.

GÜNTER GRASS

Eine Frau, die nicht häßlich sein kann, ist nicht schön.

KARL KRAUS

Schönheit

Die Schönheit ist wie die Wahrheit: Keiner kann sie genau definieren, und jeder kann glauben, daß er sie besitzt.

GABRIEL LAUB

Alles, was Sie hier sehen, verdanke ich Spaghetti.

SOPHIA LOREN

Schönheit ist nur oberflächlich, aber Häßlichkeit geht bis auf die Knochen.

MURPHEYS GESETZ

Es ist zu bezweifeln, ob ein Vielgereister irgendwo in der Welt häßlichere Gegenden gefunden hat als im menschlichen Gesicht.

FRIEDRICH NIETZSCHE

Der Körper einer jungen Frau ist Gottes größte Schöpfung ... Er hätte ihn natürlich für längere Haltbarkeit gestalten können, aber man kann nicht alles haben.

NEIL SIMON

Was für eine seltsame Illusion es ist, anzunehmen, daß Schönheit gleichbedeutend ist mit Güte.

LEO N. TOLSTOI

Schornsteinfeger

Schornsteinfeger: Schwalbe des Winters.

GUSTAVE FLAUBERT

Schreiben

Die beste Gelegenheit, ein neues Buch zu konzipieren, ist beim Abwasch.

AGATHA CHRISTIE

Ich glaube mehr an die Schere als an den Stift.

TRUMAN CAPOTE

Schreiben ist leicht. Alles was du tun mußt, ist, auf ein weißes Blatt Papier zu starren, bis Blutstropfen auf deine Stirn treten.

GENE FOWLER

Es gibt Tage, an denen das Ergebnis so schlecht ist, daß nicht weniger als fünf Korrekturgänge notwendig sind. Wenn ich dagegen sehr inspiriert bin, genügen vier.

JOHN KENNETH GALBRAITH

Es ist mehr wert, zwanzig gute Zeilen zu schreiben, als zwanzig Regimenter zu führen.

ERNST JÜNGER

Wenn ich denken könnte, würde ich vielleicht nicht schreiben.

SCOTT SPENCER

Der Beruf des Schreibens macht Pferdewetten zu einem soliden, stabilen Geschäft.

JOHN STEINBECK

Schriftsteller

Schreiben ist der einzige Beruf, mit dem man, ohne lächerlich zu wirken, kein Geld verdienen kann.

JULES RENARD

Schriftsteller sollten gelesen werden, aber man sollte sie weder sehen noch hören.

DAPHNE DU MAURIER

Das einzige, was beispielsweise ein Schriftsteller sich wünscht, sind aufmerksame Leser seiner Schriften. Er hofft, daß sie die Texte genau genug lesen werden, um Druckfehler zu finden.

WYNSTAN HUGH AUDEN

Bei einem Schriftsteller muß man, wie bei einem Chirurgen, das Gefühl haben, in guten Händen zu sein, damit man sich im Vertrauen betäuben lassen kann.

SAUL BELLOW

Ich habe alle meine Begierden und die meisten meiner Eitelkeiten überlebt, ja sogar die der Autorschaft.

LORD BYRON

Ein Buch zu beenden ist, als ob man ein Kind in einen Hinterhof locken und dort erschießen würde.

TRUMAN CAPOTE

Schriftsteller

Es gibt drei Gründe, Schriftsteller zu werden. 1. Du brauchst das Geld; 2. Du hast etwas zu sagen, das die Welt hören sollte; 3. Du weißt nicht, was du sonst an den langen Winterabenden machen sollst.

QUENTIN CRISP

Einige Verleger sind verhinderte Schriftsteller, aber das sind die meisten Schriftsteller auch.

T. S. ELIOT

Mit Nachbeten und Nachahmen fängt jeder an.

JEAN PAUL

Weitläufige Schriftsteller zünden immer ein Licht nach dem andern an, um das erste zu erleuchten, und mehren dadurch die Schatten an der Wand.

JEAN PAUL

Schöne Geister sind selten schöne Seelen.

JEAN PAUL

Ein berühmter Autor hat seinen Hof wie ein Fürst und erfährt so viel von seinem Lande als dieser.

JEAN PAUL

Manche Autoren halten im Frühling einer neuen Literatur immer ihr welkes Laub des vorigen Herbstes fest.

JEAN PAUL

Schriftsteller

Man muß alle Schriftsteller zweimal lesen, die guten und die schlechten. Die einen wird man erkennen, die andern entlarven.

KARL KRAUS

Der gutgekleidete Literat: ein Gigolo, der nicht tanzen kann.

ANTON KUH

Manche Autoren wirken, als hätten sie nur deshalb zu schreiben begonnen, weil sie nichts zu sagen hatten.

STANISŁAW JERZY LEC

Ein unsterblicher Schriftsteller stirbt an seinem Epigonen.

STANISŁAW JERZY LEC

Seht euch vor literarischen Blindgängern vor. Sie sind noch nach Jahren gefährlich.

STANISŁAW JERZY LEC

»Ich bin ein Dichter von morgen«, hatte er gesagt. »Sprechen wir darüber übermorgen«, habe ich geantwortet.

STANISŁAW JERZY LEC

Es gibt Autoren, die den gähnenden Abgrund ihrer Leser für die eigene Tiefe halten.

STANISŁAW JERZY LEC

Schriftsteller

Guter Rat für Schriftsteller: Im gewissen Augenblick zu schreiben aufhören. Sogar, bevor man angefangen hat.

STANISŁAW JERZY LEC

Schriftsteller fliehen nicht vor der Wirklichkeit; es sei denn, sie verfolgen sie.

STANISŁAW JERZY LEC

Ein Schriftsteller ist ein Mensch, der niemanden zwingt, das zu sein, was er ist.

SIEGFRIED LENZ

Die meisten Schriftsteller schreiben dasselbe Buch, sozusagen ein Buchbuch.

REINHARD LETTAU

Acht Bände hat er geschrieben. Er hätte gewiß besser getan, er hätte acht Bäume gepflanzt oder acht Kinder gezeugt.

GEORG CHRISTOPH LICHTENBERG

Heutzutage machen drei Pointen und eine Lüge einen Schriftsteller.

GEORG CHRISTOPH LICHTENBERG

Ich habe nie einen Autor kennengelernt, der zugegeben hätte, das Publikum kaufe seine Bücher nicht, weil sie langweilig seien.

WILLIAM SOMERSET MAUGHAM

Schriftsteller

Warum Schriftsteller schreiben, ist mir schleierhaft. Genauso könnte man fragen, warum Hühner Eier legen oder eine Kuh geduldig stillsteht, während der Bauer sie ihrer Milch beraubt.

HENRY LOUIS MENCKEN

Das einzige Prinzip, das ich gefunden habe, um die Gültigkeit von etwas Geschriebenem zu beurteilen, ist, sich selbst beim Verfassen nicht zu langweilen.

JOHN MORTIMER

Wer schreibt, verbirgt sich.

BERND NEUMANN

Alle Dichter und Schriftsteller, welche in den Superlativ verliebt sind, wollen mehr als sie können.

FRIEDRICH NIETZSCHE

Der Autor hat den Mund zu halten, wenn sein Werk den Mund auftut.

FRIEDRICH NIETZSCHE

Laß es nicht zu, daß ein Ehekrach dein tägliches Schreibpensum durcheinander bringt. Wenn du den nächsten Tag nicht mit frischer Kraft beginnen kannst, sieh zu, daß du deine Frau loswirst.

MARIO PUZO

Schriftsteller

Ein Schriftsteller ist die Personalunion aus Blut und Tinte.

JOACHIM RIEDL

Ein Schriftsteller hat nichts mehr zu sagen, wenn er älter als vierzig ist. Wenn er klug ist, weiß er das zu verbergen.

GEORGES SIMENON

Mit Ausnahme von Homer gibt es keinen einzigen bedeutenden Schriftsteller, nicht einmal Sir Walter Scott, den ich so vollkommen verabscheue wie Shakespeare.

GEORGE BERNARD SHAW

Sie müssen nicht glauben, daß ich nie versucht habe, mein Geld auf ehrliche Weise zu verdienen, nur weil ich ein Schriftsteller bin.

GEORGE BERNARD SHAW

Jeder historische Roman vermittelt ein ausgezeichnetes Bild von der Epoche des Verfassers.

KURT TUCHOLSKY

Es gibt Schriftsteller, die können sich viel vorstellen. Aber daß sie einmal nicht dabei sind, das können sie sich nicht vorstellen.

KURT TUCHOLSKY

Schriftsteller

Die meisten Schriftsteller betrachten die Wahrheit als ihren größten Schatz und sind daher in ihrem Gebrauch überaus sparsam.

MARK TWAIN

Er schreibt mit der Sicherheit und dem Selbstvertrauen eines Menschen, der genau weiß, daß er bei den wenigen, die ihn kennen, bestens bekannt ist.

GORE VIDAL

Ich liebe es, Schriftsteller zu sein. Nur den Papierkram hasse ich.

PETER DE VRIES

Sollten wir jemals eine Ruhmeshalle einweihen, dann hoffentlich nur für diejenigen Schriftsteller, die nach vier Bestsellern immer noch keine Lesereise machen.

E. B. WHITE

Steuererklärungen gehören zum Phantasievollsten, was heutzutage geschrieben wird.

HERMAN WOUK

Schularbeiten

Die meisten Schularbeiten erzeugen alte Köpfe auf jungen Schultern.

ALEXANDER SUTHERLAND NEILL

Schulden

Nur die Schulden, die man bezahlen kann, sind langweilig.

FRANCIS PICABIA

Schulden

Schulden: anerkannte Methode, Vermögenssteuer zu sparen.

MICHAEL SCHIFF

Schulden werden erst schön durch bezahlen.

AUS RUSSLAND

Schule

Eine der ersten Sachen, die Kinder heutzutage in der Schule lernen sollten, ist, einen einfachen Aussagesatz ohne das Wort »geil« zu bilden.

ANONYM

Eine Schule sollte lieber einen glücklichen Straßenkehrer hervorbringen als einen neurotischen Gelehrten.

ALEXANDER SUTHERLAND NEILL

Zuerst erschuf Gott die Idioten. Das war zur Übung. Als nächstes machte er Schultafeln.

MARK TWAIN

Schund

Schund in der Literatur, das ist eine Art Steuer für die Freiheit.

VÁCLAV HAVEL

Schurken

Um eine Schurkenrolle richtig zu spielen, muß man kein Schurke sein – es genügt, wenn man sich in seinem Bekanntenkreis umsieht.

BURT LANCASTER

Schwäche

Die stärkste Kraft reicht nicht an die Energie heran, mit der manch einer seine Schwäche verteidigt.

KARL KRAUS

Schwätzer

Er kann, von allen Menschen, denen ich je begegnet bin, die meisten Worte in die kleinste Idee stecken.

ABRAHAM LINCOLN

Hohle Gefäßte geben mehr Klang als gefüllte. Ein Schwätzer ist meistens ein leerer Kopf.

AUGUST VON PLATEN

Schwangerschaft

Wäre die Schwangerschaft ein Buch, würde man mindestens die letzten zwei Kapitel streichen.

NORA EPHRON

Wonach sich Frauen in der Schwangerschaft am meisten sehnen, ist, nicht schwanger zu sein.

PHYLLIS DILLER

Tod, Steuern und Schwangerschaft. Dafür gibt es nie einen günstigen Zeitpunkt.

MARGARET MITCHELL

Die Schwangerschaft ist die lausige Vorbereitung auf die Mutterschaft.

LIBBY PURVES

Schwangerschaft

Wenn Männer schwanger werden könnten, wäre die Abtreibung ein Sakrament.

FLORYNCE R. KENNEDY

Schwanz

Wenn ich nur einen Tag lang einen Schwanz hätte, würde ich mich selbst schwängern.

GERMAINE GREER

Jeder Mann hat einen Freund – seinen Schwanz. Ein Mann nimmt seinen Freund überall mit hin. Von den beiden ist der Freund der nettere, weil er seine Gefühle besser zeigen kann.

BERYL BAINBRIDGE

Kein Schwanz ist so hart wie das Leben.

LUISA FRANCIA

Schwarze

Ich wäre lieber schwarz als homosexuell. Wenn du schwarz bist, brauchst du es nicht deiner Mutter beichten.

CHARLES PIERCE

Schweden

Schweden, das ist das, wo die Leute Selbstmord begehen und die Könige Fahrrad fahren.

ALAN BENNETT

Schweigen

Schweigen ist die Tugend der Narren.

ANONYM

Schweigen	Zu allem zu schweigen ist das Vorrecht der Toten. THOMAS TRAUTMANN
Schwein	Ein Schwein, das Angst vor dem Metzger hat, wird nie ein Schnitzel. ANONYM
	Ich wurde hauptsächlich mit Schweinefleisch großgezogen. Und glaubt mir, ich bin gesund. TINA TURNER
Schweiz	Die Schweiz ist noch immer ein Flüchtlingsasyl. Für Steuerflüchtige. HEINRICH WIESNER
Schwiegermutter	So hat doch alles noch irgendwo einen Nachteil, sagte der Mann, als er die Rechnung über die Bestattungskosten für seine Schwiegermutter erhielt. JEROME K. JEROME
Schwierigkeiten	Die Welt zu bevölkern ist leicht. Sie zu entvölkern ist leicht. Also, was ist schwer? STANISŁAW JERZY LEC
Schwindel	Schwindel: Der Beruf des Politikers, die Wissenschaft des Arztes, die Kenntnisse des Rezensenten, die Religion des Wunderpredigers, mit einem Wort: die Welt. AMBROSE BIERCE

Schwule	Schwule sind die besten Freunde, weil sie dich als Frau achten und nicht eifersüchtig sind. Sie lieben dich, versuchen aber nicht, dich bis zum geht nicht mehr zu vögeln. BIANCA JAGGER
Sechzig	Jetzt, da ich über sechzig bin, werde ich langsam anständig. SHELLEY WINTERS
Seele	Die Kinderkrankheiten der Seele brechen oft erst bei den Erwachsenen aus. HANS WEIGEL
Sehenswürdigkeiten	Historische Sehenswürdigkeiten sind Anlaß ärgerlicher Gewißheit, daß die Geschichte wirklich stattgefunden hat. WERNER SCHNEYDER
Seitensprung	Ich verstehe nicht, warum sich die Männer über einen Seitensprung ihrer Frau aufregen. Sie sollten doch stolz darauf sein, daß ihre Frau auch noch anderen Männern gefällt. MAUD BRINKLEY
Seitensprung	Der Ausdruck Seitensprung stimmt nicht. Meist ist es nur ein kleiner Schritt zur Seite, eventuell ein Trippeln. TRUDE HESTERBERG

Seitensprung Frauen vor einem Seitensprung sind wie Maler vor einer Staffelei: ein Motiv findet sich immer.

PIERRE LACROIX

Seitensprung: Die Ehe zeigt Risse.

HANS-HORST SKUPY

Sekretariat Vom Matriarchat über das Patriarchat zum Sekretariat.

CARL J. BURCKHARDT

Selbermachen Alles selbst machen zu wollen, ist das Kennzeichen des Unbegabten.

RICHARD SCHAUKAL

Selbstachtung Selbstachtung: eine falsche Einschätzung.

AMBROSE BIERCE

Selbstbefriedigung Das Ungesunde an der Selbstbefriedigung ist, daß es sie nicht gibt.

WERNER SCHNEYDER

Selbstbeherrschung Selbstbeherrschung zeigt unter Umständen von mangelnder Souveränität.

ANDRÉ BRIE

Selbstbetrug Das beste Mittel, betrogen zu werden, ist, sich für schlauer zu halten als andere.

LA ROCHEFOUCAULD

Selbsterkenntnis Wer in sich geht, wird leicht müde.

HANS CLARIN

Selbsterkenntnis Selbsterkenntnis ist der erste Schritt zur Heuchelei.

ERNST HOHENEMSER

Die meisten Menschen stolpern über die Schwelle des eigenen Bewußtseins.

STANISŁAW JERZY LEC

Selbstfindung Man kommt leichter zu jedem andern als zu sich selbst.

JEAN PAUL

Selbstgespräch Ich rede mit mir selber, weil ich lieber mit besseren Menschen zusammenbin.

JACKIE MASON

Selbstironie Die schwierigste Turnübung ist immer noch, sich selbst auf den Arm zu nehmen.

WERNER FINCK

Selbstkritik Selbstkritik ist, wenn man den Namen auf den Daumen trifft.

GERHARD UHLENBRUCK

Selbstkritik ist die Kunst, auf dem Teppich zu bleiben, obwohl das Parkett so schön glänzt.

PETER WECK

Selbstlosigkeit Selbstlosigkeit ist Eigenliebe, die sich schämt.

HANS LOHBERGER

Selbstmord

Ich wollte mich umbringen und steckte den Kopf in den Gasherd, aber es war kein Kuchen drin.

LESLIE BOONE

Es lohnt nicht die Mühe, sich zu töten, denn man tötet sich immer zu spät.

EMILE M. CIORAN

Nur der Gedanke, daß sie es nicht mehr rückgängig machen können, hält viele von Selbstmord ab.

JOHANNES COTTA

Selbstmord: Beweis für Feigheit.

GUSTAVE FLAUBERT

Nun, da Agatha Christie tot ist, hält mich nur noch die Neugier, wer die nächsten Oscars bekommt, vom Selbstmord ab.

EDWARD GOREY

Sich in einen Ochsen verwandeln ist noch kein Selbstmord.

GEORG CHRISTOPH LICHTENBERG

Der Selbstmord ist der letzte Akt, mit dem ein Mensch beweisen kann, daß er sein Leben im Griff hat.

HENRY DE MONTHERLAND

Selbstmord

Schußwaffen sind stets das beste Mittel für einen Selbstmord. Sie sehen einfach besser aus als ein Rasiermesser, und Gas ist mittlerweile ziemlich teuer. Drogen sind zu unsicher: Du kannst dich bei der Menge verkalkulieren und plötzlich ein paar schöne Stunden erleben.

P. J. O'ROURKE

Selbstmord ist nichts anderes als dem Kalender einen Streich zu spielen.

TOM STOPPARD

Auf Selbstmord steht Todesstrafe.

HEINRICH WIESNER

Selbstschätzung

Um Selbstschätzung zu bewahren, muß man auf realistische Selbsteinschätzung verzichten.

GABRIEL LAUB

Selbstschutz

Säge nicht am Ast, auf dem du sitzt, es sei denn, man wollte dich daran hängen.

STANISŁAW JERZY LEC

Selbstsucht

Selbstsucht muß man immer verzeihen, denn es ist ein Leiden, für das es keine Heilung gibt.

JANE AUSTEN

Selbstsucht

Ich stehe uneingeschränkt und ohne jegliche Skrupel zu meiner Egomanie, meiner Selbstsucht, gepaart mit einer wirklich großartigen Stimme.

LEONTYNE PRICE

Selbstsüchtig: ohne Rücksicht auf die Selbstsucht anderer.

AMBROSE BIERCE

Selbstverliebtheit

Wer in sich selbst verliebt ist, hat wenigstens bei seiner Liebe den Vorteil, daß er nicht viele Nebenbuhler erhalten wird.

GEORG CHRISTOPH LICHTENBERG

Selbstverständlichkeit

Selbstverständlich ist, was man selbst versteht und niemand sonst.

AMBROSE BIERCE

Selbstverwirklichung

Hochtrabendes Schlagwort, das heute jeder Tropf im Munde führt, um damit seine Ungeneigtheit zu kaschieren, irgend etwas zu tun, das nicht ausschließlich und allein der Befriedigung des primitivsten Egoismus dient.

GÜNTER BLÖCKER

Einige von uns werden zu den Männern, die sie heiraten wollten.

GLORIA STEINEM

Senf

Guter Senf kommt aus Dijon. Ruiniert den Magen.

GUSTAVE FLAUBERT

Senilität

Das Gute an der Senilität ist, daß sie einen selbst hindert, sie zu bemerken.

ALFRED POLGAR

Senkrechtstarter

Senkrechtstarter starten nicht nur senkrecht, sie kommen auch so runter.

ANONYM

Sex

Was ist Sex doch für eine primitive Angelegenheit. Wenn eine Frau nur auf Sex zielt, braucht sie sich nur einen Sack überzustülpen und drei Löcher hineinzuschneiden; man weiß schon wo.

COCO CHANEL

Sex ist die Kunst, Erwartungen zu wecken, die gar nicht geschlafen haben.

SENTA BERGER

Ich weiß leider gar nichts über Sex, weil ich immer verheiratet war.

ZSA ZSA GABOR

Wenn Sex die natürlichste Sache der Welt ist, warum gibt es dann so viele Ratgeber darüber?

BETTE MIDLER

Sex ist per definitionem etwas, das man mit jemand anderem als dem Ehemann hat.

ERICA JONG

Sex

Sex in der Ehe ist wie Kaffeetrinken – ohne schläft man nur schneller ein.

LINDA DE MOL

Sex in längerer Verbindung ist die Kunst, Reprisen immer wieder wie Premieren erscheinen zu lassen.

JEANNE MOREAU

Das waren noch Zeiten, als die Luft rein war und der Sex schmutzig.

CONNY KÖNIG

Der Liebesakt ist für den Mann nicht mehr als Masturbation in der Vagina der Frau.

GERMAINE GREER

Sex ohne Eros ist ein Kontakt zweier Hautbesitzer.

MARGUERITE DURAS

Wenn Männer aufs Ganze gehen, meinen sie meistens die untere Hälfte.

HELEN VITA

Sex ist Zuneigung im Klartext.

HELGA ANDERS

Der einzige Grund, warum ich mit dem Joggen anfangen würde, ist, um mich mal wieder keuchen zu hören.

ERMA BOMBECK

Sex

Beim Sex herrscht Damenwahl, obwohl die Männer vom Gegenteil überzeugt sind.

UTA LEVKA

Ich habe nur mit Männern geschlafen, mit denen ich verheiratet war. Wie viele Frauen können das von sich behaupten?

ELIZABETH TAYLOR

Sex ist in Bewegung umgesetztes Gefühl.

MAE WEST

Sex ist eine Art Turnen mit innerer Anteilnahme.

BRIGITTE BARDOT

Wenn ich gut bin, bin ich sehr gut, aber wenn ich schlecht bin, bin ich besser.

MAE WEST

Ich wünschte, ich hätte so viele Männer im Bett gehabt, wie die Zeitungen schreiben.

LINDA RONSTADT

Sex ist anders als Business. Man darf nicht alles, was man hat, sofort ins Schaufenster stellen.

RAQUEL WELCH

Frauen beklagen sich häufiger über Sex als Männer. Ihre Beschwerden können in zwei Kategorien eingeteilt werden: (1) nicht genug; (2) zuviel.

ANN LANDERS

Sex

Ich mag den Mann, der sich Zeit läßt.

MAE WEST

Auch wenn Sie nur zwei Sekunden Zeit haben, lassen Sie alles stehen und liegen und blasen Sie ihm einen. Dann wird er keine Lust auf Sex mit einer anderen haben.

JERRY HALL

Man sollte nicht versuchen, mit Sex das zu erreichen, was nur die Liebe vermag, oder mit Liebe das, was nur der Sex schafft.

MARY McCARTHY

Ein gesundes Liebesleben ist für die Stimme einer Frau das Beste auf der Welt.

LEONTYNE PRICE

Man kann Sex als alles mögliche bezeichnen, nur nicht als würdevolle Veranstaltung.

HELEN LAWRENSON

Sex ist die Tabasco-Sauce, die ein pubertärer Gaumen auf jeden Gang des Menüs spritzt.

MARY DAY WINN

In Amerika ist Sex eine Obsession, in anderen Teilen der Welt eine Tatsache.

MARLENE DIETRICH

Sex

Irgendwas stimmt da doch nicht: Sex gehört zur Menschheit, seit sie existiert, und trotzdem leiden schätzungsweise neunzig Prozent der Menschen noch immer unter beträchtlichen Hemmungen auf diesem Gebiet.

XAVIERA HOLLANDER

Mein Schatz, Sex hört erst auf, wenn du im Grab liegst.

LENA HORNE

Sex geht niemanden etwas an – außer die drei Personen, die es tun.

ANONYM

Sex ist der größte Spaß, den man haben kann, ohne dabei zu lächeln.

ANONYM

Lieber fünf vor zwölf als keine nach eins.

ANONYM

Sex ist nur schmutzig, wenn er richtig gemacht wird.

WOODY ALLEN

Bisexualität verdoppelt deine Chance auf ein Samstagabend-Rendezvous.

WOODY ALLEN

Nichts gilt es so sehr zu vermeiden wie sexuelle Beziehungen.

AURELIUS AUGUSTINUS

Sex

Der Liebesakt hat große Ähnlichkeit mit der Folter oder mit einer chirurgischen Operation.

CHARLES BAUDELAIRE

Wenn Gott gewollt hätte, daß Sex Spaß macht, hätte er nicht als Strafe die Kinder drangehängt.

ED BLUESTONE

Wenn Gott gewollt hätt, daß wir Gruppensex haben können, hätte er uns allen mehr Körperteile gegeben.

MALCOLM BRADBURY

Sex und Lust gehören den Frauen, wir Männer spüren oft nicht einmal, was damit gemeint ist.

FEDERICO FELLINI

Ältere Frauen sind am besten, weil sie immer denken, es könnte das letzte Mal sein.

IAN FLEMING

Die Leute werden dabei bleiben, den *mons veneris* zu behandeln, als wäre er der Mount Everest.

ALDOUS HUXLEY

Phallus klebt allus.

ERNST JANDL

Sex

Sex ist einer der neun Gründe für eine Wiedergeburt – die anderen acht sind unwichtig.

HENRY MILLER

Sex: Das mindeste, was ein vernünftiges Kind erwarten kann, wenn sein Vater an der Zeugung teilnimmt.

JOE ORTON

Sex ist die größte Nichtigkeit aller Zeiten.

ANDY WARHOL

All dieses Gerede über das Miteinander-Schlafen. Für mein körperliches Vergnügen gehe ich lieber zum Zahnarzt.

EVELYN WAUGH

Das Bett ist die Oper des kleinen Mannes.

AUS ITALIEN

Sex-Appeal

Sex-Appeal ist das, was Männer nur mit den Händen beschreiben können.

USCHI GLAS

Sex-Appeal ist zu fünfzig Prozent das, was eine Frau hat, und zu fünfzig Prozent das, wovon die Leute glauben, daß sie es hat.

SOPHIA LOREN

Sex-Appeal ist die Kunst, einem Mann das Feuer zu geben, das er schon hat.

CHRISTINE SCHUBERTH

Sex-Appeal

Sex ist nicht eine Sache der Kurven, sondern der Ausstrahlung. Männer wittern den Sex-Appeal auch dann, wenn er in einen Sack eingenäht ist.

ELGA ANDERSEN

Der Sex-Appeal des Mannes besteht aus Macht, Geld und einem herben Parfüm – in dieser Reihenfolge.

VIVIEN MELLISH

Sexbomben

Die meisten Sexbomben enden als Blindgänger.

GABRIEL LAUB

Sex-Symbol

Ich habe nie wirklich begriffen, was es mit diesem Sex-Symbol-Gerede auf sich hat. Aber wenn ich schon Symbol für irgendwas sein soll, dann lieber für Sex als für etwas anderes.

MARILYN MONROE

Ein Sex-Symbol zu sein, kam dem Dasein eines Sträflings gleich.

RAQUEL WELCH

Showbusineß

Die drei wichtigsten Wörter im Showbusineß sind: »Nein, vielen Dank!«

TOM HANKS

Sicherheit

Ein Schiff im Hafen ist sicher, aber dafür wurden Schiffe nicht gebaut.

BENAZIR BHUTTO

Sich gehen lassen Läßt man sich gehen, wird man zerfahren.

ELAZAR BENYOËTZ

Siebenunddreißig Ich war siebenunddreißig, zu alt für eine Karriere bei der Zeitung, zu jung für die Rente und zu müde für eine Affäre.

ERMA BOMBECK

Sieg Alle Siege werden davongetragen.

ELAZAR BENYOËTZ

Im Krieg gibt es keinen Ersatz für den Sieg.

DOUGLAS MAC ARTHUR

Sieger Kein Sieger glaubt an den Zufall.

FRIEDRICH NIETZSCHE

Singen Wer morgens schon singt, sitzt mittags in U-Haft.

ANONYM

Single Ein Single ist jemand, der gelernt hat, die Erfahrungen anderer zu berücksichtigen.

UDO JÜRGENS

Sinn Wer alle erreichen will, muß auf den Sinn verzichten.

MATTHIAS DEUTSCHMANN

Sintflut Wie viele Sintfluten gab es ohne einen Noah!

STANISŁAW JERZY LEC

Sintflut

Das einzige, was Gott davon abhält, eine zweite Sintflut zu schicken, ist die Tatsache, daß die erste nutzlos war.

NICOLAS CHAMFORT

Sittlichkeit

Sittlichkeit ist das, was ohne unzüchtig zu sein mein Schamgefühl gröblich verletzt.

KARL KRAUS

Sitzenlassen

Der einzige Ort, an dem die Männer eine Frau bestimmt nicht sitzen lassen, sind die Sitzplätze in den öffentlichen Verkehrsmitteln.

SHIRLEY MACLAINE

Sklaven

Sklaven: das waren Menschen, die noch einen bestimmten Wert hatten.

GABRIEL LAUB

Sklaverei

Die Freiheit der Sklaven mißt man an der Länge ihrer Kette.

STANISŁAW JERZY LEC

Sklavin

Solange Frauen Sklavinnen sind, werden die Männer Schurken sein.

ELIZABETH CADY STANTON

Smalltalk

Smalltalk ist die Kunst, an Wichtigeres zu denken, während man weniger Wichtiges sagt.

DAVID LETTERMAN

Small-Talk

Die Menschen, die man nur zur Hälfte kennt, man kennt sie nicht; die Sachen, über die man nur zu drei Vierteln Bescheid weiß, man weiß von ihnen überhaupt nichts. Diese zwei Überlegungen reichen hin, um fast alle Gespräche zu würdigen, die in der Welt geführt werden.

NICOLAS CHAMFORT

Snobismus

Snobismus heißt, gegen den Strom schwimmen, wo keiner ist.

OLIVER HASSENKAMP

Sohn

Eine Frau braucht zwanzig Jahre, um aus ihrem Sohn einen Mann zu machen – und eine andere macht in nur zwanzig Minuten einen Dummkopf aus ihm.

HELEN ROWLAND

Der Wunsch nach dem Sohn ist der Vater vieler Töchter.

KARL SCHILLER

Dein Sohn ist mit fünf Jahren dein Gebieter, mit zehn dein Sklave, mit fünfzehn dein Ebenbild und danach entweder dein Freund oder dein Feind.

AUS DER TÜRKEI

Solidarität

Die Solidarität der Armen ist vorbildlich. Niemand verteilt sein Gedankengut so gerne wie die Armen im Geiste.

GABRIEL LAUB

Solist Niemand haßt den Solisten so wie der Chor, aus dem er hervorgegangen ist.

WERNER SCHNEYDER

Sommer Ein Sommer ist immer »außergewöhnlich«, ob er heiß oder kalt, trocken oder naß ist.

GUSTAVE FLAUBERT

Sonne Wir brauchen die Sonne nicht mehr – die Uhren zeigen die Zeit genauer.

GABRIEL LAUB

Die Sonne geht im Osten auf, wandert entsetzt weiter, erträgt auch den Westen nicht und geht endgültig unter.

WERNER SCHNEYDER

Sonnenschein ohne Regen macht eine Wüste.

AUS ARABIEN

Sonntag Sonntag sollte von den anderen Tagen verschieden sein: die Leute dürfen spazierengehen, aber nicht mit Steinen nach Vögeln werfen.

WYNSTAN HUGH AUDEN

Sorgen Sorgen alleine nutzen nichts, man muß auch klagen können.

KLAUS BERNHARDT

Sorge	Sorge: Sie ist um so »lebhafter«, als man, da sie ja völlig lähmt, ganz unbeweglich ist. GUSTAVE FLAUBERT
Souveränität	Dem Storch gegenüber haben die Frösche begrenzte Souveränität. DAVID FROST
Sowjetunion	Fröhlichkeit ist das auffälligste Merkmal der Sowjetunion. JOSEF W. STALIN
Sozialismus	Es gibt einen realen Sozialismus. Er ist so einfach, daß es schon Übergescheiten schwerfällt, ihn genau zu definieren. JUPP MÜLLER
Sozialpolitik	Sozialpolitik ist der verzweifelte Entschluß, an einem Krebskranken eine Hühneraugenoperation vorzunehmen. KARL KRAUS
Spanien	Auch wenn es so aussieht – Spanien ist kein religiöses Land. Das einzige, was uns heilig ist, ist der Matador. PEDRO ALMODOVAR
Später	Frauen würden sich leichter damit abfinden, daß ihr Mann später nach Hause kommt, wenn sie sich wirklich darauf verlassen könnten, daß er nicht früher da ist. COLETTE

Sparen	Sparen ist der Versuch, sich an den eigenen Einkünften zu bereichern. WOLFRAM WEIDNER
Sparsamkeit	Die beste Einkommensquelle ist Sparsamkeit. ANONYM
	Der Wege, sich zu bereichern, sind viele. Sparsamkeit ist einer davon. FRANCIS BACON
	Sparsamkeit ist eine Tugend, die man vor allem an den Vorfahren schätzt. WERNER SCHNEYDER
Sparstrumpf	Sparstrumpf: Gute Gelegenheit für diebisches Personal. GUSTAVE FLAUBERT
Spaß	Der teuerste Spaß der Welt: viel Geld für jemandes Bildung auszugeben, um ihn dann einen Intellektuellen zu schimpfen. GABRIEL LAUB
	Es gibt überhaupt nur zwei Dinge auf der Welt, die mir Spaß machen – das zweite ist der Film. ROMAN POLANSKI
	Es macht keinen Spaß, nichts zu tun zu haben. Spaß macht es, viel zu tun zu haben und es nicht zu tun. JOHN W. ROPER

Spenden

Wo wir hinspenden, wächst kein Gras mehr.

WOLFGANG NEUSS

Spekulieren

Es gibt zwei Zeitabschnitte im Leben eines Mannes, in denen er nicht spekulieren sollte: Wenn er es sich nicht leisten kann und wenn er es sich leisten könnte.

MARK TWAIN

Spezialist

Ein Spezialist ist einer, der mehr und mehr über weniger und weniger weiß.

NICHOLAS M. BUTLER

Spiegel

Eine eitle Frau braucht einen Spiegel. Ein eitler Mann ist sein eigener Spiegel.

FRANÇOISE SAGAN

Der Mensch braucht den Spiegel, um sich bis zur Erträglichkeit zu verfremden.

FRANZ XAVER NEUWIRTH

Sämtliche Spiegel sind nutzlos, wenn man zu spät hineinschaut.

AUS SCHWEDEN

Spiel

Wer mit einer Katze spielt, soll sich über ein paar Kratzer nicht aufregen.

ANONYM

Die Schule sollte das Leben des Kindes zum Spiel machen.

ALEXANDER SUTHERLAND NEILL

Spießbürger	Die Spießbürger? Das sind die anderen.	
		CHARLES TSCHOPP
Spießer	Der Spießer benützt den Geschlechtsverkehr als Schlafmittel.	
		SIGMUND GRAFF
	Mief ist die Herzenswärme des Spießers.	
		GERHARD UHLENBRUCK
Spionage	Spionage wäre vielleicht akzeptabel, wenn sie wenigstens von ehrbaren Leuten verübt würde.	
		MONTESQUIEU
Spitze	An der Spitze ist am meisten Platz.	
		ANONYM
	Wer Spitze sein will, muß einen Stachel haben.	
		STEFAN TSCHÖK
Spitzenposition	Wenn Frauen sich in Spitzenpositionen hochschlafen können, wieso sind sie dann nicht dort? Es muß wohl eine Schlaflosigkeits-Epidemie herrschen...	
		ELLEN GOODMANN
Sport	Ich wollte raus aus dem Haus. Darum habe ich mich dem Sport zugewandt. Das war die einzige Möglichkeit, nach siebzehn Uhr noch draußen zu bleiben.	
		WILLIE B. WHITE

Sport

Das gemeinsame Kennzeichen aller Sportarten dürfte die Übertreibung sein.

SIGMUND GRAFF

Der Sport ist ein Sohn des Fortschritts, und er trägt schon auf eigene Faust zur Verdummung der Familie bei.

KARL KRAUS

Sport ist, wenn man hinterher duscht.

HELMUT PFLEGER

Sport ist dazu da, daß man gesünder stirbt, und nicht dazu, daß man länger lebt.

LUDWIG PROKOP

Wenn ich etwas zu sagen hätte, würden weibliche Athleten auf den Koralleninseln vor der argentinischen Küste ausgesetzt.

HENRY LOUIS MENCKEN

Spott

Der Spott ist die Mehrwertsteuer der Popularität.

ALFRED ODER

Spott ist der Dunst kleiner Herzen.

ALFRED LORD TENNYSON

Spott ist der Humor der Chancenlosen.

GERHARD UHLENBRUCK

Sprache

Die Sprache ist die Kleidung der Gedanken.

SAMUEL JOHNSON

Sprache

Bauen wir provisorische Sätze. Denn wenn ein Erdbeben kommt …

STANISŁAW JERZY LEC

Die Muttersprache ist das Vaterland der Schriftsteller.

JORGE SEMPRÚN

Sprechen

Frauen sprechen lieber als Männer. Trotzdem sind sie die schlechteren Redner, weil sie keinen Sinn für Demagogie haben.

EDITH SITWELL

Wenn du über dich selbst sprichst, wird er denken, du seist langweilig. Wenn du über andere sprichst, wird er dich für eine Tratschtante halten. Wenn du über ihn sprichst, wird er denken, du seist eine geistreiche Gesprächspartnerin.

LINDA SUNSHINE

Sprichwort

Ein Sprichwort ist ein kurzer Satz, der sich auf lange Erfahrung gründet.

MIGUEL DE CERVANTES

Kluge Menschen prägen Sprichwörter, aber dumme wiederholen sie.

SAMUEL PALMER

Sprüche

Sprüche lassen sich leichter klopfen als Steine.

KARL GARBE

Staat

Der Staat ist die große Fiktion, mit deren Hilfe sich alle bemühen, auf Kosten aller zu leben.

FRÉDÉRIC BASTIAT

Der Ernährer aller Menschen ist Gott und der Staat ihr Unterernährer.

WALTER BENJAMIN

Der Staat ist eine Notordnung gegen das Chaos.

GUSTAV HEINEMANN

Der Staat ist eine kluge Veranstaltung zum Schutze der Individuen gegeneinander.

FRIEDRICH NIETZSCHE

Staatsgewalt

Alle Staatsgewalt geht auf das Volk los.

WINFRIED THOMSEN

Staatsmann

Erste Anforderung an einen Staatsmann: geistlos sein.

DEAN ACHESON

Der Staatsmann ist einer, der das Steuer führt, während der Politiker zufrieden ist, wenn er dahintreibt.

JAMES FREEMAN CLARKE

Staatsmänner sind Politiker, die Probleme zu lösen haben, deren Entstehung auf sie selbst zurückzuführen ist.

HANS PETER HEINZL

Staatsmann Ein Staatsmann ist ein Politiker, der sich in den Dienst der Nation stellt. Ein Politiker ist ein Staatsmann, der die Nation in seinen Dienst stellt.

GEORGES POMPIDOU

Staatsorgan Weder Herz noch Lunge, sondern ein ständig wachsender Verdauungsapparat.

RON KRITZFELD

Stammbaum Auch vom Stammbaum fallen die Früchte.

ERNST KAPPELER

Standpunkt Was sind Standpunkte? Die Waffen des feigen Hamsters, der sich erst in seinem Unterschlupf einen Vorrat von Argumenten gesammelt hat, eh' er sich ans Licht der Kontroversen traut.

ANTON KUH

Star Wenn man Star eines Festes sein will, darf man nicht hingehen.

SHARON STONE

Ein Starlet ist ein hübsches Mädchen, das vielleicht eines Tages ein Star wird, ohne jemals eine Schauspielerin gewesen zu sein.

VIVIEN LEIGH

Star

Eine Berühmtheit ist ein Mensch, der sein ganzes Leben hart dafür arbeitet, überall bekannt zu werden – und dann eine Sonnenbrille trägt, um nicht erkannt zu werden.

FRED ALLEN

Nichts auf der Welt bereitet einen darauf vor, berühmt zu werden.

MEL GIBSON

Wenn du einem Friseurgehilfen begegnest, der dich auffallend an einen bestimmten Filmstar erinnert, dann ist er es.

ANTON KUH

Es kann nicht jeder Schmidt heißen.

HARALD SCHMIDT

Ein Star ist jemand, der andere überragt, weil er geschickt genug war, auf einen Stuhl zu steigen.

BILLY WILDER

Weltstars funktionieren als Bilder, als Menschen floppen sie meist.

ROGER WILLEMSEN

Statistik

Die Statistik ist das Märchen der Vernunft.

MARTIN KESSEL

Status quo

Alles ist in Bewegung, bis auf den Status quo.

ROBERT BYRNE

Statussymbol

Statussymbole sind Orden, die man sich selber kauft.

BERNHARD WICKI

Stellungen

Ich habe beim Sex verschiedene Stellungen ausprobiert. Bei der normalen kriege ich Platzangst. Und bei den anderen einen steifen Nacken oder Wundstarrkrampf.

TALLULAH BANKHEAD

Sterben

Es ist besser, aufrecht zu sterben, als auf Knien zu leben.

DOLORES IBARRURI

Meine Zähne sind in Ordnung, und wenn ich genug zu essen bekomme, wüßte ich nicht, warum ich sterben sollte. Ich sehe keinen Sinn im Sterben. Tot ist man doch zu nichts mehr nutze.

SILVIA DUBOIS

Steuern

Nur die kleinen Leute zahlen Steuern.

LEONA HELMSLEY

Regierungen nehmen Steuern wie Imker den Honig und teilen ihren Völkern Zuckerwasser zu.

MARGRET GENTH

Das Eintreiben von Steuern ist nichts anderes als Diebstahl.

THOMAS VON AQUIN

Steuern

Steuern eintreiben heißt die Gans so zu rupfen, daß man möglichst viele Federn mit möglichst wenig Gezische bekommt.

JEAN BAPTISTE COLBERT

Nichts ist sicher auf dieser Welt – außer den Steuern und dem Tod.

BENJAMIN FRANKLIN

Steueroasen

Steueroasen spenden nur Reichen Schatten.

HANS-HORST SKUPY

Steuerzahler

Steuerzahler sind unfreiwillige Blutspender.

MARCEL MARCEAU

Steuerzahler sind Blutspender ohne ärztliche Assistenz.

RALPH BOLLER

Stiefmutter

Bekommt ein Kind eine Stiefmutter, so bekommt es oft auch einen Stiefvater.

AUS LAPPLAND

Stil

Im Hause des Gehenkten spricht man nicht vom Galgen. Und im Hause des Henkers?

STANISŁAW JERZY LEC

Stile sind der Rassismus der Zeiten.

WERNER SCHNEYDER

Stille

Stille ist das nicht vorhandene Zwitschern der Vögel.

ERICH FRIED

Stimme Ich glaube, ich gehöre zu den wenigen, die unserem Land eine eigene Stimme verleihen.

GEORGIA O'KEEFE

Stoiker Ein Stoiker: Er klagt nicht einmal über seinen Chef.

GABRIEL LAUB

Stolz Eine Frau macht es stolz, die Ursache einer Dummheit zu sein, zu der ein Mann sich hinreißen läßt.

COLETTE

Story Im Zweifel laß zwei Kerle mit Revolvern durch die Tür reinkommen.

RAYMOND CHANDLER

Strafvollzug Humaner Vollzug: an die Stelle der Todesstrafe ist der Bau von Atomkraftwerken getreten.

WINFRIED THOMSEN

Straße Mitten auf der Straße zu stehen, ist sehr gefährlich. Man wird von zwei Seiten umgefahren.

MARGARET THATCHER

Straucheln Wer strauchelt, aber nicht fällt, kommt auch voran.

ANONYM

Streit

Leg dich nie mit häßlichen Leuten an – sie haben nichts zu verlieren.

ANONYM

Wer Streit sucht, kann in der Wahl seiner Mittel nicht unvorsichtig genug sein.

WERNER MITSCH

Steht man mit einem Kind auf der gleichen Stufe, dann ist gar nichts dabei, mit ihm einen Streit zu haben.

ALEXANDER SUTHERLAND NEILL

Es hat keinen Sinn, mit Männern zu streiten; sie haben ja doch immer unrecht.

ZSA ZSA GABOR

Striptease

Striptease ist die einzige Branche, in der man mit Antiquitäten nicht die geringste Chance hat.

HELGA ANDERS

Strohwitwer

Strohwitwer sind jederzeit entflammbar, das ist ganz einfach materialbedingt.

HELEN VITA

Sturheit

Der Unterschied zwischen Hartnäckigkeit und Sturheit liegt darin, daß der eine mit dem Kopf durch die Wand will, der andere mit der Wand durch den Kopf.

BRUNO JONAS

Sturheit

Nun bist du mit dem Kopf durch die Wand. Und was wirst du in der Nachbarzelle tun?

STANISŁAW JERZY LEC

Subventionen

Subventionen sind politische Beschwichtigungsmittel.

LOTHAR SCHMIDT

Subventionen: ein Allheilmittel, welches der Kurpfuscher den falschen Patienten verschreibt.

KARLHEINZ WITTRICH

Suchen

Wer nicht sucht, wird bald nicht mehr gesucht.

JEAN PAUL

Sünde

Mit der Zeit bereut man alle Sünden, die man begangen hat, und dazu einige, die man nicht begangen hat.

ELIZABETH TAYLOR

Es gibt läßliche Sünden, und es gibt unerläßliche.

TRUDE HESTERBERG

Sünde

Männer bleiben vom Sündigen verschont, weil sie sich dabei so ungeschickt anstellen.

MIGNON McLAUGHLIN

Veränderung ist die einzige Konstante. Stillstand ist die einzige Sünde.

DENISE McCLUGGAGE

Sünde

Wenn du erstmal so alt bist wie ich, wirst du wissen, daß es auf der Welt nur eine Sache gibt, für die zu leben sich lohnt, und das ist die Sünde.

LADY SPERANZA WILDE

Sündigen ist der beste Teil der Reue.

ANONYM

Da die Frau den Mann zur Sünde verführt hat, erfordert es die Gerechtigkeit, daß sie den Mann empfange, wie der Sklave den Herrn.

AMBROSIUS VON MAILAND

Unter »Sünde« verstehen die meisten heute einen Verstoß gegen den Diätplan.

EUGEN DREWERMANN

Christus starb für unsere Sünden. Dürfen wir zulassen, daß dieses Martyrium unnötig war, indem wir diese nun nicht begehen?

JULES FEIFFER

Eine Sünde, die mich weckt, ist besser als eine Tugend, an der ich einschlafe.

EMIL GÖTT

Wer in der Hölle sündigt, sollte heilig gesprochen werden.

STANISŁAW JERZY LEC

Süßstoff

Süßstoff gibt es genug. Woran es mangelt, ist Sauerstoff.

HELLMUT WALTERS

Suff

Ich kann nur zwei Dinge: saufen, und glauben, ich könnt' aufhören.

GÜNTHER PAAL

Sympathie

Ich verlange von Leuten nicht, das sie mir angenehm sind, weil es mich vor dem Problem bewahrt, sie zu mögen.

JANE AUSTEN

Menschen, die dir ihre Sympathie bekunden, wenn du in Schwierigkeiten bist, wollen die Details wissen.

EDGAR WATSON HOWE

Synthese

Wer fragt die These und die Antithese, ob sie eine Synthese werden wollen?

STANISŁAW JERZY LEC

System

Von einem System werden wir uns lange nicht befreien können: von dem Sonnensystem.

STANISŁAW JERZY LEC

T

Täuschen

Eine Frau kann jederzeit hundert Männer täuschen, aber nicht eine einzige Frau.

MICHÈLE MORGAN

Tagebuch

Ich sage immer: Führ ein Tagebuch, und eines Tages wird es dich führen.

MAE WEST

Jeden Tag Tagebuch zu schreiben ist, als wenn man sich noch mal mit dem eigenen Erbrochenen beschäftigt.

ENOCH POWELL

Ich reise nie ohne mein Tagebuch. Man sollte im Zug immer etwas Aufregendes zum Lesen haben.

OSCAR WILDE

Tagung

Erst die Männer sind auf die Idee gekommen, ihre nächtlichen Unternehmungen Tagungen zu nennen.

HELEN VITA

Takt

Takt ist die Fähigkeit, einem anderen auf die Beine zu helfen, ohne ihm dabei auf die Zehen zu treten.

CURT GOETZ

Takt

Takt ist die Fähigkeit, andere so darzustellen, wie sie sich selber gerne sehen.

ABRAHAM LINCOLN

Takt ist eine schreckliche Sache – wenn man ihn nicht hat, regt sich jeder auf; wenn man ihn hat, merkt das kein Mensch.

SHIRLEY McLAINE

Mancher hat nur zu drei Viertel Takt und walzt alles nieder.

KURT TACHMANN

Talent

Mit dem Talent ist's wie mit der Elektrizität. Wir verstehen Elektrizität nicht. Wir nutzen sie.

MAYA ANGELOU

Ich habe fünfzehn Jahre gebraucht, um zu entdecken, daß ich kein Talent zum Schreiben habe, aber ich konnte nicht aufhören, weil ich da schon zu berühmt war.

ROBERT BENCHLEY

Gar nichts ist immer das Beste, was einer schreiben kann.

BERTOLT BRECHT

Talent ist oft ein Charakterdefekt.

KARL KRAUS

Talkshow

Eine Talkshow ist wie ein Besuch am FKK-Strand – man sieht alles, aber es ist vollkommen uninteressant.

BODO KIRCHHOFF

Tanzen

Kein gesunder Mensch tanzt.

CICERO

Tanzen ist der vertikale Ausdruck eines horizontalen Bedürfnisses.

GEORGE BERNARD SHAW

Kluge Männer sollten niemals tanzen, denn dabei haben die Mädchen Gelegenheit, wieder nüchtern zu werden.

LIL DAGOVER

Tapferkeit

Tapferkeit ist keine Tugend, eigentlich Temperamentseigenschaft und mit größter Nichtswürdigkeit verträglich.

ARTHUR SCHOPENHAUER

Tapferkeit ist ein Anfall, der bei den meisten Menschen schnell vorübergeht.

MARK TWAIN

Der bessere Teil der Tapferkeit ist Vorsicht.

SPRICHWORT

Tarifverhandlungen

Tarifverhandlungen sind die Gesellschaftsspiele unserer Gesellschaftsordnung.

WERNER SCHNEYDER

Tat Keine gute Tat bleibt ungestraft.

CLARE BOOTH LUCE

Tatsache Sieh nur den Tatsachen ins Gesicht. Wenn du es tust, kannst du morgens überhaupt nicht mehr aufstehen.

MARLO THOMAS

Eine Tatsache bleibt immer nackt, auch wenn sie nach der letzten Mode gekleidet wäre.

STANISŁAW JERZY LEC

Taubheit Man darf nicht das Gras wachsen hören, sonst wird man taub.

GERHART HAUPTMANN

Tausch Wer einen guten Freund heiratet, verliert ihn, um dafür einen schlechten Ehemann einzutauschen.

FRANÇOISE SAGAN

Tauschhandel Die höchste Form des Tauschhandels sind Geschenke.

CHARLES TSCHOPP

Technik Mit der Technik kann man die Stimme verstärken, nicht aber die Argumente.

ANONYM

Die Technik ist auf dem Wege, eine solche Perfektion zu erreichen, daß der Mensch ohne sich selber auskommt.

STANISŁAW JERZY LEC

Techniker

Menschen, die von einer neuen Erfindung nur die guten Seiten sehen wollen, nennt man Techniker.

WERNER MITSCH

Teenager

Die Halbwüchsigen von heute, heißt es, wissen alles über Sex, das Geld hingegen kommt ihrer Meinung nach vom lieben Gott. So ändern sich die Tabus.

KATHARINE WHITEHORN

Telefon

Das Telefon ist weiblich.

ULRICH LANGE

Telefonieren

Telefonieren ist eine gute Möglichkeit, mit Leuten zu reden, ohne ihnen einen Drink anbieten zu müssen.

FRAN LEBOWITZ

Telefonseelsorge

Telefonseelsorge: entfernte Nächstenliebe.

HANS-HORST SKUPY

Teufel

Was ich jetzt besitze, habe ich, weil ich schrecklichen Menschen immer rechtzeitig gesagt habe, sie sollten sich zum Teufel scheren.

LESLIE CARON

Genau bei Weibern weiß man niemals, wo der Engel aufhört und der Teufel anfängt.

HEINRICH HEINE

Teufel

Man unterscheidet zwei Arten von Teufeln: degradierte Engel und beförderte Menschen.

STANISŁAW JERZY LEC

Gegen den Teufel muß man Überstunden machen.

ABBÉ PIERRE

Theater

Im Theater hat die Nacht noch eine Königin, ist Romeo ein echter Liebhaber und Mephisto des Pudels Kern.

AUGUST EVERDING

Das Theater war schon immer demoralisch. Der Ranghöchste ist der Galeriebesucher.

WERNER SCHNEYDER

Die meisten Kranken gehen zum Arzt, nur die Erkälteten gehen ins Theater.

GÜNTER STRACK

Theaterdirektor

Theaterdirektor: Jemand, der eingestellt wurde, um die Tatsache zu vertuschen, daß die Schauspieler nicht spielen können.

JAMES AGATE

Theologe

Ein Theologe dichtet: Vor dem Sündenfall fraßen die Tiere einander nur aus Liebe.

JEAN PAUL

Theorie

Die Theorie ist eine Vermutung mit Hochschulbildung.

JIMMY CARTER

Theorie

Nichts beweist mehr gegen eine Theorie als ihre Durchführbarkeit.

KARL KRAUS

Theorie ist das, was man nicht versteht. Praxis ist das, was man nicht erklären kann.

ALFRED ODER

Therapeut

Ich gebe meinem Therapeuten noch ein Jahr, dann fahre ich nach Lourdes.

WOODY ALLEN

Thron

Auch auf dem höchsten Thron sitzt man nur auf seinem Hintern.

MICHEL DE MONTAIGNE

Tiefgang

Wenn Frauen unergründlich erscheinen, liegt es meist an dem geringen Tiefgang der Männer.

KATHARINE HEPBURN

Tier

Der Löwe und das Kalb sollten beieinander liegen, aber das Kalb wird nicht viel Schlaf bekommen.

WOODY ALLEN

Es gibt Zebras, die freiwillig hinter Gittern sitzen, um wie weiße Pferde auszusehen.

STANISŁAW JERZY LEC

Wer die Menschen kennenlernt, liebt die Tiere.

AUS CHINA

Tierfreund

Tierfreund: ein humaner Mensch, der sich freut, wenn der Stier den Torero tötet.

GABRIEL LAUB

Tierliebe

Je jünger, einfacher und frommer die Völker, desto mehr Tierliebe.

JEAN PAUL

Wenn ein Mann einen Tiger umbringt, nennt er das Sport; wenn ein Tiger ihn umbringt, nennt man das Grausamkeit.

GEORGE BERNARD SHAW

Titel

Titel zeichnen den Mittelmäßigen aus, bringen den Hochstehenden in Verlegenheit und werden von Tiefstehenden herabgesetzt.

GEORGE BERNARD SHAW

Tod

Errol Flynn starb in einem siebzig Fuß langen Boot, im Beisein eines siebzehnjährigen Mädchens. Walter hat sich immer gewünscht, so dahinzuscheiden. Aber er wird sich mit einem siebzehn Fuß langen Boot und einer Siebzigjährigen zufriedengeben müssen.

BETSY CRONKITE

Tod

Ich habe einen Horror vor dem Tod. Die Toten sind so schnell vergessen. Aber nach meinem Tod muß man sich einfach an mich erinnern.

EMILY DICKINSON

Tod

Wir trafen Dr. Hall in einem Zustand solch tiefer Trauer an, daß entweder seine Mutter, seine Frau oder er selbst tot sein mußte.

JANE AUSTEN

Tod, Steuern und Geburt – nichts davon kommt je zum richtigen Zeitpunkt.

MARGARET MITCHELL

Der Tod ist das Mittel der Natur, dir zu sagen: Fahr langsamer.

ANONYM

Es gibt schlimmere Dinge im Leben als den Tod. Oder haben Sie noch nie einen Abend mit einem Versicherungsvertreter durchstehen müssen?

WOODY ALLEN

Ich glaube an den Sex und an den Tod – zwei Erfahrungen, die man nur einmal im Leben macht.

WOODY ALLEN

Ich habe keine Angst vor dem Sterben. Ich möchte bloß nicht dabeisein, wenn es passiert.

WOODY ALLEN

Tod

Als ich nach Dublin zurückkehrte, hatte man mich in Abwesenheit vors Kriegsgericht gestellt und mich in Abwesenheit zum Tode verurteilt, daher sagte ich, sie könnten mich auch in Abwesenheit erschießen.

BRENDAN BEHAN

Haare und Nägel wachsen noch drei Tage nach dem Tod weiter – nur mit den Telefonanrufen ist sofort Schluß.

JOHNNY CARSON

Das einzige, was ich bezüglich meines Ablebens wirklich bedauere, ist, daß ich nicht hier sein kann, um all den Blödsinn zu lesen, der über mich geschrieben wird.

NOËL COWARD

Wenn ich gestorben bin, möchte ich in einem Faß Porter verwesen. Aus dem sollte in allen Pubs in Dublin gezapft werden. Bin mal gespannt, ob die erkennen, daß ich's war.

J.P. DONLEAVY

Der Tod ist die günstigste Gelegenheit, reiche Leute zu besteuern.

DAVID LLOYD GEORGE

Es gibt mehr tote als lebendige Menschen, und es werden beständig weniger.

EUGÈNE IONESCO

Tod

Bis an mein Ende trage ich mich mit der Idee, daß ich es bald haben werde.

JEAN PAUL

Ich verabscheue Lebensversicherungs-Vertreter; die behaupten immer, daß ich eines Tages sterben werde – was nicht der Fall ist.

STEPHEN LEACOCK

Seien wir diskret. Fragen wir die Toten nicht danach, ob sie gelebt haben.

STANISŁAW JERZY LEC

Der Sargdeckel ist auf der Seite des Verbrauchers schmucklos.

STANISŁAW JERZY LEC

Daß er starb, ist noch kein Beweis dafür, daß er gelebt hat.

STANISŁAW JERZY LEC

Die Kundschaft des Todes stirbt nicht aus.

STANISŁAW JERZY LEC

Ich glaube an das Ende des organischen Lebens auf Erden – aber nicht an das des organisierten.

STANISŁAW JERZY LEC

Eine der schmerzhaftesten Todesarten ist das Totgeschwiegen-Werden.

ROBERT LEMBKE

Tod

Ein Grab ist doch immer die beste Befestigung wider die Stürme des Schicksals.

GEORG CHRISTOPH LICHTENBERG

Das Sterben kann gar nicht so schwierig sein, denn bisher hat es noch jeder geschafft.

NORMAN MAILER

Entweder der Mann ist tot, oder meine Uhr ist stehengeblieben.

GROUCHO MARX

Ich habe nichts dagegen, daß mich der Tod bei der Gartenarbeit überrascht, aber er soll mich nicht schrecken; und noch weniger soll es mich traurig machen, daß ich mit dem Garten nicht fertig geworden bin.

MICHEL DE MONTAIGNE

Der Tod ist ein schlechter Abschluß vom Leben. Es wäre viel schöner sicherlich: Erst sterben, dann hätte man's hinter sich – und nachher leben …

OTTO REUTTER

Man hat den Eindruck, die meisten Menschen würden lieber sterben als denken – das ist auch wirklich so.

BERTRAND RUSSELL

In der Pause, die man sich angeblich verdient hat, trifft man wahrscheinlich den Tod.

WERNER SCHNEYDER

Tod

Der Gedanke an den Tod ist mittlerweile ein Teil meines Lebens. Jeden Tag lese ich die Todesanzeigen, nur um mich dran zu freuen, daß mein Name nicht dabei ist.

NEIL SIMON

Ich habe keine Angst vor dem Tod. Das Nahen des Todes ist es, wovor mir graust.

OSCAR WILDE

Todesstrafe

Ein Verurteilter ist niemals seinem Galgen gewachsen.

STANISŁAW JERZY LEC

Töten

Es ist so natürlich zu töten. Warum müssen Männer darin noch ausgebildet werden?

JOAN BAEZ

Toleranz

Toleranz lernt man am besten in der Ehe. Unverheiratete Politiker haben davon keine Ahnung.

MARGARET THATCHER

Die Toleranz ist eine kapriziöse Braut. Geht sie hochgeschlossen, zeigt man sich gern mit ihr. Was aber ist, wenn sie Strapse trägt?

ERICH BÖHME

Toleranz ist manchmal Feigheit. Aber Intoleranz deswegen noch kein Zeichen von Mut.

GERLIND FISCHER-DIEHL

Toleranz

Toleranz ist das unbehagliche Gefühl, der andere könne am Ende vielleicht doch recht haben.

ROBERT FROST

Toleranz ist das Vergnügen, dem Leerlauf des politischen Gegners nichts in den Weg zu legen.

WOLFRAM WEIDNER

Torwart

Ein guter Torwart zeichnet sich in erster Linie durch Überschreitung seiner Machtbefugnisse aus.

JEAN PAUL SARTRE

Totschweigen

Nicht alles, was totgeschwiegen wird, lebt.

KARL KRAUS

Tourismus

Der Tourismus ist die Völkerwanderung der Neuzeit.

HALLDÓR LAXNESS

Touristen

Die Touristen sind eine Internationale der Neugierde.

ALBERTO MORAVIA

Touristen sind Leute, die an den Äquator fahren, um nach einer schattigen Stelle zu suchen.

WOLFRAM WEIDNER

Tradition

Tradition ist, auf was du dich berufst, wenn du weder Geld noch Zeit hast, um es richtig zu machen.

KURT HERBERT ADLER

Beim erstenmal spricht man von Zufall, beim zweiten von Statistik, beim drittenmal von Tradition.

KURT BIEDENKOPF

Tradition ist die Behauptung, daß das Gesetz bereits seit uralten Zeiten bestanden habe.

FRIEDRICH NIETZSCHE

Tradition? – Das ist die Gesinnung der Faulen, die Pfützen stehenläßt, weil sie vielleicht noch von der Sintflut herrühren könnten.

BOB SINGLETON

Auch Kannibalismus ist eine Form von Tradition.

HANS-HORST SKUPY

Trägheit

Trägheit: Folgeerscheinung heißer Länder.

GUSTAVE FLAUBERT

Tränen

Tränen sind wie Perlen. Man weiß nie, ob sie echt sind.

AUS INDONESIEN

Träume

Es ist der Traum jeder Frau, der Traum eines Mannes zu sein.

BARBRA STREISAND

Wer einen Traum verwirklichen will, muß erst aufwachen.

ANONYM

Träume sind der Sonntag des Denkens.

HENRI-FRÉDÉRIC AMIEL

Gib acht bei der Wahl deiner Träume. Manchmal gehen Träume nämlich in Erfüllung.

STANISŁAW JERZY LEC

Erzählt nicht von euren Träumen. Vielleicht kommen die Freudianer an die Macht.

STANISŁAW JERZY LEC

Tragödie

Komödien sind für Frauen schwierig, weil die Frau von Natur aus eher zur Tragödie neigt.

CATHÉRINE DENEUVE

Die Tragödie der Wissenschaft: das Erschlagen einer schönen Hypothese durch eine häßliche Tatsache.

THOMAS HENRY HUXLEY

Tragödie: keinen einzigen eigenen Gedanken zu haben und als Intellektueller verfolgt zu werden.

GABRIEL LAUB

Tragödie

Es gibt nur eine einzige echte Tragödie im Leben einer Frau. Die Tatsache, daß ihre Vergangenheit stets ihr Liebhaber und ihre Zukunft unweigerlich ihr Ehemann ist.

OSCAR WILDE

In dieser Welt gibt es nur zwei Tragödien. Die eine ist, nicht zu bekommen, was man möchte, und die andere ist, es zu bekommen.

OSCAR WILDE

Traummann

Es ist besser, dem Traummann im Traum zu begegnen als in der Wirklichkeit. Aus dem Traum kann man immerhin aufwachen.

JEANNE MOREAU

Treiben

Es ist ganz egal, was Sie im Schlafzimmer treiben, solange Sie es nicht auf der Straße tun und die Pferde erschrecken.

MRS. PATRICK CAMPBELL

Trennung

Frauen sind wie Tee – manchmal muß man sie ziehen lassen.

ANONYM

Der einzige solide und dauerhafte Friede zwischen einem Mann und einer Frau ist zweifellos die Trennung.

LORD CHESTERFIELD

Treue

Treue ist Feigheit vor dem Leben.

EVA ZELLER

Treue

Für die partnerschaftliche Beziehung gibt es einen einfachen Test: Wenn einem die Treue Spaß macht, dann ist es Liebe.

JULIE ANDREWS

Treue kann man nicht verlangen. Treue ist ein Geschenk.

LILLI PALMER

Unter Treue verstehen die meisten Männer den Zeitraum zwischen zwei Seitensprüngen.

SYDNE ROME

Fast jede Frau wäre gerne treu. Schwierig ist es bloß, einen Mann zu finden, dem man treu sein kann.

MARLENE DIETRICH

Treue: Tugend, die jenen eigen ist, die alsbald betrogen werden.

AMBROSE BIERCE

In der Liebe und in der Politik ist man treu, wenn man nicht anders kann.

GABRIEL LAUB

Die sogenannte Treue ist oft nichts als Phantasielosigkeit.

ARNOLD MENDELSSOHN

Liebende Frauen verzeihen eher große Zudringlichkeiten als kleine Treulosigkeiten.

LA ROCHEFOUCAULD

Treue

Die Wankelmütigkeit der Frauen, die ich liebe, kann nur von der höllischen Treue der Frauen ausgeglichen werden, die mich lieben.

GEORGE BERNARD SHAW

Junge Leute möchten treu sein und sind es nicht, alte möchten untreu sein und können es nicht.

OSCAR WILDE

Trinken

Einer der Gründe, warum ich nicht trinke, ist, daß ich dabeisein möchte, wenn ich mich amüsiere.

NANCY LADY ASTOR

Irgendein Wiesel hat den Korken aus meinem Mittagessen gezogen.

W. C. FIELDS

Eine Frau brachte mich ans Trinken, und ich besaß nicht mal die Höflichkeit, ihr dafür zu danken.

W. C. FIELDS

Die Freundschaft, die der Wein gemacht, wirkt, wie der Wein, nur eine Nacht.

FRIEDRICH VON LOGAU

Ich trinke, damit die anderen Leute interessanter werden.

GEORGE JEAN NATHAN

Trinken

Egal wie das Wetter ist, ich sage immer: Raus aus den nassen Klamotten und rein in 'nen trockenen Martini.

BILLY WILDER

Trinker

Ein Trinker hat ein Loch unter der Nase, in welches sein ganzes Geld fließt.

THOMAS FULLER

Trinker sind Menschen, die sich mit Alkohol über Wasser halten.

WERNER MITSCH

Trottel

Trottel: Alle, die nicht so denken wie Sie.

GUSTAVE FLAUBERT

Trunkenheit

Ich habe Leute gekannt, die haben heimlich getrunken und sind öffentlich besoffen gewesen.

GEORG CHRISTOPH LICHTENBERG

Wen sein Schicksal heißt ertrinken, darf drum nicht ins Wasser sinken: Alldieweil ein deutscher Mann auch im Glas ersaufen kann.

FRIEDRICH VON LOGAU

Truthahn

Wenn Truthähne erwachsen werden, dann denken sie an Schwäne.

JOHNNY CARSON

Tugend

Es ist oft schwieriger, seine Tugenden einzugestehen als seine Untugenden zu verbergen.

JACQUELINE BISSET

Die weibliche Tugend ist die größte Erfindung der Männer.

CORNELIA O. SKINNER

Die meisten guten Frauen sind verborgene Schätze, die nur deshalb sicher sind, weil niemand nach ihnen sucht.

DOROTHY PARKER

Die Tugend wäre eine ziemlich einfache Sache, wenn man sie nicht dauernd üben müßte.

SHARON STONE

So mancher meint ein gutes Herz zu haben und hat nur schwache Nerven.

MARIE VON EBNER-ESCHENBACH

Mir sind die liebenswürdigen Fehler angenehmer als die unausstehlichen Tugenden.

WINSTON CHURCHILL

Hüte dich vor der Tugend, die zu besitzen ein Mensch von sich selber rühmt.

MARIE VON EBNER-ESCHENBACH

Unsere Tugenden sind meist die Bastarde unserer Laster.

FRIEDRICH HEBBEL

Tugend

Wer zur Geilheit neigt, ist mitleidig und voll Erbarmen: die zur Reinheit neigen, sind es nicht.

JOHANNES KLIMAKOS

Tugend und Laster sind verwandt wie Kohle und Diamant.

KARL KRAUS

Schönheit vergeht, weil Tugend besteht.

KARL KRAUS

Ein »feiner Mensch« – was ist das in 999 von 1000 Fällen? Ein ordinärer Kerl, der sich nicht traut.

ANTON KUU

Viele Deutsche sehen die Tugend mehr im Bereuen der Fehler als im Vermeiden.

GEORG CHRISTOPH LICHTENBERG

Alle Tugend aus Vorsatz taugt nicht viel. Gefühle oder Gewohnheit ist das Ding.

GEORG CHRISTOPH LICHTENBERG

Ich habe die Erfahrung gemacht, daß Leute ohne Schwächen auch Leute ohne Tugenden sind.

ABRAHAM LINCOLN

Die Nächstenliebe wäre leichter, wenn das Nächste nicht so nahe wäre.

NORMAN MAILER

Tugend

»Vergib uns unsere Tugenden« – so sollte man zu Menschen beten.

FRIEDRICH NIETZSCHE

Die Tugend ist eine Eigenschaft, die nie so angesehen war wie das Geld.

MARK TWAIN

Tun

Wenn du willst, daß etwas gesagt wird, frage einen Mann. Wenn du willst, daß etwas getan wird, frage eine Frau.

MARGARET THATCHER

Wenn ich gesehen habe, daß etwas getan werden muß, habe ich es getan.

NELLIE CASHMAN

Turnen

Beim Turnen trage ich nur Schwarz und Diamanten.

DONATELLA VERSACE

Tyrannei

Am Ausgang jeder Anarchie wartet ungeduldig die Tyrannei.

LESZEK KOLAKOWSKI

Die Geschichte der Frauen ist die Geschichte der übelsten Form von Tyrannei, die die Welt gekannt hat. Die Tyrannei der Schwachen über die Starken. Es ist die einzige Tyrannei von Dauer.

OSCAR WILDE

U

Übel

Von zwei Übeln sollte man grundsätzlich das hübschere wählen.

WARREN BEATTY

Übergewicht

Die Fetten leben kürzer. Aber sie essen länger.

STANISŁAW JERZY LEC

Überraschung

Ich würde eher eine böse Überraschung riskieren, als mich nur immer auf das zu verlassen, was ich kann.

HELEN FRANKENTHALER

Überschätzung

Die Überschätzung eines Menschen kann von allem Luxus der teuerste sein.

HANS ARNDT

Übersetzung

Er übersetzte aus dem Deutschen in eine ihm ebenfalls unbekannte Sprache.

KARL KRAUS

Übersinnlichkeit

Okkultismus ist die Metaphysik der dummen Kerle.

THEODOR W. ADORNO

Übersinnliches

Wo's dunkel wird, beginnt das Okkulte.

ANTON KUH

Überzeugung

Männer kann man überreden, Frauen muß man überzeugen.

BARBRA STREISAND

Die schwerste Aufgabe im Leben einer Frau ist es, den Mann davon zu überzeugen, daß er es ernst meint.

HELEN ROWLAND

Üble Nachrede

Üble Nachrede ist die Erleichterung der Boshaftigkeit.

JOSEPH JOUBERT

Uhr

Die Uhr schlägt. Alle.

STANISŁAW JERZY LEC

Umgangsform

Wenn ich irgend etwas bereue, so mein gutes Benehmen.

HENRY DAVID THOREAU

Umsatz

Unsere Zeit kennt keinen schöneren Satz als den Umsatz.

HELLMUT WALTERS

Umstände

Das Problem mit jeder Anpassung an die Umstände ist nur, daß letztere sich mit der Zeit ändern.

PAUL WATZLAWICK

Umweg

Um nicht auf der Strecke zu bleiben, muß man gelegentlich vom Wege abkommen.

CARLHANS DAMM

Umwelt

Die Umsicht ist mehr als die Sicht. Bei der Welt ist das anders.

WERNER SCHNEYDER

Umweltschutz

In spätestens zehn Jahren haben wir 30 verschiedenfarbige Mülltonnen – da wird dann Goethes Farbenlehre nicht mehr ausreichen.

ACHIM BALLERT

Solange noch ein Mensch lebt, hat der Umweltschutz wenig Chancen.

OLIVER HASSENKAMP

Wir haben keinerlei Betroffenheits-Bedenken dem Fällen von Bäumen gegenüber. Es ist wesentlich einfacher, ein Stück Wild über einen schönen Golfplatz hinweg zu erlegen als im dichten Gehölz.

P. J. O'ROURKE

Umweltverschmutzung

Auch Müll im Kopf ist Umweltverschmutzung.

ULRICH WICKERT

Unabhängigkeit

Ich war immer unabhängig. Und ich glaube nicht, daß diese Tatsache im Widerspruch zur Weiblichkeit steht.

SYLVIE PORTER

Unbescheiden

Unbescheiden: Versehen mit einem starken Empfinden für die eigenen Verdienste, verbunden mit schwachen Vorstellungen vom Wert anderer.

AMBROSE BIERCE

Unbeständigkeit

Nichts auf der Welt ist beständig außer der Unbeständigkeit.

JONATHAN SWIFT

Unbestechlichkeit

Man müßte sich die Unbestechlichkeit bezahlen lassen können.

WERNER SCHNEYDER

Unentschlossen

Er war meist ziemlich unentschlossen, aber jetzt ist er nicht ganz sicher.

PETER ALLISS

Unfall

Wieviele Menschen sterben bei Unfällen, nur weil sie ihren Regenschirm nicht loslassen wollten.

PAUL VALÉRY

Ungerechtigkeit

Die Männer sind ungerecht: Sie sehen immer nur den Baum, gegen den eine Frau gefahren ist – aber die vielen Bäume, die sie nicht einmal gestreift hat, die sehen sie nicht.

LISA GASTONI

Ungewißheit

Es gibt drei Dinge, die man anfängt, ohne zu wissen, wie sie enden: eine Revolution, eine Karriere und eine Liebe.

MAX OPHÜLS

Unglück

Es ist ein großes Unglück, wenn man weder genug Geist hat, um zu reden, noch genug Urteilskraft, um zu schweigen.

JEAN DE LA BRUYÈRE

Wir alle sind stark genug, das Unglück anderer zu ertragen.

LA ROCHEFOUCAULD

Unheil

Wer Unheil ausbrütet, will es auch fliegen lassen.

WILHELM RAABE

Universitäten

Universitäten sind die Kathedralen der Neuzeit. Sie sollten ihre Existenz nicht durch Brauchbarkeitsnachweise rechtfertigen müssen.

DAVID LODGE

Universum

Mich erstaunen Menschen, die das Universum begreifen wollen, wo es doch schon schwierig genug ist, sich in Chinatown zurechtzufinden.

WOODY ALLEN

Unmoral

Wenn ich mich zwischen zwei Schlechtigkeiten entscheiden muß, dann begehe ich die, die ich vorher noch nie ausprobiert habe.

MAE WEST

Unmoral ist die Moral derer, die sich amüsieren.

HENRY LOUIS MENCKEN

Unnütz

Im Grunde ist nur das Unnütze von Dauer.

KARL HEINRICH WAGGERL

Unrecht

Wenn ein Mann alt genug ist, unrecht zu tun, sollte er auch alt genug sein, recht zu tun.

OSCAR WILDE

Unruhe

Unruhe: die erste Bürgerpflicht.

GUIDO HILDEBRANDT

Unschuld

Es gibt Frauen, die von Jahr zu Jahr unschuldiger werden.

GRETA GARBO

Auch Unschuld ist Übungssache.

ANONYM

Unsittlichkeit

Was ist Unsittlichkeit? Was sich das schlechte Gewissen zu einem natürlichen Vorgang ausdenkt.

ANTON KUH

Unsterblichkeit

Viele Menschen sehnen sich nach Unsterblichkeit. Dabei wissen sie nicht einmal, was sie an einem verregneten Sonntagnachmittag mit sich anfangen sollen.

SUSAN ERTZ

Ich will Unsterblichkeit nicht durch mein Werk erreichen. Ich will sie erreichen, indem ich nicht sterbe.

WOODY ALLEN

Unsterblichkeit

Jung zu sterben ist keine Garantie für Unsterblichkeit, doch es hilft.

HUMPHREY BOGART

Unsterbliche pflegen die größten Grabmäler zu haben.

MILOVAN ILIĆ

Die Unsterblichkeit ist das einzige, was keinen Aufschub verträgt.

KARL KRAUS

Unstetigkeit

Die stabilste menschliche Eigenschaft ist die Unstetigkeit.

GABRIEL LAUB

Unterdrückung

Jegliche Unterdrückung schafft eine Art Kriegszustand.

SIMONE DE BEAUVOIR

Unterhaltung

Eine Klatschbase erzählt Ihnen von anderen, ein Langweiler spricht nur über sich selbst, und ein brillanter Unterhalter redet mit Ihnen über Sie.

LISA KIRK

Meine liebste Unterhaltung am Samstagabend ist es, im Sessel zu sitzen und darauf zu warten, welches Bein zuerst einschläft.

BOB HOPE

Unterhaltung

Manche Leute kann man nur unterhalten, indem man ihnen zuhört.

KIM HUBBARD

Unterhaltung nennt man alles, was unter der Ebene von Haltung möglich ist.

WERNER SCHNEYDER

Unternehmen

Ein Unternehmen ist der verlängerte Schatten eines Mannes.

RALPH WALDO EMERSON

Mein Unternehmen soll so bleiben, wie es ist – nur größer.

MARK WÖSSNER

Unternehmer

Manche halten den Unternehmer für einen räudigen Wolf, den man totschlagen müsse; andere meinen, er sei eine Kuh, die man ununterbrochen melken könne; nur wenige sehen in ihm ein Pferd, das den Karren zieht.

WINSTON CHURCHILL

Unteroffizier

Die kleinsten Unteroffiziere sind die stolzesten.

GEORG CHRISTOPH LICHTENBERG

Unterschied

Es besteht ein großer Unterschied zwischen einem wilden und einem zivilisierten Mann, aber bis nach dem Frühstück fällt einer Frau das nicht auf.

HELEN ROWLAND

Unterschied

Männer sind im allgemeinen gesetzestreuer als Frauen. Frauen haben das Gefühl, da die Gesetze ja nicht von ihnen stammen, daß sie sie nicht unbedingt befolgen müssen.

DIANE JOHNSON

Abgesehen von den Geschlechtsorganen, den sekundären Geschlechtsmerkmalen und den Eigenheiten des Orgasmus gibt es keine wirklichen Unterschiede zwischen Mann und Frau.

KATE MILLETT

Wie lächerlich gering ist der Unterschied zwischen Mann und Frau: Von achtundvierzig Chromosomen unterscheidet sich nur eines.

GERMAINE GREER

Es ist ein großer Unterschied, ob jemand beschlagen oder bekloppt ist.

ANONYM

Der Unterschied zwischen geliefert haben und geliefert sein ist hauchdünn.

ANONYM

Untertan

Der beste Untertan ist nicht der beste Patriot.

WILLY BRANDT

Unterwürfigkeit

Umgang mit Zwergen krümmt das Rückgrat.

STANISŁAW JERZY LEC

Untreue

Ehemänner sind vor allem dann gute Liebhaber, wenn sie ihre Frauen betrügen.

MARILYN MONROE

Unvermögen

Wer nicht tanzen kann, der schimpft auf die Musikkapelle.

HEINER GEISSLER

Unvernunft

Kein Mann ist imstande, die weibliche Vernunft zu begreifen. Deshalb gilt sie als Unvernunft.

ELEONORA DUSE

Die Vernünftigen existieren, die Unvernünftigen leben.

MICHEL PICCOLI

Unverständlichkeit

Unverständlichkeit ist noch lange kein Beweis für tiefe Gedanken.

MARCEL REICH-RANICKI

Unwiderstehlich

Wenn ein Mann sich für unwiderstehlich hält, liegt es oft daran, daß er nur dort verkehrt, wo kein Widerstand zu erwarten ist.

FRANÇOISE SAGAN

Unwissenheit

Unwissende werfen Fragen auf, welche von Wissenden vor tausend Jahren schon beantwortet sind.

JOHANN WOLFGANG VON GOETHE

Unwissenheit

Wissen Sie, jeder ist unwissend, nur die Themen unterscheiden sich.

WILL ROGERS

Der Weg zur Unwissenheit ist gepflastert mit guten Büchern.

GEORGE BERNARD SHAW

Urlaub

Im Urlaub trifft man keine Menschen – nur Urlauber oder Personal.

GABRIEL LAUB

Urlaub – Extravakanz.

HANS-HORST SKUPY

Urlaub: Wer rastet, röstet.

GERHARD UHLENBRUCK

Ein Urlaub ist das, was man nehmen sollte, nachdem man es genommen hat.

BERNHARD WICKI

Urlaubsfreundschaften und Pilzgerichte solll man nicht aufwärmen.

BERNHARD WICKI

Urteil

Auch Urteile können mit der Axt gefällt werden.

BEAT SCHMID

USA

Die USA sind ein Land, das direkt von der Barbarei zu Dekadenz gekommen ist, ohne jemals die Zivilisation gekannt zu haben.

ALBERT EINSTEIN

Utopien

Bei Utopien wurde immer zuerst die Seele gesucht, und am Ende blieb der Körper auf der Strecke.

DURS GRÜNBEIN

Utopie ist ein verzweifelter Versuch, die Realität, die keine Zukunftschancen hat, zu retten, indem man ihr irrelle bietet.

GABRIEL LAUB

Die Summe der Winkel, nach denen ich mich sehne, ist gewiß größer als 360 Grad.

STANISŁAW JERZY LEC

Wer den Himmel auf Erden sucht, hat im Erdkundeunterricht geschlafen.

STANISŁAW JERZY LEC

Utopien sind künftige Wirklichkeiten, deren Eintritt wir erhoffen oder befürchten.

LOTHAR SCHMIDT

V

Väter

Sicherlich ist ein idealer Vater besser als gar keiner, aber viele Väter sind so wenig ideal, daß ihr Nichtvorhandensein für das Kind ein positiver Vorteil wäre.

BERTRAND RUSSELL

Der grundlegende Fehler von Vätern besteht darin, von ihren Kindern zu erwarten, daß sie ihnen Ehre machen.

BERTRAND RUSSELL

Viele Väter haben Kinder, aber nicht alle Kinder haben Väter.

AUS MEXIKO

Väter und Söhne

Die Söhne essen die Früchte, die Väter rutschen auf den Schalen aus.

AUS ARABIEN

Die Söhne streuen in den Wind, was die Väter angesammelt haben.

AUS DER MONGOLEI

Ein kluger Sohn macht dem Vater Freude, ein dummer ist der Kummer der Mutter.

AUS RUSSLAND

Vagina

Wenn Sie eine Vagina haben und eine eigene Meinung, dann ist das eine tödliche Kombination.

SHARON STONE

Vakuum

Ein Vakuum füllt sich immer, und sei es mit Mist.

AUGUST EVERDING

Vater

Kein Mensch ist für seinen Vater verantwortlich. Das ist einzig und allein Sache der Mutter.

MARGARET TURNBULL

Drei Jahre war der Vater Punk – jetzt rockt er wieder: Gott sei Dank!

ANONYM

Ich kam bloß bis zur dritten Klasse, weil mein Vater nur die vierte geschafft hatte, und ich ihn nicht überholen wollte.

DIZZY DEAN

Vielleicht ist noch nie ein Vater gewesen, der nicht irgend einmal sein Kind für etwas Originales gehalten hat.

GEORG CHRISTOPH LICHTENBERG

Wenn man keinen guten Vater hat, so soll man sich einen anschaffen.

FRIEDRICH NIETZSCHE

Vater Als ich ein Junge von vierzehn war, verhielt sich mein Vater so überheblich, daß ich es kaum aushalten konnte, mit ihm zusammenzusein. Als ich einundzwanzig wurde, war ich doch erstaunt, was der alte Mann in sieben Jahren dazugelernt hatte.

MARK TWAIN

Der pädagogische Vater vermittelt seiner Frau das Gefühl, ein Monster zu sein, wenn sie ihrem Kind nicht jeden Abend eine Stunde lang vorliest, flüchtet aber verständlicherweise vor seinen acht bis zehn Kindern in die Arme einer anderen.

KATHARINE WHITEHORN

Wenn du lebst, ohne Vater geworden zu sein, wirst du sterben, ohne ein Mensch gewesen zu sein.

AUS RUSSLAND

Vaterland Ehe du für dein Vaterland sterben willst, sieh dir's erst mal genauer an.

ARNO SCHMIDT

Vaterlandsliebe Vaterlandsliebe kennt keine (fremden) Grenzen.

STANISŁAW JERZY LEC

Vegetarier Ein Vegetarier ist jemand, der nichts ißt, das Kinder haben kann.

DAVID BRENNER

Verachtung

Wer sich selbst verachtet, achtet sich doch immer noch dabei als Verächter.

FRIEDRICH NIETZSCHE

Verabredung

Wenn ein Mann zu einer Verabredung geht, überlegt er sich, ob er wohl glücklich werden wird. Eine Frau weiß es bereits vorher.

FREDERIKE RYDER

Veränderung

Die Erde wird bloß von Menschen verändert, die nicht von ihr verändert werden.

JEAN PAUL

Verantwortung

Verantwortung ist die einzige Kompetenz, die eine Behörde freiwillig abgibt.

WOLFRAM WEIDNER

Verbot

Wo das Lachen verboten ist, ist gewöhnlich auch das Weinen nicht gestattet.

STANISŁAW JERZY LEC

Verbrecher

Jede Zeit hat die Verbrecher, die sie verdient.

GUSTAV RADBRUCH

Verdacht

Wenn ein verheirateter Mann, der sich in Modefragen bisher von seiner Frau beraten ließ, seine Sachen plötzlich selbst kauft, ist das äußerst verdächtig.

VIVIEN LEIGH

Verdienst

Ich habe mein Geld verdient – bis ich meine Unterhosen auszog.

SALLY RAND

Verdorbenheit Wer in schönen Dingen häßliche Absichten entdeckt, ist verdorben, ohne reizvoll zu sein. Das ist ein Fehler.

OSCAR WILDE

Verehrung Verehrung ist tiefgekühlte Liebe.

FRANÇOISE SAGAN

Vererbung Vererbung ist das, woran Eltern glauben, die ein kluges Kind haben.

ANONYM

Verfassung Der Mensch ist das einzige Tier, das lacht und eine Staatsverfassung hat.

SAMUEL BUTLER

Die Verfassung eines Staates sollte so sein, daß sie die Verfassung des Bürgers nicht ruiniere.

STANISŁAW JERZY LEC

Verführer Wenn alle Frauenverführer wüßten, wie oft sie selbst die Verführten sind, wären sie sehr kleinlaut.

JEANNE MOREAU

Es ist oft schwierig, Verführung von Vergewaltigung zu unterscheiden. Bei der Verführung macht sich der Vergewaltiger die Mühe, vorher eine Flasche Wein zu kaufen.

ANDREA DWORKIN

Verführung

Das sicherste Mittel gegen die Verführung ist, ihr zu erliegen.

MARQUISE DU DEFFAND

Jede Frau ist imstande, mit den Lippen nein zu sagen und mit dem Rest ja.

MARCELLO MASTROIANNI

Man kann davon ausgehen, daß jede Frau verführt werden möchte und sich trotzdem dagegen sträubt, in der Hoffnung, daß ihr das nichts nützen wird.

MARCELLO MASTROIANNI

Alle großen Verführer wissen, daß man Frauen erst die Augen öffnen muß, damit sie sie schließen können.

HENRY MILLER

Vergangenheit

Die Vergangenheit sollte ein Sprungbrett sein, kein Sofa.

HAROLD MACMILLAN

Vergessen

Es ist viel besser, zu vergessen und zu lächeln, als sich zu erinnern und traurig zu sein.

CHRISTINA ROSSETTI

Manchmal braucht man viele Menschen, um einen einzigen zu vergessen.

FRIEDL BEUTELROCK

Vergessen

Wie übt man das Gedächtnis, um vergessen zu lernen?

STANISŁAW JERZY LEC

Ich vergesse nie ein Gesicht – bei dir wäre ich allerdings froh, eine Ausnahme machen zu können.

GROUCHO MARX

Vergewaltigung

Männer sind nichts weiter als Vergewaltiger. Sie vergewaltigen uns mit ihren Augen, ihren Gesetzen und ihrem Ehrenkodex.

MARILYN FRENCH

Vergnügen

Das zweitgrößte Vergnügen nach der Liebe ist: davon zu sprechen.

LOUISE LABÉ

Neun von zehn Frauen hätten lieber einen Mann, der ihnen in einem Nachtclub heimlich unterm Tisch ans Knie faßt, als einen rauhbeinigen Kerl, der ihnen samstags im Fußballstadion kameradschaftlich auf den Rücken klopft.

MARJORIE PROOPS

Man sollte sich keinen Spaß verkneifen, nur um dann zwei Jahre mehr in einem Altersheim in Weston-super-Mare genießen zu können.

KINGSLEY AMIS

Vergnügen

Das größte Vergnügen im Leben besteht darin, das zu tun, von dem die Leute sagen, du könntest es nicht.

WALTER BAGEHOT

Wer immer in Liebesdingen bewandert war, hat es sich zur Maxime gemacht, daß ein kurzer Spaß in Kleidern das Vergnüglichste ist.

ABBÉ PIERRE DE BOURDEILLE

Das Vergnügen ist wie eine Lebensversicherung: Je älter man ist, desto teurer wird es.

KIM HUBBARD

Manches Vergnügen besteht darin, daß man mit Vergnügen darauf verzichtet.

DETLEV VON LILIENCRON

Das Vergnügen wäre unvollkommen ohne jene, die darüber meckern.

PETER SELLERS

Vergrößerung

Jahrhundertelang waren Frauen ein Vergrößerungsspiegel, der es den Männern ermöglichte, sich selbst in doppelter Lebensgröße zu sehen.

VIRGINIA WOOLF

Verheiratet

Glücklich verheiratet kann man nur dann sein, wenn man getrennt voneinander lebt.

SHIRLEY MAC LAINE

Verhütung

Wir wollen weitaus bessere Gründe dafür, Kinder zu kriegen, als daß man nicht weiß, wie man es verhindert.

DORA RUSSELL

Verkehr

Pferdestärken waren eine wunderbare Sache, als nur Pferde sie hatten.

ANONYM

Unsere Verkehrspolitik schaut nicht weit nach vorne, sondern oft nur auf die Kühlerhaube.

FREDERIC VESTER

Verkommenheit

Verkommenheit: Etappe auf dem Weg des sozialen und moralischen Fortschritts vom Privatmann zum Spitzenpolitiker.

AMBROSE BIERCE

Man verkommt nicht nur nach unten, auch nach oben, auch nach oben.

JOACHIM GÜNTHER

Verläßlichkeit

In mir habt ihr einen, auf den könnt ihr nicht bauen.

BERTOLT BRECHT

Die beste Möglichkeit, Wort zu halten, ist, es nicht zu geben.

NAPOLEON BONAPARTE

Verleger

Unterdrückte Sadisten werden gewöhnlich Polizisten oder Schlachter. Menschen mit einer irrationalen Angst vor dem Leben werden Verleger.

CYRIL CONNOLLY

Der Verleger schielt mit einem Auge nach dem Schriftsteller, mit dem anderen nach dem Publikum. Aber das dritte Auge, das Auge der Weisheit, blickt unbeirrt ins Portemonnaie.

ALFRED DÖBLIN

Einige Verleger sind verkrachte Dichter, genauso wie die meisten Dichter.

T. S. ELIOT

Es ist leicht, Verleger zu werden, aber schwer, einer zu bleiben.

MICHAEL JOSEPH

Verleumdung

Die Verleumdung gleicht der Wespe, die uns belästigt und gegen die man sich nur wehren soll, wenn man sicher ist, sie zu töten, sonst kehrt sie nur um so wütender zum Angriff zurück.

NICOLAS CHAMFORT

Verleumdungen, die kein Gehör finden, zerfressen die Zunge.

PETER HILLE

Verliebtsein

Im Frühjahr sich verlieben, im Sätsommer das Ziel seiner Wünsche erreichen – so ist's am schönsten.

SÖREN KIERKEGAARD

Mancher findet sein Herz nicht eher, bis er seinen Kopf verliert.

FRIEDRICH NIETZSCHE

Verliebte sehen in der Welt nur sich, doch sie vergessen, daß die Welt sie sieht.

AUGUST VON PLATEN

Was bedeutet alles Schöne, wenn man es nicht mit den Augen dessen sehen kann, den man liebt?

ROMAIN ROLLAND

Von dem Augenblick an, da er liebt, sieht auch der klügste Mann kein Ding mehr, wie es wirklich ist.

HENRI BEYLE STENDHAL

Von der Verliebtheit: Von ihr nichts zu bekommen, ist immer noch hübscher, als mit einer anderen zu schlafen!

KURT TUCHOLSKY

Um sich zu verlieben, muß man gerade anfällig dafür sein – wie bei einer Krankheit.

NANCY MITFORD

Verliebtsein

Man braucht jemanden, der einen liebt, derweil man nach jemandem Ausschau hält, in den man sich verlieben kann.

SHELAG DELANEY

Wenn Sie über zwei Jahre verliebt sein können, sind Sie abhängig.

FRAN LEBOWITZ

Ich könnte ihm im Unterhemd um die ganze Welt folgen.

MARIA STUART

Liebe ist eine explodierende Zigarre, die wir bereitwillig rauchen.

LYNDA BARRY

Wenn man verliebt ist, ist jedes Wetter wunderbar.

MARGARET MILLAR

Verliebe Frauen haben die Gabe, Worte zu hören, die gar nicht gesagt worden sind.

ISA MIRANDA

Einem verliebten Mann fehlt etwas, solange er nicht verheiratet ist. Dann ist es mit ihm vorbei.

ZSA ZSA GABOR

Nur eine verliebte Frau bringt es fertig, einen Mann zu durchschauen, ohne ihn anzublicken.

KIM NOVAK

Verliebtsein

Wenn der Mensch verliebt ist, zeigt er sich so, wie er immer sein sollte.

SIMONE DE BEAUVOIR

Verlobung

Ich bin nicht für lange Verlobungen. Sie geben den Leuten Gelegenheit, vor der Ehe einer des anderen Charakter zu ergründen, was ich nie und nimmer für ratsam halte.

OSCAR WILDE

Verlust

Die Menschen verlieren zuerst ihre Illusionen, dann ihre Zähne und ganz zuletzt ihre Laster.

HANS MOSER

Vermögen

Es ist eine allgemein anerkannte Tatsache, daß ein alleinstehender Mann im Besitz eines ansehnlichen Vermögens nichts dringender bedarf als einer Frau.

JANE AUSTEN

Vermutung

Die Vermutung einer Frau ist viel genauer als die Gewißheit eines Mannes.

RUDYARD KIPLING

Vernunft

Kein Mann ist imstande, die weibliche Vernunft zu begreifen. Deshalb gilt sie als Unvernunft.

ELEONORA DUSE

Ich werde nicht auf die Vernunft hören. Vernunft bezieht sich immer auf das, was andere meinen.

ELIZABETH GASKELL

Vernunft

Vernunft verhält sich zum Verstande wie ein Kochbuch zu einer Pastete.

LUDWIG BÖRNE

Es ist besser, Deiche zu bauen, als darauf zu hoffen, daß die Flut allmählich Vernunft annimmt.

GERHARD CZERWENSKY

Auf die Dauer kann der Vernunft und der Erfahrung nichts widerstehen.

SIGMUND FREUD

Vernunft und Einbildungskraft haben bei ihm in einer sehr unglücklichen Ehe gelebt.

GEORG CHRISTOPH LICHTENBERG

Es gibt Leute, die glauben, alles wäre vernünftig, was man mit einem ernsthaften Gesicht tut.

GEORG CHRISTOPH LICHTENBERG

Die Vernunft, das ist so etwas wie ansteckende Gesundheit.

ALBERTO MORAVIA

Die Vernunft ist immer republikanisch, aber die Menschen scheinen, wenn man die Synopse ihrer Geschichte nimmt, doch durchaus zum Despotismus geboren.

JOHANN GOTTFRIED SEUME

Verschwendung In der Liebe, laß dir sagen, ist ein Zuviel nicht einmal ein Genug.

PIERRE A. BEAUMARCHAIS

Liebe ist das einzige, was wächst, wenn wir es verschwenden.

RICARDA HUCH

Versicherungsgesellschaft Man kann den Versicherungsgesellschaften manches vorwerfen. Aber schadenfroh sind sie nicht.

WERNER MITSCH

Verspätung Wenn er zu spät zum Abendessen kommt, weiß ich, daß er entweder eine Affäre hat oder tot auf der Straße liegt. Ich hoffe immer, daß es die Straße ist.

JESSICA TANDY

Versprechen Es ist leichter den Mund zu halten als ein Versprechen.

ANONYM

Viele Versprechen werden eher faul als reif.

PAJO KANIŽAJ

Verstand Männer fürchten sich vor dem Verstand ihrer Frauen – und dann gehen sie hin und beklagen sich, von ihren Frauen nicht verstanden zu werden.

JEANNE MOREAU

Verstand

Ich habe einen Verstand und eine Gebärmutter. Und ich benutze beides.

PATRICIA SCHROEDER

Wenn Gott aber doch gewollt hat, daß wir mit unseren Bäuchen denken, warum hat er uns dann den Verstand gegeben?

CLARE BOOTH LUCE

Es gibt keinen weiblichen Verstand. Das Gehirn ist kein Geschlechtsorgan. Man spricht ja auch nicht von einer weiblichen Leber.

CHARLOTTE PERKINS GILMAN

Wer über gewisse Dinge den Verstand nicht verliert, der hat keinen zu verlieren.

GOTTHOLD EPHRAIM LESSING

Man kann sehr viel gelesen haben und wenig Verstand zeigen.

GEORG CHRISTOPH LICHTENBERG

Jedermann klagt über sein schlechtes Gedächtnis und niemand über seinen schlechten Verstand.

LA ROCHEFOUCAULD

Frauen, die gesunden Menschenverstand besitzen, sind merkwürdigerweise so häßlich.

OSCAR WILDE

Versteckenspielen

Kinder spielen gern Verstecken, ohne zu ahnen,wie gut sie sich damit auf das Leben vorbereiten.

GERHARD UHLENBRUCK

Verstehen

Alle Männer tun zuerst, als ob sie uns verstünden. Nichts als Schwindel, denn wir verstehen uns nicht einmal selber.

ESTHER WILLIAMS

Ein Mann fühlt sich erst dann von einer Frau verstanden, wenn sie ihn bewundert.

KIM NOVAK

Ich glaube an den Unterschied zwischen Mann und Frau. Tatsächlich liebe ich diesen Unterschied.

ELIZABETH TAYLOR

Eine Frau braucht nur einen Mann gut zu kennen, um alle Männer zu verstehen, während ein Mann alle Frauen kennen könnte und nicht eine von ihnen verstehen würde.

HELEN ROWLAND

Verstellung

Wenn man sich verstellt, rebelliert der ganze Körper.

ANAÏS NIN

Alle Menschen schauspielern. Auf das Repertoire kommt es an.

STANISŁAW JERZY LEC

Versuchung

Frauen warten auf die Versuchung, Männer gehen ihr entgegen.

CATHERINE SPARK

Eine Versuchung ist dazu da, daß man ihr nachgibt.

MADONNA

Führe mich nicht in Versuchung. Ich finde den Weg allein.

RITA MAE BROWN

Versuchungen sind wie Vagabunden: Wenn man sie freundlich behandelt, kommen sie wieder und bringen andere mit.

MARK TWAIN

Ich kann allem widerstehen, außer der Versuchung.

OSCAR WILDE

Vertrag

Eine mündliche Vereinbarung ist das Papier nicht wert, auf das sie geschrieben wurde.

SAM GOLDWYN

Verträge werden von Juristen für Juristen gemacht, damit die Laien merken, daß man ohne Juristen nicht auskommt.

JEAN PAUL GETTY

Vertrauen

Vertrauen wird dadurch erschöpft, daß es in Anspruch genommen wird.

BERTOLT BRECHT

Vertrauen

Der höchste Vertrauensbeweis unter Männern: dem Freund den Sportwagen zu leihen. Ob die Frau drinsitzt oder nicht, ist fast schon nebensächlich.

EDNA GRACE

Vertrauen ist das Gefühl, einem Menschen sogar dann glauben zu können, wenn man weiß, daß man an seiner Stelle lügen würde.

HENRY LOUIS MENCKEN

London ist voll von Frauen, die ihren Männern vertrauen. Man kann sie stets erkennen: Sie sehen alle ganz unglücklich aus.

OSCAR WILDE

Wer Glauben schenkt, ist ihn los.

STANISŁAW JERZY LEC

Verwaltung

Treffen Einfalt und Gründlichkeit zusammen, entsteht Verwaltung.

OLIVER HASSENCAMP

Was gibt uns die Verwaltung? Die Verwaltung gibt uns zu denken.

LOTHAR SCHMIDT

Verwandtschaft

Es ist eine traurige Wahrheit, daß selbst große Männer ihre armen Verwandten haben.

CHARLES DICKENS

Verwandtschaft	Der Haß unter Verwandten ist der stärkste. TACITUS
	Einmal in der Woche mit den eigenen Verwandten zu speisen genügt vollauf. OSCAR WILDE
	Ich verabscheue meine Verwandten. Das kommt vermutlich daher, daß unsereins es nicht ausstehen kann, wenn andere Leute dieselben Fehler haben wie wir. OSCAR WILDE
Verwechslung	Verwechsle nicht die Freude am Gefallen mit dem Glück der Liebe. COCO CHANEL
Verwöhnung	Es besteht keine Gefahr, zu verwöhnt zu sein, so lange man seine Wäsche selber bügelt. MERYL STREEP
Verzeihung	Wenn eine Frau ihrem Mann einmal verziehen hat, darf sie ihm seine Sünden nicht immer wieder zum Frühstück aufgewärmt servieren. MARLENE DIETRICH
Verzweiflung	Wer verzweifelt, ist ein verdammter Narr. MAE WEST

Vierzig Man darf die vierziger Jahre nicht wie ein Verhängnis erwarten. Manche Frauen ziehen sich Anfang Vierzig schon vom Kriegsschauplatz zurück.

SIMONE SIGNORET

Das Schöne daran, vierzig zu sein, ist, daß man fünfundzwanzigjährige Männer viel mehr zu schätzen weiß.

COLLEEN McCULLOUGH

Violine Musik verbindet Völker. Violinunterricht entzweit Nachbarn.

HANS-HORST SKUPY

Virtuos Virtous – blendwerklich.

ELAZAR BENYOËTZ

Visionäre Schriftsteller, die ihrem Weltbild sprachlich nicht gewachsen sind, nennt man in Deutschland Seher.

GOTTFRIED BENN

Volk Ein betäubter Haufen, dessen Reden artikuliertes Schnarchen ist.

JEAN PAUL

Vorbild Bei sterilen Vorbildern besteht keine Ansteckungsgefahr.

ULF ANNEL

Vorbild

Es gibt nur wenige Dinge, denen man schlechter standhalten kann als einem guten Beispiel.

MARK TWAIN

Vorgesetzte

Vorgesetzte sind Menschen, die sich um mehrere Stunden verspäten können, ohne daß man sie vermißt.

JERRY LEWIS

Es gibt Leute, die halten selbst den Furz des Vorgesetzten für eine Weisung.

THOMAS TRAUTMANN

Wenn man einen Menschen richtig beurteilen will, so frage man sich immer: »Möchtest du den zum Vorgesetzten haben –?«

KURT TUCHOLSKY

Vorrecht

Die meisten Männer sind der Meinung, ein Stückchen mehr Fleisch am Körper sei schon ein ausreichender Grund für allerlei Vorrechte.

PATRICIA KING

Vorsätze

Gute Vorsätze verdrängen schlechte Gewohnheiten.

LOTHAR SCHMIDT

Vorsehung

Die Vorsehung beschützt Kinder und Idioten. Ich weiß das, ich hab's ausprobiert.

MARK TWAIN

Vorsicht Hüte dich vor dem Mann, der die Frauenbewegung lobt; er ist im Begriff, seinen Job zu kündigen.

ERICA JONG

Hüte dich vor Männern, die weinen. Es stimmt schon, daß Männer, die weinen, empfindsam und empfänglich für Gefühle sind; aber die einzigen Gefühle, auf die sie sensibel reagieren, sind ihre eigenen.

NORA EPHRON

Ich gebe Ihnen mein verbindliches Vielleicht.

SAM GOLDWYM

Vorteil Ich profitiere davon, falsch zitiert zu werden.

CARY GRANT

Natürlich habe ich Ihnen gegenüber einen leichten Vorteil. Es ist manchmal hilfreich, wenn man seine Braut daran erinnern kann, daß man ihretwegen auf den Thron verzichtet hat.

DUKE OF WINDSOR

Vortrag Die meisten Menschen sind von einem Vortrag nach zehn Minuten gelangweilt; pfiffige schaffen es in fünf. Und vernünftige Leute gehen überhaupt nicht hin.

STEPHAN LEACOCK

Vorurteil

Vorurteil: Streunende Meinung ohne erkennbaren Lebensunterhalt.

AMBROSE BIERCE

Es ist leichter, einen Atomkern zu spalten als ein Vorurteil.

ALBERT EINSTEIN

Das Vorurteil ist ein unentbehrlicher Hausknecht, der lästige Eindrücke von der Schwelle weist. Nur darf man sich von seinem Hausknecht nicht selbst hinauswerfen lassen.

KARL KRAUS

Die Deutschen sind verblüfft, wenn sie mit Humor konfrontiert werden; die Schweizer wissen nicht, was Spaß ist; die Spanier meinen, es sei nichts Albernes dabei, um Mitternacht zu Abend zu essen, und die Italiener hätte man niemals mit der Erfindung des Automobils vertraut machen sollen.

BILL BRYSON

Was wir bei uns Grundsätze nennen, nennen wir bei anderen Vorurteile.

FRITZ MULIAR

Vorurteile sterben ganz langsam, und man kann nie sicher sein, daß sie wirklich tot sind.

JULES ROMAINS

Vorurteil

Vorurteile sind Fertigteile: damit kann man sich die Welt leicht und schnell zusammenbauen.

HELLMUT WALTERS

Norweger kann ich nicht leiden. Bei denen geht die Sonne nie unter, die Kneipen öffnen nie und das ganze Land riecht nach geräuchertem Lachs.

EVELYN WAUGH

Vorzeitige

Viele, die ihrer Zeit vorausgeeilt waren, mußten auf sie in sehr unbequemen Unterkünften warten.

STANISŁAW JERZY LEC

Voyeur

Voyeure sind Männer, die nur noch besichtigen, weil sie nichts mehr beabsichtigen.

HELEN VITA

W

Wählen

Wählen, wählen! Das sagt sich so leicht. Und wenn man nicht weiß, wen man wählen soll?

ERIKA PLUHAR

Waffe

Die gefährlichsten Waffen sind die Menschen kleinen Kalibers.

WIESŁAW BRUDZINSKI

Wagner

Wagner: Wenn sein Name fällt, hämisch grinsen und Witze reißen über die Zukunft der Musik.

GUSTAVE FLAUBERT

Ich liebe Wagners Musik mehr als jede andere. Sie ist so laut, daß man sich die ganze Zeit unterhalten kann, ohne daß die anderen Leute hören, was man sagt.

OSCAR WILDE

Wagnis

Ohne Wagnis gibt es keinen Erfolg. Für eine Frau besteht das Wagnis darin, das, was an ihr Frau ist, auch wirklich zu zeigen.

MISTINGUETT

Wagnis

Du bist, was du wagst.

XAVIERA HOLLANDER

Wahl

Wenn eine Frau die Wahl zwischen einem Pelzmantel und einem Geliebten hat, wählt sie den Pelzmantel aus der Hand des Geliebten.

JEANNE MOREAU

Eine Frau muß wählen: mit einem Mann, der bei den Frauen beliebt ist, ist sie nicht sicher; mit einem Mann, der bei den Frauen unbeliebt ist, ist sie nicht glücklich.

ANATOLE FRANCE

Die Frage ist nicht so sehr, ob man sich für einen Mann entscheiden soll oder nicht – es ist die Frage, was man nun mit all den anderen tun soll.

PATRICIA HENLEY

Unter faulen Äpfeln hat man wenig Wahl.

WILLIAM SHAKESPEARE

Wahlkampf

Wahlkampf ist wie ein Pferderennen: es kommt auf das Pferd an, auf den Jockey und auf die Hindernisse.

MICHAEL FOOT

Wahlrecht

Die Regierung eines einzelnen ist eine Ungeheuerlichkeit. Das eingeschränkte Wahlrecht ist eine Ungerechtigkeit. Das allgemeine Wahlrecht ist eine Dummheit.

GUY DE MAUPASSANT

Wahlvorschlag

Lieber spät und richtig als nie und falsch.

ANONYM

Wahn

Den Wahn erkennt natürlich niemals, wer ihn selbst noch teilt.

SIGMUND FREUD

Wahnsinn

Es ist immer etwas Wahnsinn in der Liebe. Es ist immer etwas Vernunft im Wahnsinn.

FRIEDRICH NIETZSCHE

Wahrheit

Mir ist egal, was über mich geschrieben wird, solange es nicht die Wahrheit ist.

DOROTHY PARKER

Ich weiß nie genau, wieviel von dem, was ich sage, der Wahrheit entspricht.

BETTE MIDLER

Die Wahrheit ist die sicherste Lüge.

ANONYM

Halbe Wahrheiten verbürgen ganze Mißerfolge.

RUDOLF AUGSTEIN

Wenn du der nackten Wahrheit nicht ins Gesicht blicken kannst, erschrick nicht, wenn sie dir den Rücken kehrt.

KLAUS BERNHARDT

Eine Wahrheit in böser Absicht berichtet, schlägt alle Lügen, die man erfinden kann.

WILLIAM BLAKE

Wahrheit

Die meisten Wahrheiten schmecken nach Zyankali.

LUIS BUÑUEL

Die Wahrheit ist zu schlau, um gefangen zu werden.

WILHELM BUSCH

Wahrheiten verwandeln sich in Dogmen, sobald sie diskutiert werden.

GILBERT KEITH CHESTERTON

Man sollte die Wahrheit nicht mit der Mehrheit verwechseln.

JEAN COCTEAU

Die Wahrheit ist etwas Schönes, fraglos; aber Lügen auch.

RALPH WALDO EMERSON

Wahrheit ist selten ein guter Ersatz für Takt.

ALEC GUINNESS

Wird die Wahrheit frisiert, muß sie Haare lassen.

HANS KASPER

Vom Wahrsagen läßt sich's wohl leben in der Welt, aber nicht vom Wahrheitsagen.

GEORG CHRISTOPH LICHTENBERG

Einer neuen Wahrheit ist nichts schädlicher als ein alter Irrtum.

GEORG CHRISTOPH LICHTENBERG

Wahrheit

Es ist fast unmöglich, die Fackel der Wahrheit durch ein Gedränge zu tragen, ohne jemandem den Bart zu sengen.

GEORG CHRISTOPH LICHTENBERG

Zum Ergreifen der Wahrheit braucht es ein viel höheres Organ als zur Verteidigung des Irrtums.

GEORG CHRISTOPH LICHTENBERG

Nichts ist absolut wahr, und auch das ist nicht absolut wahr.

MULTATULI

Es gibt Wahrheiten, auf die man Gift nehmen kann.

HEINRICH NÜSSE

Die Hauptschwierigkeit, Kindern die Wahrheit zu sagen, liegt darin, daß wir alle uns selbst nicht die Wahrheit sagen.

ALEXANDER SUTHERLAND NEILL

Überzeugungen sind gefährlichere Feinde der Wahrheit als Lügen.

FRIEDRICH NIETZSCHE

Wahrheitsliebe ist die seltenste aller amourösen Bindungen.

ALFRED POLGAR

Wahrheit

Wer glaubt, die Summer zweier Halbwahrheiten sei die Wahrheit, der hat sich verrechnet.

LOTHAR SCHMIDT

Alles ist richtig, auch das Gegenteil. Nur: »Zwar … aber« – das ist nie richtig.

KURT TUCHOLSKY

Wenn du die Wahrheit sagst, gibt es nichts, was du im Kopf behalten müßtest.

MARK TWAIN

Die Dichtung ist verpflichtet, sich nach den Möglichkeiten zu richten. Die Wahrheit nicht.

MARK TWAIN

Eine Wahrheit hört auf, wahr zu sein, wenn sie von mehr als einer Person geglaubt wird.

OSCAR WILDE

Es ist eine schreckliche Sache für einen Mann, wenn er plötzlich entdeckt, daß er sein Leben lang nichts als die Wahrheit gesagt hat.

OSCAR WILDE

Wenn man die Wahrheit sagt, kann man sicher sein, früher oder später ertappt zu werden.

OSCAR WILDE

Wahrheit

Etwas ist nicht notwendigerweise wahr, bloß weil ein Mann dafür stirbt.

OSCAR WILDE

Die Wahrheit ist nicht gerade das, was man einem hübschen süßen gebildeten Mädchen erzählt.

OSCAR WILDE

Frauen sagen stets die Wahrheit, aber nie die ganze.

AUS ITALIEN

Wahrsagen

Wahrsagen kann jeder. Die Frage ist, ob man recht behält.

ROBERTO BENIGNI

Waise

Vaterloses Kind ist Halbwaise; mutterloses Kind ganz Waise.

JIDDISCHES SPRICHWORT

Wankelmut

Die Männer tadeln den Wankelmut der Frauen, wenn sie sein Opfer sind. Aber sie finden ihn ganz entzückend, wenn sie sein Nutznießer sind.

BRIGITTE HORNEY

Ware

Die Hähne krähen, aber die Hennen liefern die Ware.

ANN RICHARDS

Warten

Wenn die Mädchen darauf warten wollten, bis die jungen Männer zu einem Entschluß kommen, würde die Menschheit bald aussterben.

BRIGITTE BARDOT

Ein Mädchen kann warten, bis der Richtige kommt. Aber bis dahin kann sie trotzdem eine wundervolle Zeit mit all den Falschen haben.

CHER

Alles, was zu besitzen sich lohnt, lohnt auch, daß man darauf wartet.

MARILYN MONROE

Warten können ist eine große Kunst, nichts erwarten eine noch größere.

INGRID BERGMAN

Frauen lassen einen Mann nur deshalb warten, weil sie damit seine Vorfreude vergrößern wollen.

HANNELORE ELSNER

Vor allem muß man die Männer warten lassen. Die Liebe ist ein großes Wartezimmer, in dem es vor Ungeduld knistert.

HÉLÈNE WIENER

Weg

Die Wege, die nirgends hinführen, sind die sichersten.

GABRIEL LAUB

Wegweiser

Wegweiser sagen nichts über den Zustand der Straße.

REINHARD GUNDELACH

Weibchen

Weibchen: Nur bei Tieren zu verwenden. Anders als bei den Menschen sind bei den Tieren die Weibchen weniger schön als die Männchen. Beispiele: Fasan, Hahn Löwe usw.

GUSTAVE FLAUBERT

Weiblich

Es gibt keinen weiblichen Mozart, weil es auch keinen weiblichen Jack the Ripper gibt.

CAMILLE PAGLIA

Weiblichkeit

Das Ewig-Weibliche zieht uns hinan.

JOHANN WOLFGANG VON GOETHE

Das Ewig-Weibliche zieht uns hinab.

FRIEDRICH NIETZSCHE

Weiblichkeit ist die Eigenschaft, die ich an Frauen am meisten schätze.

OSCAR WILDE

Weihnachten

Ich bin ein armer Schlucker, aber ich würde mit Freuden zehn Shilling opfern, um herauszufinden, von wem ich heute morgen diese unverschämte Weihnachtskarte bekommen habe.

GEORGE GROSSMITH

Weihnachten

Die Ware Weihnacht ist nicht die wahre Weihnacht.

KURT MARTI

Auf einem Gänsekalender wäre Weihnachten Heldengedenktag.

JOSEF MEIER O'MAYR

Weihnachten, jene Zeit des Jahres, in der die Leute in den Familienbunker hinabsteigen.

BYRON ROGERS

Weihnachten beginnt um den 1. Dezember mit einem Umtrunk im Büro und endet um den 15. April im nächsten Frühjahr, wenn man schließlich zusammen hat, was man ausgegeben hat.

P. J. O'ROURKE

Weihnachtsmann

Ich habe schon früh aufgehört, an den Weihnachtsmann zu glauben. Meine Mutter nahm mich in Hollywood in ein Kaufhaus mit, um mir Santa Claus zu zeigen, und er bat mich um ein Autogramm.

SHIRLEY TEMPLE

Wein

Es ist mir völlig gleichgültig, wohin das Wasser fließt, solange es nicht in den Wein läuft.

GILBERT KEITH CHESTERTON

Wein

Wein: Diskussionsthema. Seine Eigenschaften – »Bordeaux ist der beste, da ihn schließlich die Ärzte verordnen.« – »Je schlechter er schmeckt, desto natürlicher ist er.«.

GUSTAVE FLAUBERT

Weisheit

Niemand hat je zur Weisheit gefunden, ohne sich auch mal zum Narren gemacht zu haben.

ERICA JONG

Ein Mensch bleibt weise, solange er die Weisheit sucht. Sobald er sie gefunden haben will, wird er ein Narr.

ANONYM

Weisheit ist eine Art gebildeter Unverschämtheit.

ARISTOTELES

Eine kluge Frage ist eine Hälfte der Weisheit.

FRANCIS BACON

Dumme Gedanken hat jeder, nur der Weise verschweigt sie.

WILHELM BUSCH

Philosophen! Hütet euch, den Stein der Weisen zu finden. Man wird ihn euch an den Hals hängen.

STANISŁAW JERZY LEC

Weisheit

Gibt mir Gelassenheit, Dinge hinzunehmen, die ich nicht ändern kann; gib mir den Mut, Dinge zu ändern, die ich zu ändern vermag, und gib mir die Weisheit, das eine vom anderen zu unterscheiden.

FRIEDRICH CHRISTOPH OETINGER

Wohlerzogene widersprechen anderen Leuten, Weise widersprechen sich selbst.

OSCAR WILDE

Weisheit reitet oft auf Eseln und kommt zu spät.

AUS ARABIEN

Weissager

Wenn man nach fünftägiger Bekanntschaft zu einem Menschen sagt: »Sie haben etwa den und den Charakter – also werden Sie wohl das und das Schicksal haben«: das glaubt er nicht. Wenn man ihm aber dasselbe aus der Hand weissagt: das glaubt er.

KURT TUCHOLSKY

Welt

Die Welt ist ein Irrenhaus, und deshalb ist es nur richtig, daß sie von bewaffneten Idioten bewacht wird.

BRENDAN BEHAN

Die Welt ist ein Gefängnis, in dem Einzelhaft vorzuziehen ist.

KARL KRAUS

Welt

Was mich wundert, ist, daß die Küken nicht ins Ei zurückschlüpfen, sobald sie einen Blick auf unsere Welt geworfen haben.

NORMAN MAILER

Weltgeschichte

Wie sich der kleine Moritz die Weltgeschichte vorstellt – genau so ist sie.

ANTON KUH

Weltgeschichte ist eine Verschwörung der Diplomaten gegen den gesunden Menschenverstand.

ARTHUR SCHNITZLER

Weltuntergang

Ich weiß nicht, wer die Welt erschaffen hat, ich weiß, wer sie vernichten wird.

STANISŁAW JERZY LEC

Werbung

Statements, die in Anzeigen oder auf dem Umschlag eines Buches dieses wärmstens empfehlen, stammen von Fremden des Autors, die das Buch zwar nicht gelesen haben, dem armen Kerl aber noch einen Gefallen schuldig sind.

ART BUCHWALD

Werbung ist der größte Spaß, den du haben kannst, wenn du angezogen bist.

JERRY DELLA FEMINA

Fünfzig Prozent bei der Werbung sind immer rausgeworfen. Man weiß bloß nicht, welche Hälfte das ist.

HENRY FORD

Werbung

Werbung läßt sich als die Wissenschaft beschreiben, die menschliche Intelligenz so lange einzusperren, bis man Geld von ihr erhält.

STEPHEN LEACOCK

Werbung ist das Rasseln eines Stocks in einem Blecheimer.

GEORGE ORWELL

Werbung ist die Kunst, auf den Kopf zu zielen und die Brieftasche zu treffen.

VANCE PACKARD

Vergleichende Werbung ist in der Wirtschaft verboten und in der Politik die Regel.

LOTHAR SCHMIDT

Western

Männer sehen am liebsten Westernfilme, aber sie haben Angst vor Pferden.

ANONYM

Wetter

Was für ein furchtbar heißes Wetter wir haben! Es versetzt mich in einen beständig uneleganten Zustand.

JANE AUSTEN

Wetter: Unerschöpfliches Thema. Allgemeine Ursache von Krankheiten. Ständig darüber schimpfen.

GUSTAVE FLAUBERT

Widerspruch — Im Munde gewisser Leute reizen die eigenen Ansichten zum Widerspruch.

KARL HEINRICH WAGGERL

Widerstand — Der Widerstand einer Frau ist nicht immer ein Beweis ihrer Tugend. Oft ist er ein Beweis ihrer Erfahrung.

NINON DE LENCLOS

Der Widerstand verschafft der Liebe immer kräftigere Waffen.

GEORGE SAND

Wiederverheiraten — Wenn eine Frau sich wieder verheiratet, dann geschieht es, weil sie ihren ersten Mann verabscheute. Wenn sich ein Mann wieder verheiratet, dann geschieht es, weil er seine erste Frau anbetete. Frauen versuchen ihr Glück, Männer setzen das ihre aufs Spiel.

OSCAR WILDE

Wirken — Wirken: den Faden aus der Fadenscheinigkeit entwickeln.

ELAZAR BENYOËTZ

Wirklichkeit — Die Wirklichkeit ist etwas, wo man drüber steht.

LIZA MINNELLI

Die Wirklichkeit ist nur die schlechte Kopie unserer großen Romane.

ANONYM

Wirklichkeit

Die Wirklichkeit ist immer das Letzte.

HERMANN KINDER

Wirtschaft

Nichts ist ungesetzlich, solange hundert erfolgreiche Geschäftsleute beschließen, es zu machen.

ANDREW YOUNG

Wissen

Gewöhnliche Frauen wissen mehr über Männer als schöne.

KATHARINE HEPBURN

Wissen ist Macht, vor allem das Wissen über andere Leute.

ETHEL WATTS MUMFORD

Was ich gelernt habe, das weiß ich schon nicht mehr. Das wenige, was ich noch weiß, habe ich erraten.

NICOLAS CHAMFORT

Man weiß durchaus nicht alles, was man will.

LA ROCHEFOUCAULD

Wissenschaft

Kein Akademiker ist je auf einen Lehrstuhl berufen worden, bevor er nicht ein Alter erreicht hatte, in dem er die Bedeutung des Wortes »überflüssig« vergessen hatte.

FRANCIS M. CORNFORD

Wissenschaft

Die Wissenschaft ist nur eine Episode der Religion. Und nicht einmal eine wesentliche.

CHRISTIAN MORGENSTERN

Ein richtiger Ochse läßt sich vor jeden Mistkarren spannen, der schön wissenschaftlich stinkt.

JUPP MÜLLER

Die Progressiven haben ganze College-Fachbereiche – wie Psychologie, Soziologie, Frauenforschung – erfunden, um zu beweisen, daß niemand an irgend etwas schuld ist.

P. J. O'ROURKE

Wissensdurst

Wissensdurst kann Trunksucht werden.

MAX HOGREFE

Witwe

Eines läßt sich nicht bestreiten: Witwen leben länger als ihre Männer.

INGRID STEEGER

Es ist schon möglich, daß man im Laufe der Zeit an mehrere falsche Frauen gerät. Bei der Wahl seiner Witwe sollte man aber keinen Fehler mehr machen.

SASCHA GUITRY

Witwer

Zwei Witwer machen drei Narren.

ANONYM

Witz	Der Witz eines reichen Mannes ist immer komisch. THOMAS EDWARD BROWN
	Die Menschen haben immer Witz genug, wenn sie nur keinen haben *wollen*. GEORG CHRISTOPH LICHTENBERG
	Der Witz ist das Epigramm auf den Tod eines Gefühls. FRIEDRICH NIETZSCHE
Wörterbuch	Ich vermute, daß, so lange es Menschen auf dieser Welt gibt, diese Wörterbücher veröffentlichen werden, in denen Unbekanntes in Begriffen definiert wird, die ebenfalls unbekannt sind. FLANN O'BRIEN
	Wörterbuch: Lächerlich – nur für Ignoranten. GUSTAVE FLAUBERT
Wohlbefinden	Für das Wohlbefinden einer Frau sind bewundernde Männerblicke wichtiger als Kalorien und Medikamente. FRANÇOISE SAGAN
Wohlerzogenheit	Wohlerzogen zu sein ist heutzutage ein großer Nachteil. Es schließt einen von so vielem aus. OSCAR WILDE

Wohlstand

Welch ein Wohlstand muß in einem Staat herrschen, in dem es möglich ist, die Hälfte der Bevölkerung im Polizeidienst und die andere Hälfte auf Staatskosten im Gefängnis zu halten.

STANISŁAW JERZY LEC

Die Gescheiten leben von den Dummen und die Dummen von der Arbeit.

GEORG PFLANZELT

Wohltäter

Es gibt Wohltäter, die es gern sehen, auf frischer Tat ertappt zu werden.

LOUIS ARMSTRONG

Wollust

Die Wollust wird in der einsamen Umarmung der Liebenden wieder, was sie im großen ganzen ist – das billigste Wunder der Natur.

FRIEDRICH SCHLEGEL

Wort

Daß die Frauen das letzte Wort haben, beruht hauptsächlich darauf, daß den Männern nichts mehr einfällt.

HANNE WIEDER

Schwach ist die Liebe, die sich noch in Worten ausdrücken läßt.

DANTE ALIGHIERI

Wer Worte macht, tut wenig.

WILLIAM SHAKESPEARE

Wort

Handlungen sind die erste Tragödie im Leben, Worte die zweite. Worte sind vielleicht die schlimmste. Worte sind erbarmungslos.

OSCAR WILDE

Würstchen

Wer zu allem seinen Senf dazugibt, gerät leicht in den Verdacht, ein Würstchen zu sein.

ANONYM

Wüste

Wüste: Inbegriff der Unendlichkeit – wo man nicht leben kann. Erzeugt Datteln. Ihr Schiff ist das Kamel.

GUSTAVE FLAUBERT

Wüstling

Was ist ein Wüstling? Einer, der auch dort noch Geist hat, wo andere nur Körper haben.

KARL KRAUS

Wunder

Wer glaubt schon an Wunder? Doch alle warten darauf.

STANISŁAW JERZY LEC

Ich glaube nicht an Wunder. Ich habe ihrer zu viele gesehen.

OSCAR WILDE

Wunsch

Das Problem: Fast alle Männer wünschen sich eine Jungfrau mit den Erfahrungen einer Messalina.

JEANNE MOREAU

Wunsch

Die Armen wollen reich sein, die Reichen möchten glücklich sein, Singles möchten verheiratet sein, und die Verheirateten wollen tot sein.

ANN LANDERS

Wut

Ich habe meine Wut auf die Männer nicht begraben. Sie schlummert direkt unter der Oberfläche.

CAMILLE PAGLIA

Ohnmächtige Wut wirkt Wunder.

STANISŁAW JERZY LEC

Es gibt kein angenehmeres Geräusch als das Zähneknirschen eines Kumpels.

GROUCHO MARX

Bei Wut erstmal bis vier zählen; bei Stinkwut fluchen.

MARK TWAIN

Y

Yoga Yoga? Eine Erfindung des Westens.

GUY DELEURY

Z

Zähne

Die Männer sind wie Zähne: Es dauert lange, bis man sie bekommt. Und wenn man sie hat, tun sie einem weh. Und wenn sie nicht mehr da sind, hinterlassen sie eine Lücke.

FRANÇOISE ROSAY

Zärtlichkeit

Wenn eine Frau die Zärtlichkeit rationiert, geht der Mann auf den schwarzen Markt.

SENTA BERGER

Zärtlichkeit ist hautnahe Verehrung.

JEAN-PAUL BELMONDO

Zahnarzt

Der einzige Mensch, den eine Ziehung bestimmt reicher macht, ist der Zahnarzt.

HARALD JUHNKE

Ein Zahnarzt ist ein Mensch, der von der Hand in den Mund lebt.

ROBERT LEMBKE

Zauber

Wenn man die Frauen verstehen könnte, ginge viel von ihrem Zauber verloren.

SASCHA GUITRY

Zeit

Ich habe nicht die Zeit, mich jeden Tag zu schminken. Ich brauche die Zeit, um mein Gewehr zu reinigen.

HENRIETTE MANTEL

Man vertut die meiste Zeit damit, daß man Zeit gewinnen will.

JOHN STEINBECK

Zeit ist, was passiert, wenn sonst nichts passiert.

RICHARD FLYNMAN

Die Leute, die niemals Zeit haben, tun am wenigsten.

GEORG CHRISTOPH LICHTENBERG

Auf der Höhe der Zeit kann einem manchmal ganz schwindlig werden.

WOLFGANG MOCHER

Zeit macht aus einem Gerstenkorn eine Kanne Bier.

AUS LETTLAND

Zeitalter

Kein Zeitalter kann grausam genug sein, um nicht bald zu den goldenen gezählt zu werden.

ELAZAR BENYOËTZ

Zeitgeist

Der Zeitgeist ist das jeweilige Gespenst der Gegenwart.

WERNER SCHNEYDER

Zeitgeist	Es genügt schon lange nicht mehr, mit der Zeit zu gehen. Man muß mit ihr joggen. BERNHARD WICKI
Zeitschrift	Manche Zeitschriften halten sich nur durch die Freiabonnenten. KURT TUCHOLSKY
Zeitung	Wenn Zeitungen nach den Interessen der Leser gemacht würden, käme Politik auf der ersten Seite kaum vor. JOHANNES GROSS
	Ein Mensch, der überhaupt nicht liest, ist gebildeter als ein Mensch, der nichts außer Zeitungen liest. THOMAS JEFFERSON
	Nähme man den Zeitungen den Fettdruck – um wieviel stiller wäre es auf der Welt! KURT TUCHOLSKY
	Bei einer Zeitung stehen die einzigen Wahrheiten, auf die du vertrauen kannst, in den Anzeigen. THOMAS JEFFERSON
	Den Leuten ein X für ein U vormachen – wo ist die Zeitung, die diesen Druckfehler zugibt? KARL KRAUS

Zeitung

Zeitungen gleichen Sparbüchern: daß sie vollgeschrieben sind, bedeutet noch nichts.

GABRIEL LAUB

Manche Zeitungen sind an und für sich ein Druckfehler.

WERNER SCHNEYDER

Man kann nur etwas über die Welt erfahren, wenn man wenig Zeitung liest.

PETER TURRINI

Zeitvertreib

Man sollte nicht Zeitvertreib, sondern Zeigenuß sagen.

JEAN PAUL

Zensor

Ein fleißiger Zensor wird auch in der Pantomime ein unzulässiges Wort entdecken.

GABRIEL LAUB

Zensur

Von niemandem kontrolliert, schuf Gott die Dummköpfe. Und dann, um sie zu retten, schuf er die Zensur.

GABRIEL LAUB

Zensur ausüben sollte, wie die Nächstenliebe, bereits zu Hause beginnen, aber, anders als die Nächstenliebe, auch dort enden.

CLARE BOOTHE LUCE

Ein Zensor ist jemand, der mehr weiß als dir seiner Meinung nach zusteht.

LAURENCE J. PETER

Zensur

Ein Mord ist die extremste Form, Zensur auszuüben.

GEORGE BERNARD SHAW

Das Buch, das in der Welt am ersten verboten zu werden verdiente, wäre ein Katalogus von verbotenen Büchern.

GEORG CHRISTOPH LICHTENBERG

Die Zensur ist die jüngere von zwei schändlichen Schwestern, die ältere heißt Inquisition.

JOHANN NESTROY

Zentrum

Bevor Sie exzentrisch sein können, müssen Sie wissen, wo Ihr Zentrum ist.

ELLEN TERRY

Zerstreutheit

Zerstreutheit ist eine höhere Form der Konzentration.

ANONYM

Zerstreuung

Daß man immer andere Sorgen hat, ist die beste Zerstreuung.

ELAZAR BENYOËTZ

Ziel

Es ist das Ziel jeder Frau, den Mann zu dem zu machen, was er vor der Hochzeit zu sein behauptet hatte.

MICHELINE PRESLE

Ziellosigkeit

Wir leben in einer Zeit, in der ein Wettlauf mit gleichem Ziel nirgends stattfindet.

BOTHO STRAUSS

Zigarette	Eine Zigarette ist das vollendete Beispiel eines vollendeten Genusses. Sie ist köstlich und läßt einen unbefriedigt.
	OSCAR WILDE
Zigarre	Die Zigarre ist die letzte Bastion männlicher Hegemonie. Wenn die Frauen die Vorherrschaft der Männer endgültig brechen wollen, müssen sie Zigarren rauchen.
	MURIEL MAID
	Eine Frau ist nur eine Frau, aber eine gute Zigarre kann man rauchen.
	RUDYARD KIPLING
Zirkel	Zirkel: Man muß auf alle Fälle einem angehören.
	GUSTAVE FLAUBERT
Zitieren	Ich zitiere mich gerne selber. Das gibt meiner Konversation die Würze.
	GEORGE BERNARD SHAW
Zivilisation	Zivilisation: Die Eskimos bekommen warme Wohnungen und müssen arbeiten, um Geld für Kühlschränke zu verdienen.
	GABRIEL LAUB
	Selbst bei der zivilisierten Menschheit lassen sich Spuren von monogamem Instinkt feststellen.
	BERTRAND RUSSELL

Zivilisation

Ich habe es schon oft als schade empfunden, daß Noah und seine Sippe das Boot nicht verpaßt haben.

MARK TWAIN

Zorn

Zorn: Regt den Kreislauf an; daher ist es gesund, sich von Zeit zu Zeit hineinzusteigern.

GUSTAVE FLAUBERT

Zorn und Kaffee müssen heiß genossen werden.

AUS DER TÜRKEI

Zufall

Es ist bestimmt kein Zufall, daß man als Vogelscheuchen immer nur Männer aufstellt.

DORIS BLAKE

Kein Sieger glaubt an den Zufall.

FRIEDRICH NIETZSCHE

Zufall ist, wenn Gott inkognito reist.

MICHEL TOURNIER

Zugeständnis

Ich bin bereit, Zugeständnisse zu machen, wenn die Forderungen vernünftig sind. Wenn mir jemand sagt, ich soll mein Haar kämmen, kämme ich mein Haar. Wenn jemand verlangt, ich soll es blond färben, kann er zur Hölle gehen.

JANE WALLACE

Ziugeständnis

Zugeständnis: Niemals welche machen, sie waren der Untergang Ludwigs XVI.

GUSTAVE FLAUBERT

Zuhören

Wenn ein Mann will, daß ihm seine Frau zuhört, braucht er nur mit einer anderen zu reden.

LIZA MINNELLI

Zukunft

Man merkt nie, was getan wurde. Man sieht immer nur, was noch getan werden muß.

MARIE CURIE

Die Zukunft ist auch nicht mehr das, was sie mal war.

ANONYM

Das beste an der Zukunft ist vielleicht der Umstand, daß immer nur ein Tag auf einmal kommt.

DEAN ACHESON

Der Faschismus ist keineswegs aus sich selbst heraus eine neue Ordnung der Gesellschaft. Er ist die Zukunft, die sich weigert, geboren zu werden.

ANEURIN BEVAN

Meine Vision der Zukunft ist so genau, daß ich, falls ich Kinder hätte, sie sogleich erwürgen würde.

EMILE CIORAN

Zukunft

Das Zukünftige ist immer utopisch.

FRIEDRICH DÜRRENMATT

Ich denke nie an die Zukunft. Die kommt noch früh genug.

ALBERT EINSTEIN

Du kannst Dinge nur vorhersagen, nachdem sie geschehen sind.

EUGÈNE IONESCO

Der Phallus ist die Brücke in die Zukunft.

D.H. LAWRENCE

Wer in der Zukunft lesen will, muß in der Vergangenheit blättern.

ANDRÉ MALRAUX

Die Zukunft ist die Ausrede derer, die in der Gegenwart nichts tun wollen.

HAROLD PINTER

Die Zukunft kommt in Raten, das ist das Erträgliche an ihr.

ALFRED POLGAR

Futurologie ist die Kunst, Wahlresultate hochzurechnen, ohne Wahlen abzuhalten.

FAITH POPCORN

Zukunft	Die elektronische Verdatung verhält sich zum Sachbearbeiter in der Amtsstube wie ein Atomreaktor zum heimischen Kohleherd. WILHELM STEINMÜLLER
	Über die Zukunft zu reden, ist der beste Vorwand, sich vor der Gegenwart zu drücken. MARK TWAIN
Zunge	Ich würde lieber mit den Händen kämpfen als mit der Zunge. DOLLEY MADISON
Zurechtkommen	Mit Männern zurechtzukommen, darum geht es nicht. Es geht vielmehr darum, wie man mit einem Mann zurechtkommt, einem einzigen. PHYLLIS McGINLEY
Zurückhaltung	Man wird nur noch gehört, wenn man ganz wenig und ganz selten etwas sagt. PETER TURRINI
Zusammenleben	Heutzutage kann man kein halbes Jahr mit einem Mann zusammenleben, ohne daß man gleich als verlobt gilt. BRIGITTE BARDOT
	Nach langem Zusammenleben wird auch der interessanteste Mensch langweilig. Ich habe mich neulich sogar mit mir selbst gelangweilt. GABRIEL LAUB

Zweifel	Ich stelle nichts in Abrede, bezweifle jedoch alles. LORD BYRON
Zweiter Frühling	Der zweite Frühling kommt mit den dritten Zähnen. WALTER MATTHAU
Zwillinge	Schade, daß Kain und Abel keine siamesichen Zwillinge waren. STANISŁAW JERZY LEC
	Jeder Mensch wird als Zwilling geboren: als der, der er ist, und als der, für den er sich hält. MARTIN KESSEL
Zyniker	Zyniker: Schuft, dessen mangelhafte Wahrnehmung Dinge sieht, wie sie sind, statt wie sie sein sollten. AMBROSE BIERCE
	Ein Zyniker ist ein Mann, der den Preis von allen und den Wert von nichts kennt. OSCAR WILDE
Zynismus	Zynismus ist eine unerfreuliche Art, die Wahrheit zu sagen. LILLIAN HELLMANN
	Zynismus ist der Humor der hoffnungslos Verzweifelten. ANONYM